SIN BRORS VOGTER

Af samme forfatter

Kirsten Holst

SIN BRORS VOGTER

SPÆNDINGSROMAN

FORUM KRIMI

Sin brors vogter

3. udgave, 1. oplag
Omslag: Peter Stoltze
Sat med Stone Serif hos Christensen Grafisk
Trykt hos CPI – Clausen & Bosse, Leck
ISBN 978-87-638-2059-2

Printed in Germany 2011

Forum er et forlag i ROSINANTE&CO
Købmagergade 62, 4. | Postboks 2252 | 1019 København K
www.rosinante-co.dk

Cogito, ergo sum
Descartes

I

Cogito, ergo sum. Jeg tænker, altså *er* jeg.

Men jeg tænker ikke, jeg går.

Vado, ergo sum. Jeg går, altså *er* jeg.

Jeg behøver ikke at tænke for at gå. Gang består af afbrudte fald, har jeg lært engang. Så afbrudt faldende og uden at tænke bevæger jeg mig gennem byen.

Jeg vil ikke tænke, derfor går jeg.

Jeg ved ikke, hvor længe jeg har gået. En time? To timer? Mere?

Først gik jeg bare rundt og rundt og rundt i den indre by, så gjorde jeg cirklen større og større, og til sidst vandrede jeg ud af cirklen og over broen til tvillingbyen på den anden side af fjorden. Barndomsbyen. Måske er det et urgammelt instinkt. Når verden er ved at gå under, søger man hjem.

For at lukke tankerne ude tæller jeg mine skridt. I tiere, hundreder, tusinder.

12.646 skridt har jeg gået, hvor mange kilometer er det? Hvis vi for eksempel siger, at hvert skridt er 80 cm. Jeg har lange ben. Måske er hvert af mine skridt 85 cm. Nej, lad os sige 80, det er nemmere at regne med. Men jeg har allerede taget 12 skridt mere. Altså 12.658 gange 80. Jeg tæller og regner. Tæller og regner. Men det er et umuligt regnestykke, for der kommer hele tiden nye skridt til. Tallene svirrer rundt i mit hoved; jeg ordner dem i kolonner på kryds og tværs, så de bliver til et gitterværk, bag hvilket de forbudte tanker flakser rundt som fugle i et bur.

Jeg ender på kirkegården. Ved min søster Allies grav. Måske har det hele tiden været mit mål. Jeg ved det ikke. Der står en lille jernbænk derinde, men den er dryppende våd og iskold at føle på, så jeg sætter mig ikke. Det er tre et halvt år, siden hun døde, men såret er endnu ikke lægt. Hun blev kun 36 år, og jeg forstår det stadig ikke. Hun var så levende, så smuk og så fundamentalt god. Ikke naiv og slet ikke dum, bare god. Det eneste virkeligt gode menneske jeg har kendt. Det plejer at trøste mig at besøge hendes grav, se hendes navn på stenen og vide, at hun er der, at hun har været til, men i dag kan jeg ikke føle hendes nærvær. For første gang svigter hun mig.

Hvorfor? hvisker jeg. Hvorfor? Men jeg får ikke noget svar. End ikke de døde kender alle svarene.

Jeg bliver der ikke ret længe. Jeg kan ikke holde ud at stå stille, tankerne trænger sig på. De søger hele tiden mod det ømme punkt, som tungen søger den hule tand.

På tilbagevejen passerer jeg huset, mormors hus, hvor Allie og jeg voksede op sammen, men jeg standser ikke op. Jeg fortsætter ned over torvet til brolandingen og videre over broen, hvor bilerne passerer mig i en stadig strøm i begge retninger. Deres lys spejles og genspejles i den våde kørebane. I rendestenen ligger der små regnbuepytter af olieret vand.

Jeg er den eneste fodgænger på broen. Man *går* ikke på broen i regn og blæst. Man tager sin bil eller bussen eller til nød cyklen. Jeg føler, at bilisterne kigger efter mig. Hvorfor går hun der? Er det en selvmorder? Burde man tage mobilen og taste 112? Heroppe på broen går blæsten frisk over Limfjordens vande, fugtige vindstød rammer mig i ansigtet og driver vandet frem i mine øjne. Det er som at blive slået med våde håndklæder. Mit ansigt er vådt af regn og tårer, men jeg græder ikke. Jeg tæller mine skridt og græder ikke.

Jeg aner Nordkraft langt ude i regndisen og ved pludselig, at jeg afskyr denne by. At jeg altid har gjort det, så hvorfor vendte jeg tilbage? Åh jo, på grund af Allie. Fordi Allie blev syg. Men hvorfor i alverden flygtede jeg så ikke igen, da jeg kunne? Hvad fik mig til at blive? Nu flakser tankerne vildt bag gitterværket. Har de fundet en sprække, hvor de kan slippe ud? Jeg tæller og tæller og laver nye kolonner, mens jeg gisper efter luft. Det føles, som om min hals er ved at blive kvalt i sig selv.

Vinden tager af, da jeg når ned på Vesterbrogade. Det er husene, der giver læ. Det er også det bedste, man kan sige om dem. De er grimme. Det er en grim by. Hæslig. Primitiv.

Der hænger valgplakater i næsten hver anden lygtepæl. Fotostater af alle kandidaterne. De smiler tillidsvækkende til mig gennem regndisen, men dråberne forvrænger deres træk, så jeg ikke kunne drømme om at købe en brugt bil af nogen af dem.

Her møder jeg andre fodgængere. Triste, grå skikkelser. Jeg mærker deres undrende og undersøgende blikke, men når jeg ser på dem, vender de hastigt blikket væk. Som når man af vanvare kommer til at se på en invalid. Hvad er det, de fornemmer?

Jeg drejer hen ad Vingårdsgade. Nu er jeg næsten hjemme. Da jeg når hen i min egen gade, ser jeg en skikkelse træde et par skridt ud på fortovet foran det hus, hvor jeg bor. Det er Rade, min gamle jugoslaviske vicevært.

Han må have stået i læ i gadedøren og ventet på mig, gud ved hvor længe. Han har mistet sit flotte buskede overskæg, men jeg ved, at hvis han havde haft det endnu, ville det hænge traurigt ned langs begge mundvige.

Traurigt. Et af mormors udtryk. Dengang syntes jeg altid, at ordet havde en bebrejdende klang.

»Lad være at se så traurig ud, Bea.«

Sur, mente hun. Og hvad havde jeg at være sur over?

Jeg småløber de sidste skridt hen imod ham og glemmer helt at tælle. Han breder armene ud, og jeg nærmest kaster mig i hans favn.

»Morfar!« hulker jeg.

Rade hører det heldigvis ikke. Eller forstår det ikke.

Jeg forstår det heller ikke selv.

Hvorfor påkalder jeg pludselig min morfar?

Jeg har ikke tænkt på ham i årevis. Jeg kan ikke engang huske ham. Han døde, da jeg var ganske lille. Hvorfor dukker han så op nu? Er det en glemt erindring? Var det ham, der trøstede mig, når jeg var ked af det?

Måske. Det var i hvert fald ikke mormor.

Jeg trykker mit ansigt ind mod Rades grove strikketrøje, der lugter lidt af vådt får og gammel mand, og nu græder jeg. Jeg græder og græder og gnider tårer og snot af i strikketrøjen. Jeg behøver ikke at spørge, om han ved, hvad der er sket.

»Lille pike,« siger han og holder om mig. »Lille pike.«

Vi står der midt i regnen og holder om hinanden, mens tårerne opløser mit møjsommeligt byggede gitterværk, så alle tankerne slipper ud, og det er næsten ikke til at bære.

II

Dagen var begyndt som en ganske almindelig dag. Der var ingen dystre forudanelser, ingen klokker der ringede, ingen røde advarselslamper. Intet som helst. Det var en morgen som alle andre. En mørk og blæsende novembermorgen med let støvregn. Jeg stod op til sædvanlig tid kvart i syv. Det sker ikke ret ofte, så jeg ved egentlig ikke, hvorfor jeg kalder det sædvanlig tid. Måske fordi jeg synes, det er den tid, hvor jeg burde stå op. Ikke for tidligt og ikke for sent. De fleste af os vælger at tro, at tilværelsen, som den nu engang er, og som den burde være, går op i en højere enhed, men sådan er det sjældent. Der er et evigt skisma mellem Das *Sein* og Das *Sein Sollende,* som vores gamle tysklærer yndede at forklare os. Vi forstod det ikke helt dengang, og det gør jeg måske stadig ikke.

Men den morgen stod jeg som sagt op til det, jeg kalder sædvanlig tid. Jeg drak et glas juice, mens jeg tog undertøj og sokker på og trak i min vandtætte heldragt. En strikket hue fuldendte påklædningen, så greb jeg min taske, som jeg havde pakket om aftenen, og et øjeblik efter var jeg på vej ned ad trappen. Jeg svømmer hver morgen, og selv når jeg skal møde tidligt, lykkes det mig som regel at gennemføre det. Svømmehallen åbner allerede klokken seks for de morgenfriske. Jeg cykler altid derud, og hvis trafiklysene er med mig, kan jeg gøre det på mindre end et kvarter. Når jeg kommer derud, skyller jeg mig under bruseren, sæber mig ind og vasker hår, skyller igen og så ud i bassinet. Jeg svømmer tusind meter, 40 baner, mest crawl. Somme tider tager jeg også et par baner rygcrawl, men jeg er altid lidt nervøs for at hamre hovedet ind i endevæggene, så det går for langsomt. Jeg kan klare hele seancen inklusive af- og påklædning og cykelturen frem og tilbage på under halvanden time. Det gjorde jeg også den morgen. Jeg var hjemme hos mig selv før halvni og havde god tid til at gøre mig klar til at tage på arbejde. Jeg behøvede ikke at pakke mig ind, som om jeg skulle til Nordpolen, for jeg havde ingen udgående opgaver, men var sat på kontortjansen, derfor kunne jeg for en gangs skyld møde til sædvanlig tid, det vil sige klokken ni, og jeg har kun fem minutters gang til min arbejdsplads, NSC, Nordjysk Security Consult. Alle, der møder klokken ni, drikker morgenkaffe sammen, så jeg snuppede bare et bæger yoghurt, mens jeg tørrede håret nødtørftigt med hårtørreren. Det var på det tidspunkt, jeg hørte den første sirene. Jeg hæftede mig ikke særligt ved det, men registrerede det bare. Når man bor i en større by, er det jo ikke nogen usædvanlig lyd. Jeg klædte mig på i jeans og langærmet T-shirt og brugte et par minutter til at lægge eyeliner og mascara på. Det var netop, da jeg var ved at lave øjne, at jeg hørte den næste sirene, men det fik mig ikke til at ryste på hånden. Først da den fulgtes af en tredje, blev jeg rigtig opmærksom på dem, men hvis jeg overhovedet tænkte noget, har det sikkert været, at det nok var en trafikulykke eller en ildebrand. Det lød, som om de standsede et sted i nærheden. Jeg havde hørt mindst tre forskellige, det tydede på en større udrykning. Måske en alvorlig trafikulykke i et af krydsene, tænkte jeg og håbede egoistisk, at det ikke var et sted, som jeg skulle passere.

Og stadig var der ingen alarmklokker, der ringede. Hvor var min sjette sans?

Jeg mødte Rade, da jeg kom ned på gaden. Det var vores andet møde den dag, han plejer nemlig at stå og vente på mig, når jeg kommer fra svømmehallen, så han kan sætte min cykel ned i kælderen. Han bærer den også op for mig, så den står parat, når jeg skal derud, men da møder jeg ham sjældent.

Han så på mig. »Ja, nu ser du bedre ud, min pike,« grinede han. »Hørte du sirenerne for lidt siden?«

Jeg nikkede. »Ja, det lød, som om der var mindst tre.«

»De stoppede ikke ret langt herfra. Hvad mon der er sket?«

»Trafikulykke,« gættede jeg.

»Eller ildebrand,« sagde han. »Jeg syntes, jeg hørte noget ... et ... hvad hedder det nu?«

»Et hvad?«

»Jeg ved ikke ... ligesom et bang. Hørte du det ikke?«

»Næh, men det var nok fyrværkeri. De er allerede begyndt at skyde fyrværkeri af.«

»Så måske er det ildebrand.«

»Ja, måske.«

»Pas på dig selv,« sagde han. »Gå forsigtigt.«

Jeg lo. »Rade, jeg kan slet ikke undgå at gå forsigtigt. Jeg skal ikke engang over gaden.«

Jeg vinkede til ham og skyndte mig hen ad fortovet.

Jeg standsede med et sæt, da jeg drejede om hjørnet og kom ud på Boulevarden. Der holdt de. Alle tre. En brandbil, en ambulance og en politibil. Lige ud for den ejendom, hvor vi har til huse. Der herskede ikke ligefrem hektisk aktivitet. Brandmændene var tilsyneladende allerede ved at pakke sammen igen, et par af dem stod sammen med en af Falckredderne og talte med en politibetjent, der var posteret uden for gadedøren.

Der var heller ikke noget at se på huset. Ingen røg og ingen sprængte ruder.

Stor ståhej for ingenting, tænkte jeg. Det var sikkert bare en kortslutning eller sådan noget, der havde udløst alarmen.

Politimanden rettede sig op og gjorde sig bred, da jeg nærmede mig døren.

»Der er ingen adgang,« sagde han.

»Hvorfor ikke?«

»Det skal du ikke bekymre dig om.«

»Selvfølgelig skal jeg det. Jeg arbejder her i huset. Hvad er der sket?«

»Hvor arbejder du?«

»På tredje.«

»Hos NSC?«

»Ja, hvad er der sket?« gentog jeg.

Det var åbenbart en hemmelighed, for han svarede stadig ikke. I stedet trak han en notesbog op af lommen. »Hvad hedder du?«

»Bea Jantz.«

»B.A. Jantz?«

»Nej, Bea. Egentlig Beatrice«

»Hvordan staver du det?«

»Beatrice?«

»Nej, Jantz. Er det med z?«

»tz.«

»Øjeblik.«

Han gik et par skridt væk og vendte ryggen til mig, mens han talte i sin mobil. Det virkede lidt komisk, for jeg kunne ikke undgå at høre hvert eneste ord.

»Jeg har en her, der siger hun arbejder hos NSC.« Hans tonefald antydede, at jeg sikkert var fuld af løgn. »... Beatrice Jantz ... okay.« Han vendte sig om imod mig. »Du kan godt gå op nu.«

»Har der været ildebrand?«

»Noget i den retning,« sagde han affejende, idet han trådte til side for at lade mig passere. »Pas på slangerne.«

»Hva'?« udbrød jeg forbløffet.

»Brandslangerne.«

Nåh ja, selvfølgelig. De lå stadig og flød hele vejen op ad trapperne som flade hvidgrå bændler, der uvist af hvilken grund fik mig til at tænke på sygehuse og lange underjordiske gange, hvor portører triller af sted med senge i en belysning, der får både syge og raske til at ligne levende lig. Jeg ved det, for jeg har selv taget turen to gange – som pårørende. Hvad de døde ligner, aner jeg ikke, de var altid pænt dækket af et lagen. Under loftet løb der kilometervis af tykke rør svøbt i isolering, der fik dem til at ligne verdens største benbrud. (Aha, der havde vi bændlerne!)

Bortset fra brandslangerne og en masse snavsede fodspor var der heller ikke noget at se her. Der var en svag lugt af røg og et eller andet, jeg ikke kunne placere. Vi har en usædvanlig pæn opgang. Næsten fornem. Ejendommen er fra omkring 1900, måske lidt ældre, med store herskabelige lejligheder. I 70'erne og 80'erne boede her efterhånden kun tussegamle enker og ugifte døtre, der hverken kunne eller ville opgive deres store og absurd billige lejligheder. En lille moderne lejlighed ville koste mindst det dobbelte i husleje, og de supplerede deres mere eller mindre sparsomme pensioner ved at leje nogle af værelserne ud. Så huset fik lige så stille lov til at forfalde, fordi ingen ville ofre noget på det. Heldigvis, for så var stukornamenterne nok blevet slebet af, og det hele havde fået en gang plasticmaling. Nu lå det meste urørt hen, indtil den sidste enke opgav ånden, og trappeopgangen blev først renoveret i 90'erne, da alle lejlighederne var blevet lavet om til erhvervslejemål, og man havde råd og lyst til at bevare den gamle stil. Der er stuk på væggene hele vejen op, rosenguirlander hæftet op med store sløjfer. Stukkatøren, der fik opgaven, må have elsket det. På hver repos mellem de tre øverste etager er der et stort vindue i romansk stil, trappetrinene er blevet høvlet af, gelænderet er mahogni, og balustrene og entredørene er malet elfenbenshvide. Det eneste, jeg savner, er en rød løber. Der var oprindeligt otte lejligheder, men på første sal er to af lejlighederne blevet slået sammen. De tilhører et advokatfirma med et utal af navne på messingskiltet og brevpapiret. Der er også et rådgivende ingeniørfirma, et agentur, en revisor, en øjenlæge og en kiropraktor. Og så altså vores firma. NSC. Jeg siger vores, fordi jeg faktisk er medejer, men det er endnu så nyt, at jeg ikke helt har vænnet mig til det.

Både revisoren og advokatfirmaet har ligesom vi bevaret stukrosetterne omkring lampestederne i loftet og profilerne langs væggene, og formodentlig gælder det også de andre lejligheder, men jeg har, syv-ni-tretten, aldrig haft brug for hverken øjenlæge, kiropraktor eller ingeniør for slet ikke at tale om agenter, så dem har jeg aldrig været inde i.

Røglugten blev stærkere, efterhånden som jeg nåede højere op, og det samme gjaldt den udefinerlige lugt. Var det fyrværkeri, den mindede om? Det virkede usandsynligt.

Alarmklokkerne var omsider begyndt at ringe. Hvad var der sket? Hvorfor havde betjenten været så umeddelsom? Hvorfor var politiet stadig i huset, når branden var slukket? Og hvor var de?

Normalt tager jeg trappen i småløb, men nu tog jeg ét forsigtigt trin ad gangen, og mens jeg tænkte på stukroser, sygehuse, benbrud og alle mulige andre idiotiske og komplet ligegyldige ting, blev mine ben og min mave tungere og tungere, og følelsen af uafvendelig katastrofe voksede og voksede for hvert eneste trin.

Det sidste af mine spørgsmål fik jeg svar på, da jeg nåede det sidste trappeløb. Døren ind til vores domicil stod åben, og i døråbningen ventede endnu en politimand.

»Beatrice Jantz?« spurgte han.

»Ja,« svarede jeg, mens jeg tvang mig selv til at tage de sidste trin.

»Vær venlig at følge med herind.«

Han gik foran mig hen ad korridoren mod døren til det tidligere køkken, der nu er vores frokoststue. Døren ind til Henriks kontor for enden af gangen stod på klem, og jeg kunne høre, at der var aktivitet derinde.

»Hvad er der sket?«

»Det får du alt sammen at vide om lidt. Kriminalinspektør Winther vil selv orientere jer, når hun har fået overblik over situationen.«

»Beth Winther?«

»Ja.«

»Er hun kriminalinspektør?«

»Ja.«

Jeg havde mødt Beth Winther i en tidligere sag, jeg havde været involveret i. En sag der nær havde kostet mig livet. Dengang var hun kriminalassistent, nu var hun åbenbart nået et par trin højere op i hierarkiet. Jeg havde umiddelbart følt mig tryg ved hende, måske fordi jeg fandt ud af, at hun havde kendt Allie. Hendes børn havde gået i den børnehave, som Allie ledede, indtil hun blev syg. Jeg indrømmer, at det var irrelevant og irrationelt, men derudover virkede hun kompetent, rolig og effektiv. Jeg var glad for, at det var hende, jeg skulle sidde overfor. Det var, som om det fik den knugende angst, der havde grebet mig, til at lette lidt, selv om jeg stadig undrede mig over, at kriminalpolitiet tog sig af en banal brand. Kunne den være påsat? Nej, det virkede vildt usandsynligt; en pyroman kunne umuligt være trængt ind i vores lejlighed, han ville sikkert ikke engang have forsøgt, men snarere stukket ild på i kælderen eller på loftet. Der måtte være en naturlig forklaring.

Jeg havde et spørgsmål mere på læberne, men betjenten havde allerede åbnet døren til frokoststuen og gelejdede mig venligt, men bestemt indenfor. Lænet op mod vindueskarmen stod endnu en uniformeret politimand, og til min overraskelse sad der tre personer om bordet. Ruth og Mogens og Karin. Henrik var der ikke, men som den, der tegner firmaet, var han nok sammen med Winther. Jeg havde ellers regnet med, at Ruth og jeg ville være alene på skansen i dag, bortset selvfølgelig fra Henrik.

Der var dødstille i rummet. Politimanden, der havde ledsaget mig, trak en stol ud til mig, og jeg satte mig tøvende ved bordet. »Politiinspektør Winther kan snart være her,« sagde han, idet han gik. »Og jeg minder jer lige om, at I ikke må tale sammen.«

Ikke tale sammen. Det lød fuldkommen afsindigt. Hvad kunne der ske ved, at vi talte sammen?

Jeg så på de andre. De havde alle tre set op, da vi trådte ind, men faldt så atter hen i deres egne dystre tanker. Ruth, medejer og stifter af firmaet, sad som sædvanlig for bordenden. I dag holdt hun ryggen unaturligt rank og hovedet højt, og hænderne lå pænt foldet på bordet, mens hun stirrede lige frem for sig uden at se. Hendes hvide hår sad som altid, når hun er sig selv, ulasteligt i en smart frisure, hun var iført sorte bukser, hvid turtleneck-sweater og sort jakke. Hun så ud, som jeg forestiller mig en rektor for en meget dyr pigeskole. Men hun er lidt af en forvandlingskunstner. Jeg har set hende ligne en træt rengøringsassistent, en forvirret pensionist med flagrende Einsteinhår og en vred og selvretfærdig kunde. Normalt lader hun sig ikke hyle ud af noget som helst, men jeg lagde mærke til, at hun i dag var bleg under den diskrete makeup, og at hun uafbrudt gned tommelfingrene på de krampagtigt foldede hænder mod hinanden.

Ved bordets ene langside sad Karin. Hun er lige fyldt 50 og ser ikke en dag yngre ud. Tværtimod. Trist og kommunefarvet hele vejen igennem. En af den slags man glemmer i samme øjeblik, man vender ryggen til. En fremragende egenskab i vores job. I begyndelsen fandt jeg hende dræbende kedelig, indtil det langsomt gik op for mig, at der bag det kommunefarvede ydre gemte sig en skarp hjerne, en særdeles veludviklet humoristisk sans og – måske mest forbløffende – en hel del eventyrlyst. Ligeledes egenskaber, der er et *must* for os. Ellers kunne vi ganske enkelt ikke overleve i jobbet. Hun er lærer af uddannelse, og man skulle tro, at det var udfordring nok i vore dage, men hun valgte altså at kvitte lærergerningen til fordel for arbejdet som detektiv. I sin fritid dyrker hun faldskærmsudspring og skiløb sammen med sin lærermand, og så går hun til boksning! Ikke som tilskuer, jo, også det, men hun bokser selv. Hun har tilmed vundet flere mesterskaber, men det ligger ganske vist mange år tilbage. For resten kan hun se fantastisk godt ud, hvis hun mener, situationen kræver det. Det mener hun bare ikke ret ofte. Lige nu så hun mere kommunefarvet ud end nogen sinde, og øjnene var røde, som om hun havde grædt. Måske var hun kommet, mens lejligheden stadig var fyldt med røg. Jeg begreb stadig ikke, hvorfor hun og Mogens var her. Så vidt jeg vidste, skulle de sammen være ude på en opgave i dag.

Jeg lod blikket glide videre til Mogens, der sad lige over for hende. Han er en af vores freelancere, men i det virkelige liv er han politimand. Det giver somme tider problemer, for bedst som han er i gang med en opgave for os, bliver hans ferie eller fridage inddraget, fordi der er et eller andet på færde. Statsbesøg, kongeligt bryllup, ungskue, Rebildfest, eller hvad ved jeg. Henrik prøver konstant, men hidtil uden held, at overtale ham til at kvitte politiet og arbejde heltids for os, for han er brandgod, når han altså er her, men han slår det altid hen med sin standardbemærkning: »Vent, til jeg går på pension.« Og så har det desværre lange udsigter, for han er kun 40 år. Det troede jeg faktisk, han var, da jeg mødte ham første gang for snart fire år siden, til gengæld synes jeg ikke, han har forandret sig siden. Han er høj og veltrænet, men han begyndte tidligt at miste håret, derfor er han kronraget. Henrik påstår, at han altid har set ud som nu, men det tillader jeg mig at tvivle på. De lærte hinanden at kende inde ved militæret, og bekendtskabet fortsatte og blev til venskab, da de gik på politiskolen sammen. Henrik droppede politiet efter et par år, han siger selv, at han havde for svært ved at indordne sig, og det tror jeg gerne, men han og Mogens bevarede forbindelsen, også efter at Henrik var flyttet tilbage hertil og havde købt sig ind i NSC. Dengang gjorde

Mogens stadig tjeneste i København, men Henrik hyrede ham indimellem til enkelte opgaver derovre, og da han senere fik ansættelse her i byen, var det naturligt, at han blev en del af vores team som fast freelancer.

Jeg prøvede at fange hans blik, men han havde drejet sig lidt på stolen og stirrede sammenbidt ud ad vinduet. Jeg kunne se en muskel arbejde i hans tinding.

Politimanden havde anbragt mig for den anden bordende, og det føltes på en eller anden måde forkert. For det første fordi jeg er et skrækkeligt vanedyr, og jeg plejer altid at sidde ved den ene langside, for det andet og vigtigste fordi det er Henriks plads. Jeg følte mig som usurpator ved at sidde der. Henrik er boss, uanset hvor meget Ruth og jeg er medejere. Jeg ventede hvert øjeblik at se ham komme ind ad døren sammen med Winther, og så ville det genere mig at sidde på hans plads. Som om jeg havde benyttet mig af hans fravær til at lave om på rangfølgen.

Men da politiinspektør Winther omsider dukkede op, var hun kun i følge med Søgaard, en kriminalmand, jeg også tidligere har truffet og ikke nærer specielt varme følelser for. Jeg er sikker på, at følelserne er gensidige.

Jeg sendte uvilkårligt de andre et spørgende blik, men ingen af dem lod til at undre sig over det. De virkede bare lettede over, at der nu omsider skete noget.

»I må undskylde, jeg har ladet jer vente, men bortset fra Bea, ved I jo alle, hvad der er sket, så ...«

»Jamen, hvad er der sket?« afbrød jeg og kunne selv høre, at min stemme lød lidt skinger.

»Rolig nu, Bea,« sagde Mogens dæmpet. »Rolig.«

»Jeg vil bare gerne vide det.«

»Klart,« sagde Winther. »Du får den ultrakorte version. Vi blev alarmeret klokken 8.37. Det var Mogens her, der alarmerede os. Han og Karin var sammen på vej ud til en opgave, men standsede her på vejen, fordi Mogens ville hente et andet kamera. Idet han ringer på dørtelefonen, hører han noget, der lyder som et kanonslag, inde fra huset. Der bliver ikke reageret på hans ringen, så han låser sig selv ind. Han skynder sig op ad trappen, og da han når denne etage, bliver han klar over, at der må være sket en eksplosion her i lejligheden.«

»Men der er ikke noget her, der kan eksplodere,« indvendte jeg. »Vi har jo hverken gas eller noget.«

»Tro mig, det var en eksplosion, og der var brand på Henriks kontor. Mogens låser sig ind, tager et hurtigt overblik over situationen og ringer 112. Så snart det er gjort, ringer han til Karin, der stadig venter i bilen, og beder hende komme op, hvorefter han går i gang med at slukke ilden med håndslukkeren. Karin kommer til og hjælper ham, og omtrent samtidig med hende ankommer Ruth. Ilden er faktisk slukket, da brandvæsnet kommer.«

Hun havde talt roligt, klart og nøgternt, men jeg prøvede forgæves at sætte billeder på historien. Der var noget, der ikke stemte.

»Men hvor var Henrik?« spurgte jeg. »Han møder altid som den første om morgenen. Hvorfor lukkede han ikke op, da Mogens ringede på, og hvorfor havde han ikke selv prøvet at slukke branden?«

Winther rømmede sig.

»Det gør mig meget ondt at måtte sige det, Bea, men ulykkeligvis havde eksplosionen krævet et offer.«

Krævet et offer. Hvad mente hun med det?

Og pludselig vidste jeg det.

»Henrik!« udbrød jeg. »Du mener Henrik, ikke? Er han kommet noget til? Noget alvorligt.«

De så alle sammen på mig nu, og for øjnene af mig krakelerede deres ansigter og forvandledes til groteske masker.

»Jeg er forfærdelig ked af det, Bea,« sagde Beth Winther. »Der er ikke nogen god eller nem måde at sige det her på.« Hun tøvede kort. »Henrik er død. Han må være blevet dræbt næsten øjeblikkeligt.«

Jeg stirrede uforstående på hende. Det var, som om hun talte et fremmed sprog. Jeg så fra hende til de andre. Ventede på at en af dem ville protestere, sige at hun tog fejl. Henrik var i live. Selvfølgelig var han i live. Om et øjeblik ville han slentre ind ad døren, sende os et af sine skæve smil og sige, at rygterne om hans død var stærkt overdrevne.

Men der var ingen, der protesterede.

»Nej!« hviskede jeg med stive læber.

»Jo, Bea. Henrik er død,« gentog hun.

Og langsomt begyndte det at sive ind. Henrik, min tidligere chef, min tidligere kæreste, min nuværende partner og altid min bedste ven, var død.

»I vidste det!« råbte jeg anklagende. »I vidste det alle sammen, da jeg kom ind, og I lod mig bare sidde der og vide ingenting.«

»Bea!« udbrød Ruth og rejste sig halvt.

»Hvor er han?« råbte jeg med gråden i halsen. »Jeg vil se ham. Jeg tror det ikke, før jeg ser ham.«

»Han er kørt væk,« sagde Winther. »Du kan ikke komme til at se ham nu.«

»Senere så? Kan jeg komme til at se ham senere?«

Jeg så Mogens og Karin veksle blikke, og Mogens rystede let på hovedet.

»Måske,« sagde Winther.

Mine spytkirtler begyndte at gøre ondt, som om der var sat strøm til dem, og jeg mærkede munden løbe i vand. Jeg vidste, at om et øjeblik ville jeg enten brække mig eller give mig til at skrige – eller begge dele.

Jeg mærkede den sure galde stige op i halsen og rejste mig brat.

»Undskyld,« mumlede jeg. »Jeg tror, jeg skal ...« Jeg holdt hænderne for munden og styrtede ud på toilettet. Jeg nåede lige at bøje mig over kummen, før en styrtsø kom væltende ud af mig. Det blev ved og ved, indtil der til sidst kun var nogle krampagtige trækninger i maven. Jeg rejste mig op og vaklede på usikre ben hen til vasken, hvor jeg skyllede mund, drak lidt vand af hanen og vaskede hænder. Jeg kunne dårligt genkende det blege og fortrukne ansigt, der mødte mig i spejlet. Det lignede et gammelt træsnit fra en dårekiste. Jeg lod vandet løbe, mens jeg forsigtigt åbnede døren og listede ud i korridoren. Der lød stemmer fra Henriks kontor, men døren var lukket, og betjenten var væk.

Entredøren stod stadig på klem. Jeg snuppede min jakke, smuttede hurtigt ud og løb lydløst op ad trappen til loftsetagen, tværs over loftet og ned ad bagtrappen.

Jeg ville ikke tilbage til det rum. Orkede det ikke. Jeg måtte ud, jeg måtte røre mig, jeg måtte have luft, ellers blev jeg kvalt.

Så jeg gik. Gik og gik og gik, indtil jeg omsider udmattet og gennemblødt endte her i Rades trygge favn lige uden for min egen opgang.

»Lille pike,« gentager han, mens jeg bare græder og græder. »Lille pike.«

Han slipper mig med den ene arm, mens han fisker et rent, nystrøget lommetørklæde op af lommen og stikker det i hånden på mig. »Her,« siger han.

Har han altid et rent, nystrøget lommetørklæde på sig? Nej, selvfølgelig ikke. Han har forberedt sig, han vidste, at jeg ville få brug for det.

Så leder han mig forsigtigt hen mod døren, som om han fører en blind.

»Du skal ind i varmen, lille pike,« siger han. »Du er så kold og våd. Hvor har du dog været?«

Han bor i stuelejligheden til højre. Døren står på klem, og han skubber den op med foden uden at slippe mig.

Han småsnakker uden at vente på svar. Små trøstende ord, som til et barn, mens han tager min våde jakke af.

Han trækker en stol ud til mig ved det lille spisebord i køkkenet, skubber mig ned på den og rækker mig et krus dampende varm te.

Mine tænder klaprer mod kruset, da jeg tager den første slurk.

Han har hældt brændevin i teen, kan jeg smage, men jeg protesterer ikke. Han mener det godt – og det *gør* godt.

Jeg har drukket det meste af teen. Rade skænker op igen, tager også selv et krus og sætter sig over for mig.

»Er du sulten?«

Jeg ryster på hovedet. Nej, jeg er ikke sulten.

Han tager en slurk af sin te og skotter op til køkkenuret på væggen.

Der er noget, han skal have sagt.

»Politiet har været her.«

Det tænkte jeg nok.

»Det var dem, der fortalte mig, at ...«

Jeg nikker.

»Det er slemt.«

Ja, det er slemt, Rade. Det er meget, meget slemt. Næsten ubærligt. Tårerne løber igen. Jeg tørrer øjne og pudser næse i Rades lommetørklæde.

»Jeg skulle bede dig ringe, når du kom. Jeg har en nummer her.«

Jeg nikker igen. For en gangs skyld retter jeg ham ikke.

»Men du behøver ikke at gå op til dig selv,« fortsætter han. »Jeg har lagt rent på min seng. Du kan få en varm bad her og så lægge dig lidt. Du trænger til at blive varm og til at hvile dig helt ud.«

Jeg ryster på hovedet.

»Det er sødt af dig, Rade, men jeg kan lige så godt få det overstået.«

»De sagde, det var en bombe.«

Jeg ler en lille vantro latter. »Nej, Rade, det har du misforstået.«

»Det sagde de.«

»Nej, de sagde nok en eksplosion. Det var en eksplosion, Rade.«

Jeg drikker det sidste af min te og rejser mig.

Rade rejser sig også, og jeg giver ham et knus.

»Tak skal du have. Jeg tror, du har reddet mit liv.«

Jeg prøver at sende ham et lille smil, men det bliver kun til en ynkelig grimasse.

»Jeg synes, du skal blive her lidt,« siger han bekymret.

Men nej. Jeg må vide, hvad der er sket.

Hvad de ved.

III

Så snart jeg kom op til mig selv, ringede jeg til det nummer, Rade havde skrevet op til mig. Det viste sig at være en direkte forbindelse til Beth Winther.

»Hvor er du?« spurgte hun.

»Hjemme.«

»Vi vil gerne tale med dig.«

»Ja, det har jeg hørt.«

»Kan du være her om en halv time?«

»Hvor?«

»Vi er stadig på jeres kontor. Viceinspektør Søgaard og jeg.«

Søgaard. Ja, selvfølgelig var han der stadig. Det var lige det, der manglede!

Jeg sukkede og så på mit ur. Klokken var halv to.

»Okay.«

Jeg havde ikke mindste lyst til at tage derhen, men før eller siden skulle det jo være, og så kunne det lige så godt blive før.

Jeg stod i flere minutter under bruseren. Vandet var så varmt, at det næsten gjorde ondt, men jeg følte mig iskold helt ind i knoglerne. Det var først, da jeg stod og frotterede mig, at jeg begyndte at få varmen igen. Jeg klædte mig hurtigt på i rent, tørt tøj fra inderst til yderst og trådte ind i vores opgang et par minutter i to. Jeg er lidt hysterisk med præcision. Jeg er vist i det hele taget lidt af en kontrolfreak.

Brandslangerne var væk nu, og nogen havde sørget for, at trappen var blevet vasket. Måtterne lå på deres plads uden for de elfenbensfarvede døre, og messingskiltene glimtede i trappelyset. Alt virkede så fuldstændig normalt og hverdagsagtigt, at jeg et vildt øjeblik var i stand til at bilde mig selv ind, at klokken var et halvt minut i ni, at jeg var på vej til arbejde, og at alt det andet kun var en drøm – et uhyggeligt mareridt; men så bemærkede jeg lugten af røg og krudt, der endnu hang i luften, og vidste kun alt for godt, at det var ønsketænkning. At mareridtet var virkelighed.

Det klemte for brystet, da jeg nåede op til vores etage, og det var ikke på grund af trapperne. Jeg blev stående foroverbøjet uden for på afsatsen og trak vejret dybt et par gange, før jeg kunne overvinde mig selv til at åbne døren og gå ind.

Alle døre ud til korridoren var lukket nu, også døren ind til Henriks kontor, som ydermere var forsynet med et rødt/hvidt bånd tværs over døråbningen; men der lød stemmer inde fra frokoststuen. Jeg tøvede lidt udenfor, mens jeg overvejede, om jeg skulle banke på.

Nej, fandeme nej! Jeg var medejer af dette firma, jeg havde al mulig ret til at færdes overalt uden at spørge nogen om lov, så jeg åbnede døren og trådte ind i rummet. Scenen havde forandret sig siden i morges. Der var kaffekopper og tallerkener på bordet, og henne ved køkkenvasken stod en stabel tilsyneladende tomme pizzabakker. Personerne var heller ikke helt de samme. Ud over Winther og Søgaard var også Inge og Jakob, to af vore faste medarbejdere, kommet til. Om de var kommet af sig selv, eller om Ruth havde fanget dem på mobilen, anede jeg ikke. Til gengæld var Karin væk, og hendes plads var blevet overtaget af Jakob. Han er også politimand, eller var, indtil han blev fastansat her efter at have arbejdet freelance for os i en årrække. Han er stor som et hus, ca. 100 kg fordelt på to meter, så der er visse opgaver, han er perfekt til. Bodyguard for eksempel. Som han selv siger: »Jeg kan sgu' dække to ad gangen, og der skal noget af en kanon til at skyde igennem mig.« Henrik havde bearbejdet ham i lang tid, men han valgte først at kvitte politiet for good efter en oprivende og træls skilsmisse. Oprivende for ham og træls for os andre, der fulgte med i hele forløbet fra først til sidst. Han gav jobbet og de skiftende arbejdstider skylden for ægteskabets forlis, måske med rette, men jeg er nu ikke overbevist om, at det var hele grunden. I hvert fald var det den klassiske og dybt banale historie. Han kom uventet hjem og fandt sin kone i dobbeltsengen, hvor hun hyggede sig med en kollega. Jakob smed efter eget udsagn fyren splitternøgen ud af huset ved hoved og røv og kylede tøjet efter ham. Konen bedyrede, at det var første og eneste gang, og at hun aldrig ville se elskeren mere, så ægteskabet fortsatte sin slingrekurs et par måneder. Konen ville ikke skifte arbejde, men Jakob var – forståeligt nok – blevet mistænksom, og selvom der tilsyneladende ikke foregik noget, hævdede han, at det gjorde der. Han kunne se en masse små tegn, påstod han. Det endte med, at han endnu en gang kom »uventet« hjem og fik sin mistanke bekræftet. Ganske vist fandt han ikke nogen elsker i dobbeltsengen denne gang, men desværre var konen der heller ikke. »Den smatso havde sgu sneget sig ud, da ungerne sov, for at holde hyrdetime med sin galan i hans lejlighed,« som Jakob udtrykte det. Og det var så enden både på ægteskabet og på hans job ved politiet.

Jeg forstod sådan set godt hans ønske om at starte på en frisk, derimod syntes jeg ikke, at det ligefrem var verdens smarteste ide at blive ansat her, for stress og skiftende arbejdstider er bestemt heller ikke ukendte begreber i NSC, men okay, det var jo hans eget valg.

Mine følelser for ham er lidt blandede. Jeg stoler på ham, og han er god til at klare de opgaver, han får, men selv om han indimellem kan være hyggelig at omgås, er jeg ikke sikker på, at jeg bryder mig ret meget om ham. Han er ikke særlig fintfølende, for at sige det mildt, og han kan til tider være så utroligt grov i sin mund, at han irriterer mig til vanvid. Han har altid været et stort stykke af en mandschauvinist, og det er bestemt ikke blevet bedre efter skilsmissen. I begyndelsen var han dybt ulykkelig, og det kaldte naturligvis på alle vores moderlige følelser, men efterhånden blev han vred, rasende faktisk, og det var sikkert en ganske sund reaktion, men desværre retter han nu sin vrede ikke bare mod ekskonen, men mod kvinder i almindelighed og mig i særdeleshed. Sådan opfatter jeg det i det mindste. I hans optik er alle kvinder uden undtagelse sexgale, grådige, løgnagtige og rænkefulde væsner. Når det især går ud over mig, er det måske, fordi jeg er den yngste her. Men i dag var han åbenbart voksen og følsom. Han rejste sig i hvert fald, da jeg trådte ind, og kom hen og gav mig et bjørneknus, så jeg næsten tabte vejret.

»Kondolerer, Bea.«

»I lige måde,« mumlede jeg.

»Det er noget værre lort, hva'?«

Det var det i hvert fald, men det var måske ikke lige det udtryk, jeg ville have valgt.

»I må undskylde, at jeg bare sådan stak af,« sagde jeg, idet jeg næsten pr. automatik satte mig for bordenden. Det var den eneste ledige plads, og en eller anden – sikkert Ruth – havde anbragt mit personlige krus der. Jeg fik det forrige jul af Allies tvillinger, de havde selv valgt det og var enormt stolte af det. Der er et billede på det af to små teddybjørne, der danser på en blomstereng, og jeg elsker det, selv om alle driller mig med det. Det ville virke idiotisk, hvis jeg foreslog at bytte plads med en af de andre, men alligevel tænkte jeg uvilkårligt: »Kongen er død! Dronningen længe leve!« Måske var jeg lidt overfølsom, men jeg håbede inderligt, at ingen af de andre fik den samme tanke.

»Det er i orden, Bea,« sagde Beth Winter. »Vi greb det forkert an fra begyndelsen. Du burde have haft ordentlig besked straks. I øvrigt lod vi Karin tage hjem for lidt siden, det blev også for meget for hende.«

Ruth sendte mig et bekymret blik. »Hvordan har du det nu?«

»Godt nok,« sagde jeg.

Godt nok er halvt fordærvet, ville mormor have sagt, men jeg *havde* det godt nok. Så godt som man kunne forvente. Måske endda bedre end man kunne forvente. Det hele var endnu så ufatteligt, at jeg ikke reagerede normalt. Skønt, hvad er normalt i den situation?

»Vi har spist frokost,« sagde Beth Winther og nikkede hen mod pizzabakkerne. »Har du fået noget at spise? Der er en slice tilbage, hvis du vil have det?«

Kold pizza! Jeg fik kvalme bare ved tanken.

»Nej tak, bare en kop kaffe. Og så vil jeg gerne vide præcist, hvad der er sket.«

»Klart,« sagde hun. »Du har ikke hørt radio eller noget i mellemtiden?«

Jeg rystede på hovedet. »Nej. Jeg har kun snakket med Rade, min vicevært. Han fortalte, at de politifolk, han snakkede med, sagde, at det var en bombe, men det må han have misforstået. De har sikkert sagt en eksplosion. Jeg forstår bare stadigvæk ikke, hvordan det kunne ske. Jeg er næsten 100 procent sikker på, at der ikke findes gas her i huset. Jeg har godt nok læst, at fjernsyn i ekstreme tilfælde kan eksplodere, og vi har et gammelt fjernsyn, som vi bruger, når vi skal se videoer, men at det skulle være direkte livsfarligt, har jeg i hvert fald aldrig hørt. Alligevel er det den eneste forklaring, jeg kan finde.«

Winther rystede på hovedet. »Det var ikke fjernsynet, Bea. Det *var* en bombe.«

»En bombe!« udbrød jeg vantro, men så uvilkårligt hen mod vinduet, som om jeg ventede at se bombefly eller flyvende bomber i luften. 11. september var stadig så tæt på, at vi endnu ikke var kommet over chokket, så det virkede ikke helt usandsynligt.

»Vi formoder, det er en brevbombe,« indskød Søgaard.

»En brevbombe!« gentog jeg. »Det lyder fuldstændig vanvittigt. Er I sikre?«

»Jeg sagde 'formoder', men teknikerne siger, at de er 99 procent sikre.«

En brevbombe? Det gjorde kun det hele endnu mere ufatteligt. Det havde overhovedet ingen mening, medmindre ...

»Har der været flere? Andre brevbomber, mener jeg.«

»Nej,« sagde Søgaard. »Vi har selvfølgelig haft den samme tanke. Nemlig at nogen eller nogle har sendt ti, 20 eller for den sags skyld 100 brevbomber til en række personer, men der har ikke været andre.«

»De kan komme endnu,« indvendte jeg dystert.

»Danmark er nok ikke det mest indlysende bombemål for Al Qaeda,« sagde Søgaard lidt overbærende. »Osama kender sikkert ikke engang vores eksistens.«

»Jeg tænkte ikke specielt på Bin Laden, men man kunne da godt forestille sig en eller anden europæisk fraktion af Al Qaeda, der vil gøre sig bemærket. Jeg mener, flere af flykaprerne havde jo boet og studeret i Tyskland, vores nærmeste nabo. De vidste vel, hvad der var på den anden side af hækken.«

»Vi udelukker heller ikke muligheden,« sagde Winther. »Men efter vores opfattelse ville en sådan gruppe vælge nogle mere spektakulære mål. For eksempel medlemmer af regeringen eller af Dansk Folkeparti, jøder eller andre, de ser som deres fjender, ellers er det jo fuldkommen meningsløst.«

»Det er det her også.«

»Det tror jeg ikke. Ikke *så* meningsløst. Det kræver trods alt en vis viden og en vis færdighed at lave en brevbombe. Man laver ikke bare en eller ti bomber, hvorpå man slår op i telefonbogen og finder en tilfældig adresse at sende den til.«

»Som sagt udelukker vi ikke muligheden for en terrorgruppe,« brød Winther ind. »Men vi betragter det som en meget fjern mulighed. I øvrigt kunne det jo være, at nogen ville have os til at tænke i netop de baner.«

Jeg tror ikke, den sidste bemærkning var møntet på mig, men alligevel følte jeg mig lidt skyldbevidst – eller snarere under anklage. Det var jo mig, der havde bragt den teori på bane.

»Før du kom, drøftede vi i øvrigt en anden mulighed med dine kolleger. Nemlig at Henrik selv af en eller anden grund havde været i færd med at konstruere en bombe, som så ved et uheld eksploderede mellem hænderne på ham. Den slags sker jo,« sagde Søgaard.

»Nej, nu er I altså for langt ude!« udbrød jeg hovedrystende. »Det er direkte latterligt. Ja, undskyld, jeg siger det, men hvorfor i al verden skulle Henrik gøre noget så idiotisk? Henrik og bomber – aldrig! Det er fuldstændig udelukket.«

»Det samme siger dine kolleger,« sagde Winther. »Og hvis det viser sig, at bomben her er en enlig svale, hvad vi anser for det mest sandsynlige, så er der altså kun én mulighed tilbage, nemlig at bomben rent faktisk var tiltænkt Henrik.«

»Eller NSC,« indskød jeg.

»Eller NSC,« indrømmede Winther. »Det har du selvfølgelig ret i, men det kommer for så vidt ud på ét. Ruth har sat os ind i de reelle ejerforhold, men udadtil var det altså Henrik Gerner, der stod som leder. Så det vi skal finde ud af er, om han eller firmaet på et eller andet tidspunkt har trådt nogen så gevaldigt over tæerne, at den eller de besluttede at give ham en lærestreg. Om vedkommende virkelig havde mord i tankerne, eller om det kun var tænkt som en advarsel, ved vi ikke. Det afhænger blandt andet af, hvor professionelt bomben var lavet. Hvis det var en amatør, er bomben måske blevet kraftigere, end den skulle have været.«

Ruth rømmede sig. »Som jeg allerede har sagt i dag, har jeg svært ved at se, at det kan have noget med NSC at gøre. Det kan naturligvis være ubehageligt for folk at blive afsløret for forsøg på forsikringssvindel eller socialt bedrageri, men det vil man næppe begå mord for. Det samme gælder en utro ægtefælle, selvom afsløringen måske fører til, at den anden part vil skilles.«

»Det er jeg nu ikke helt enig med dig i,« indvendte Mogens. »Man kunne jo godt forestille sig, at skilsmissen enten var skyld i, at den utro part mistede børnene eller førte til en social deroute, eller begge dele, som han eller hun så i sidste ende gav os skylden for.«

»Hvis vedkommende overhovedet ved, at det er NSC, der har skaffet beviserne,« sagde Ruth.

»Det ville nok ikke være så svært at finde ud af,« mente Mogens.

»Det lyder sygt,« sagde Jakob.

Mogens nikkede. »Ja, selvfølgelig, men ikke utænkeligt.«

Jakob trak på skuldrene. Han virkede ikke overbevist.

Søgaard lænede sig lidt frem. »En anden vinkel er, om Henrik sad inde med en viden, der kunne være farlig for nogen, så man af den grund ønskede ham af vejen. I så fald taler vi altså om overlagt mord.«

»Hvis han vidste noget, der var så sprængfarligt, ville han have henvendt sig til politiet,« sagde Mogens. »Til mig for eksempel. Vi så jo hinanden næsten dagligt.«

»Måske anede han ikke, hvor farlig hans viden var,« sagde Winther. »Under alle omstændigheder har vi brug for at vide, hvad Henrik har beskæftiget sig med i den sidste tid, hvilke opgaver han har haft.«

»Hvor langt tilbage?« spurgte Mogens. »Taler vi om en måned, to måneder eller flere?«

»Hvis det kun drejer sig om et par måneder, er det hurtigt overstået,« sagde Ruth. »I september havde han kun én opgave, der tog det meste af måneden, og i oktober ...«

»Hvad drejede den opgave sig om?« afbrød Winther. »Den i september.«

»Industrispionage. Du kan få detaljerne senere. Og i oktober var han på kursus hos vores samarbejdspartner i England i tre uger, og derefter holdt han en halv snes dages ferie derovre, hvor han bare rejste lidt rundt. Og efter at han kom hjem, har han stort set kun beskæftiget sig med administrativt arbejde.«

Beth Winther tænkte sig om. »Lad os sige et år. Et tilfælde som det, Mogens nævnte, ville jo ikke udløse noget lige straks. Det kunne sagtens ligge et år tilbage.«

»Eller mere,« sagde Søgaard.

»Ja, men i første omgang nøjes vi med et år,« afgjorde Winther. »Giver det ikke noget, må vi grave dybere.«

»Et år er lang tid,« sagde Ruth.

»Det lyder måske af meget,« sagde Winther. »Men jeg mener ikke, opgaven er uoverkommelig. Det må være ret enkelt at finde ud af, hvad og hvem han har beskæftiget sig med. Der må være en mødekalender, arbejdssedler eller sådan noget.«

»Så enkelt er det nu ikke,« protesterede Ruth. »Henrik holdt altid sine kort tæt til kroppen. Og nogle gange arbejder vi ganske vist på timebasis for vores klienter, men andre gange får de et tilbud til en fast pris. Okay, selvfølgelig kan vi finde frem til det meste, men ikke det hele.«

»Hvorfor ikke?«

»Fordi diskretion og troværdighed er alfa og omega for os. Henrik ville aldrig skrive en klients navn i sin mødekalender, før der var indgået en aftale.«

»Det forstår jeg ikke.«

»Jo, forestil dig, at Henrik havde et møde med en potentiel kunde om en opgave. Kunden finder måske, at det er for dyrt at hyre os, eller Henrik afslår af en eller anden grund at påtage sig opgaven. For eksempel hvis det, som kunden ønsker, er ulovligt.«

»Som hvad?«

»Ja, det kunne for eksempel være telefonaflytning. Jeg prøver bare at sige, at hvis der ikke kom noget ud af mødet, står navnet ingen steder.«

»Men kunden ville vide, at han kender navnet. Og at han ved, hvad det drejede sig om. Det kunne jo netop være en farlig viden, ikke?«

Vi samtykkede mumlende.

»Ved I, om han eller firmaet har været udsat for trusler af nogen art? Telefonisk, pr. brev eller pr. e-mail? Noget som han ikke selv tog alvorligt.«

Vi så først på hinanden, så rystede vi alle på hovedet. »Det tror jeg bestemt ikke, han har,« sagde jeg. »Hvad enten han tog det alvorligt eller ej, ville han have nævnt det for os.«

»Enig,« sagde Mogens.

»Har han virket urolig, bekymret, eller som om han spekulerede på noget, efter at han kom hjem.«

Igen en hovedrysten. Men der *havde* været noget. Indimellem havde han virket lidt distræt, som om han var optaget af noget helt andet. Lidt hemmelighedsfuld. Men han havde bestemt ikke virket urolig eller nervøs, snarere tilfreds, selvom det ikke var det helt rigtige udtryk.

»Skulle jeg endelig sige noget, virkede han måske lidt opstemt,« tilføjede Mogens eftertænksomt. »Jeg nævnte det endda for ham og spurgte, om han havde fundet en kæreste.«

Opstemt, ja, det var måske det rette ord. Men jeg gik ud fra, at det var kurset, der havde virket sådan på ham. Han havde været ovenud begejstret for det og var sprængfyldt med nye ideer.

»Hvad sagde han til det?« spurgte Winther.

»Han grinede bare og sagde, at han havde fundet noget, der var meget bedre.«

»Fortalte han, hvad det var?«

Mogens smilede skævt. »Både ja og nej. Han fortalte det, men han tog bare gas på mig.«

»Hvorfor tror du det? Hvad sagde han, han havde fundet?«

»Den hellige gral!«

Winther stirrede vantro på ham. »Sagde han, at han havde fundet den hellige gral?«

»Han sagde faktisk 'min hellige gral'.«

»Hvad kan han have ment med det?«

»Ikke en skid. Han tog bare gas på mig.«

»Hm.« Hun tænkte sig om. »Hvad med politik? Kan der være noget der?«

»Nul,« sagde Jakob.

»Har han aldrig været ude på nogen af fløjene? Heller ikke i sin ungdom?«

»Aldrig,« sagde Jakob. »Henrik var den type, der altid ligger i midtersporet.«

»Ja, når det gælder politik,« indskød jeg hurtigt. Det med midtersporet lød for negativt efter min mening. For kedeligt. »Han interesserede sig ikke særlig meget for politik. Han fulgte selvfølgelig med i, hvad der rørte sig, og stemte også altid, men ikke på det samme parti hver gang. Jeg tror nu nok, han oftest stemte konservativt. Desuden var han overbevist europæer, men som sagt, det var ikke noget, han gik højt op i.«

Beth Winther kiggede lidt fraværende på det, hun havde noteret, og sukkede let.

»Personlige fjender?« spurgte hun så.

»Afgjort nej,« sagde Mogens. »Henrik havde ikke mange venner og bestemt ingen fjender. Han havde for travlt med firmaet.«

»Enig,« sagde Ruth.

»Det skulle da lige være Bea,« sagde Jakob.

Jeg stirrede himmelfalden på ham. »Mig? Sig mig, er du blevet vanvittig! Hvad er det for noget crap at fyre af?«

Han grinede undskyldende. »Hids dig ned. Det var kun min spøg.«

»Spøg!« udbrød jeg hidsigt, mens jeg mærkede gråden i halsen. »Henrik er død, for pokker, og han var min bedste ven. Så hvis du synes, det er noget at lave sjov med, er du dummere, end jeg troede.«

Jakob trak på skulderen. »Du droppede ham da i hvert fald.«

»Jeg droppede ham ikke. Vi blev enige om, at det ikke gik, og det var så det. Det gjorde os ikke til dødsfjender.«

Han sendte mig et ondskabsfuldt blik. »I tog ellers nogle ordentlige ture indimellem.«

Jeg var alt for lamslået til at kunne svare. Hvad pokker var det, han havde gang i?

»Det var ikke personligt,« indvendte Ruth hurtigt. »Det var altid om arbejdet.«

»Hvorfor?« spurgte Søgaard. Både han og Winther havde rettet sig lidt op i stolene.

»De var ikke altid enige om, hvilke opgaver vi skulle påtage os, og hvilke vi skulle lade ligge, så det gav somme tider anledning til diskussioner,« svarede Ruth diplomatisk.

Sandheden var, at vi havde skændtes, så det bragede, men hun havde ret, det var ikke personligt. Ikke sådan. Det var bare endnu et par af de punkter, hvor vi ikke så ens på verdens sande tilstand.

»Og hvem vandt?«

Ruth smilede blegt. »Det endte altid med et kompromis. You win some, and you lose some. Sådan går det altid, når vi er uenige om noget.«

Beth Winther lukkede sin notesbog. »Det var ikke meget, I kunne fortælle,« sagde hun en anelse bebrejdende, idet hun lagde den ned i sin taske.

»Det er hverken obstruktion eller ond vilje,« sagde Mogens. »Henriks liv var en åben og ikke særlig interessant bog. Selv om han sikkert ikke ville have givet mig ret i det. Et liv som folks er flest. Arbejdet, arbejdet, arbejdet, sport, musik, især klassisk, og nogle få gode venner. Så ved nærmere eftertanke hælder jeg mest til teorien om, at Henrik ved et tilfælde og uden selv at vide det er faldet over noget, som kunne være farligt for nogen.«

»Og hvad det var, har vi ikke en kinamands chance for at finde ud af,« sagde Søgaard lakonisk.

Winther rejste sig. »Sig ikke det. Når vi finder ud af *hvem,* finder vi sikkert også ud af *hvorfor.*« Hun vendte sig om mod Mogens. »Jeg beklager, politiassistent, men dine fridage er hermed inddraget. Jeg har, som du ser, overflyttet Søgaard til den her sag, og du overtager hans.«

»Åh nej! *De navnløse kvinder.* Sig, det er løgn. Har du ikke andre, der kan tage den?«

Hun rystede på hovedet. »Nej, og det ved du udmærket.«

Mit hjerte sank i livet. Hvordan skulle vi klare den, når vi også skulle undvære Mogens?

Mogens så på Søgaard. »Hvordan går det? Er der hul igennem?«

»Ikke det der ligner. Vi aner stadig ikke, hvem kvinderne er, eller om der overhovedet er en forbindelse imellem dem ud over, at de er blevet dræbt af den samme gerningsmand. Eller i hvert fald med den samme pistol. Ingen er meldt savnet, og ingen har meldt sig med oplysninger, så vi to står lige.«

Mogens skar en grimasse. »Altså på bar bund.«

»Lige præcis.«

Sagen om de navnløse kvinder havde været hovedhistorien i alle landets medier for flere uger siden, men nu var det kun de lokale medier, der fulgte op med alle mulige rygter og vilde gætterier. Den begyndte med det makabre fund af liget af en ung kvinde i en øde skovstrækning ikke langt fra byen. Kvinden var blevet mishandlet på det grusomste, før hun til sidst bogstavelig talt var blevet henrettet med et skud midt i panden og smidt i en interimistisk grav. Næsten som om morderen var ligeglad med, om hun blev fundet eller ej. Men det var kun begyndelsen. Da politi med hunde gennemsøgte området efter spor, fandt de endnu en grav kun 50 meter fra den første. Ud over endnu et kvindelig, ligeledes dræbt med et enkelt skud, fandt man under hende liget af et få uger gammelt spædbarn, en lille pige, med ikke mindre end fem-seks skudsår i hovedet og på kroppen.

Det mest foruroligende var, at retsmedicinerne kunne påvise, at drabene på de to kvinder ikke var sket samtidig, men med mindst en uges mellemrum. Det fik straks rygterne til at svirre i byen om en seriemorder, men skoven var blevet minutiøst undersøgt, og man fandt ikke flere lig. Det var imidlertid ikke nok til at berolige den opskræmte befolkning, som mente, at morderen blot havde valgt at begrave sine ofre andre steder. Et enkelt blik på kortet viste jo, at der var småskove nok at vælge imellem.

Mogens rystede på hovedet. »Jeg har hele tiden haft en uhyggelig fornemmelse af, at netop den forbandede abe ville lande på min skulder, selvom det virkede usandsynligt.« Han rejste sig. »Nå, men så må jeg vel hellere tage af sted til stationen sammen med jer,« tilføjede han resigneret, men i virkeligheden så han slet ikke ud til at beklage sin skæbne.

Jeg ventede, til jeg hørte yderdøren smække i efter dem, så vendte jeg mig hurtigt om mod Jakob. »Og så kan jeg måske få at vide, hvad den forestilling skulle betyde?«

Han undgik mit blik. »Hvad mener du?«

»Åh, gider du lige! Du ved udmærket, hvad jeg mener. Alt det shit du fyrede af om Henrik og mig. Det var eddermame lige før, du beskyldte mig for at have myrdet ham.«

»Åh, hold da op. Selvfølgelig gjorde jeg ikke det.«

»Det lød i hvert fald sådan.«

»Take it easy. Det betød ikke noget. Glem det!«

»Det hverken kan eller vil jeg. Hvad skulle det til for? Hvad pokker er der med dig? Og jeg vil have et svar.«

Og så eksploderede han pludselig. »Okay, det får du. Du trængte til at blive pillet ned. Det var fandeme ikke til at holde ud at se dig sidde der på Henriks plads og spille fucking direktør og føre dig frem, som om du ejede det hele. Du når ham ikke til sokkeholderne, at du bare ved det. Jeg indrømmer, du har haft succes med et par sager; men det var sgu mere held end forstand, at du ikke selv endte på køl kun iført en tåseddel for tre år siden. Og hvordan det skal gå med det her firma uden Henrik, må guderne vide.«

Jeg lænede mig lidt frem og hvæsede ham ind i ansigtet. »Det der pis gider jeg overhovedet ikke høre på. Jeg satte mig på den eneste ledige plads, der var, og bare lige så du husker det: Jeg *er* fucking direktør, og selv om jeg ikke ejer hele firmaet, ejer jeg altså en tredjedel, så jeg behøver ikke at finde mig i noget som helst. Hvis det er et problem for dig, og hvis du ikke kan samarbejde, behøver du til gengæld heller ikke at spekulere på firmaets fremtid, for den bliver i hvert fald uden dig!«

Ruth slog pludselig i bordet. »Så holder vi! Det har været en rædselsfuld dag, vi er alle sammen i chok, og så bliver der sagt uoverlagte ting. Jeg synes, vi skal gå hjem nu. Jeg ved ikke, hvordan I har det, men jeg trænger til at hvile ud og tænke tingene igennem. Vi har en hård uge og en svær tid for os.«

Havde hun sagt nogle hårde måneder, havde hun været nærmere sandheden.

Jeg trængte også til at hvile ud, men for mig var dagen ikke forbi. Forude ventede endnu en ubehagelig pligt: Moster Herdis. Henriks gamle moster. Hende havde jeg med skam at melde fuldstændig glemt i al tumulten, indtil Winther spurgte, om Henrik havde nogle slægtninge, der skulle underrettes, før de slap hans navn ud til pressen.

»Ja, du godeste!« udbrød jeg. »Moster Herdis.«

»Henriks moster?«

»Ja.«

»Kender du hende?«

»Ja, jeg har tit besøgt hende sammen med Henrik,« sagde jeg og kunne have bidt tungen af i det samme. Jeg vidste, hvad der ville komme.

»Jeg ved, det har været en lang dag, Bea, men ...«

Jeg afbrød hende. »Ja, ja, jeg har forstået det. Og det skal jeg nok. Jeg tager hen til hende, så snart vi er færdige her.«

»Godt,« sagde hun. »Vi frigiver ikke navnet før i morgen. Ring til mig, hvis du ikke får fat i hende.«

»Det gør jeg,« svarede jeg. »Moster Herdis går aldrig nogen steder.«

Moster Herdis er 86 år. Otte år ældre end Henriks mor, som ville være fyldt 78 år her i december, hvis hun stadig havde levet. Jeg besluttede at spadsere hen til hende. Hun bor kun ti minutters gang fra mig i et af de charmerende gamle huse i Hjælmerstald. I dag koster de en bondegård, men moster Herdis erhvervede sit for næsten en menneskealder siden. Hun er pensioneret oversygeplejerske fra den tid, hvor oversygeplejersker boede på sygehuset og levede på en sten. Så da hun blev pensioneret, var hun i stand til at købe et af de små huse og totalt renovere det.

Gardinerne var trukket for, men jeg kunne se, der var lys derinde. Jeg ringede på dørklokken, før jeg kunne nå at fortryde. Der gik en evighed, uden at der skete noget, men jeg ventede tålmodigt. Moster Herdis kan både høre og se, og hendes forstand fejler ikke noget, men hun er lidt vakkelvorn, så selvom huset er lille, vidste jeg, at det ville tage sin tid, før hun åbnede. Nu hørte jeg det pusle derinde, og lidt efter gik døren op.

»Bea! Sikke en dejlig overraskelse.« Hun bøjede sig lidt frem som for at kigge om bag mig. »Er Henrik ikke med?«

»Nej, moster Herdis, Henrik er ikke med.«

Jeg ved ikke, hvad der gjorde det. Min stemme måske eller mit kropssprog. Som sagt, hendes forstand fejler ikke noget, og hun vidste i samme øjeblik, hvorfor jeg var kommet.

Hun udstødte et dybt, skælvende suk, så rettede hun sig lidt op. »Kom ind, Bea. Vi kan ikke stå herude og tale om det.«

Hun vendte om og prikkede sig vej med stokken gennem entreen og ind i den lille lavloftede stue; jeg lukkede yderdøren og fulgte langsomt efter hende.

Hun satte sig i sin lænestol, der står bekvemt for fjernsynet, og jeg satte mig på kanten af den lille topersoners sofa skråt overfor.

»Henrik er død, ikke?«

Jeg nikkede.

»Jeg hørte det jo i radioen. Det om bomben. Jeg tænkte på, om det kunne være i jeres bygning, måske i jeres kontor. Jeg tænkte endda på, om det kunne være Henrik, men så ... da jeg ikke hørte noget ...«

»Det er min skyld, moster Herdis. Jeg var så fortumlet. Jeg gik bare min vej. I morges mener jeg.«

Moster Herdis så næsten strengt på mig. »Det er ikke nogens skyld, snarere en kommunikationsbrist. Du har en uskik med altid at påtage dig skylden for alt muligt.«

»Har jeg?« Det havde jeg nu aldrig selv bemærket.

»Ja, væn dig af med det. Det er usundt.«

Hun sad tavs lidt. »Nu er jeg den sidste, der er tilbage. Det er forkert, når de unge dør, før de gamle,« sagde hun så. »Her sidder jeg til ingens verdens nytte, og nu er både Hans Christian og Henrik ...«

Hendes stemme knækkede over, og det varede lidt, før hun fortsatte. »Nu er jeg helt alene.«

Hun lukkede øjnene, og et par tårer trillede ud under de lukkede øjenlåg.

Nu er jeg helt alene! Ordene brændte sig ind i min bevidsthed. Jeg kunne selv have sagt dem. Jeg måtte beherske mig for ikke at briste i gråd.

Jeg sov næsten ikke den nat, selv om jeg var dødtræt. Tankerne kørte rundt og rundt i hovedet, uden at jeg formåede at holde fast i en enkelt. Så snart jeg lukkede øjnene, dukkede billedet af Henrik op bag øjenlågene. Henrik som ganske ung, lang og ranglet med mørkt pjusket hår og nysgerrige blågrå øjne bag brilleglassene. Vi havde været kærester i over et år, da vi gik i gymnasiet. Og Henrik ti-tolv år senere, da han kom hen og kondolerede mig til Allies begravelse, og ugen efter hvor vi mødtes igen og sad i solen i lystbådehavnen og drak øl. Det var dengang, han tilbød mig et job i NSC. Den samme Henrik bare lidt kraftigere med styr på lemmerne og velklippet hår, men stadig slank og sporty. Brillerne var afløst af kontaktlinser, og det nysgerrige blik var blevet lidt mere erfarent og lidt mindre åbent. Og det ville aldrig møde mig mere. Jeg borede ansigtet ned i hovedpuden og græd og græd. Vi var ikke længere elskende, men vi havde været det, og han havde fyldt så meget i mit liv de sidste fire år.

Det var nærmest en naturlov, at vi blev kærester igen. Vi var begge to singler med hver et forlist ægteskab bag os, vi var hinandens bedste ven, og vi følte os trygge ved hinanden. Vi havde trods alt været kærester som purunge. Det burde egentlig have været advarsel nok. »Gå aldrig tilbage til en fuser.« Jeg havde også mine betænkeligheder, måske fordi min skilsmisse virkelig havde slået benene væk under mig. Det var Henrik, der pressede på, han var mere forelsket i mig end jeg i ham. Jeg var et brændt barn, der skyede ilden i enhver forstand. I virkeligheden var Henrik nok også mere forelsket i det lydefri billede af mig, han havde skabt i sin erindring. Eller måske var det bare nemt. Men kærester blev vi, og selvom vi var blevet ældre og klogere, blev det nærmest en gentagelse af vores første forhold. Evindelige småskænderier, uenighed over bagateller, vaner og fikse ideer, der irriterede den anden til vanvid, og – værst af alt – gnisten manglede. Der var ingen lidenskab. Det følte jeg i det mindste ikke. Det fungerede ikke første gang, så det var en fejltagelse at prøve igen.

Også det var vi uenige om. Henrik syntes, jeg var urimelig, da jeg foreslog, at vi sluttede vores forhold.

»Men hvorfor? Vi har det da fint sammen.«

»Det synes jeg ikke. Jeg elsker dig ikke, Henrik. Jeg troede virkelig, jeg gjorde. Jeg ville så gerne, for jeg holder meget af dig, men det er ikke kærlighed.«

»Gør det noget? Behøver det at være orgelbrus og klokkeklang. Vi kan lide hinanden, vi stoler på hinanden, vi er venner. Er det ikke nok?«

»Nej, du fortjener noget mere. Det gør vi begge to.«

Han så opgivende på mig. »Hvad er det, du vil have, Bea?«

»Jeg vil have solen og månen, Henrik. Solen, månen og alle stjernerne.«

Han accepterede. Det var han jo nødt til, men jeg tror, han håbede, at jeg ville »komme til fornuft« en skønne dag. Heldigvis var vi aldrig flyttet sammen, det gjorde det hele lettere. Vi gik ikke længere i seng med hinanden. Henrik syntes, det var at drive det for vidt, men jeg var stædig. Man kan ikke have one night stands med sin gamle kæreste. Det må være enten-eller.

Alligevel lykkedes det os at bevare vores venskab og næsten finde tilbage til den gamle kammeratlige tone, og for et halvt år siden, da han og Ruth forhandlede om at indgå en samarbejdsaftale med vores nuværende engelske partner og samtidig omdanne firmaet til aktieselskab, tilbød de at optage mig som partner i NSC.

Nu sørgede jeg over Henrik og over alle de spildte muligheder. Måske havde jeg virkelig været urimelig, og nu var alting uigenkaldeligt for sent.

Indimellem grublede jeg også over firmaet. Fremtiden tegnede dyster. For Jakob havde jo ret. Henrik var firmaet, det kunne jeg ligeså godt se i øjnene, og hvordan vi skulle klare os uden ham, havde jeg slet ikke hverken fantasi eller mod til at forestille mig.

Men det største spørgsmål, som jeg hele tiden vendte tilbage til, mens jeg lå søvnløs, var, hvem der havde myrdet Henrik og hvorfor. En sindssyg, der slog ud i blinde, eller en psykopat, hvis veje Henrik eller firmaet engang havde krydset? Eller havde han virkelig siddet inde med en viden, som gjorde ham så farlig, at han skulle fjernes fra jordens overflade? Det havde jeg svært ved at tro. Henrik var ikke dum, han ville have vidst, at det var farlig viden og skyndt sig at dele den med andre. Jeg troede ganske enkelt ikke på, at man kunne vide noget så sprængfarligt uden selv at have en anelse om det. Og det var jo ikke gangstere, vi normalt havde med at gøre, men ganske almindelige mennesker.

Jeg vendte mig uroligt i sengen. Der var blevet sagt et eller andet i frokoststuen i dag, noget vigtigt måske, men jeg kunne ikke huske, hvad det var. Hver gang mine tanker nåede til frokoststuen, stoppede de uvægerligt op ved Jakobs hadske udfald mod mig

Ved firetiden stod jeg op og gik ud i mit diminutive køkken og lavede mig en kop kakao. Jeg tog den med ind i stuen og sad under skråvæggen og betragtede den store fotostat af Allie, min smukke døde søster. Nu var hun igen til stede, og hun smilede opmuntrende til mig. »Det skal nok gå, Bea. Du overlever.«

Hun fik ret. Jeg overlevede, men det var på et hængende hår.

Jeg gik i seng og faldt i en urolig halvslummer. Jeg følte, at jeg nærmest duvede lige i søvnens overflade. Pludselig vågnede jeg op med et sæt, og i samme øjeblik huskede jeg, hvad det var, der var blevet sagt.

»Jeg har fundet min hellige gral.«

Mogens havde opfattet det som en spøg, men jeg vidste, at det var mere end det. Jeg kunne huske, at han engang for mange år siden, havde brugt netop det udtryk, *min hellige gral,* i en eller anden sammenhæng. Men hvilken? Jeg var sikker på, at det intet havde at gøre med hverken en pige eller en hemmelig skat, men hvad var det så? Og havde det overhovedet nogen betydning?

Hvad var Henriks hellige gral?

Og havde han virkelig fundet den?

IV

Ruth blev mit faste holdepunkt i tiden, der fulgte, ikke mindst i den første uge, hvor vi skulle tale med advokat, revisor, forsikringsselskab og bedemand, kort sagt tage os af alt det, der følger med et pludseligt dødsfald. Ruth var den klippe af ro, jeg klamrede mig til, når jeg var ved at blive revet med af den kaotiske strøm af følelser, spekulationer og praktiske gøremål, der skyllede ind over mig. Jeg indrømmer blankt, at jeg ikke var til megen hjælp. Jeg fulgte stort set bare med som en velafrettet hund og lod ord og tal gå ind ad det ene øre og ud ad det andet. Jeg kunne overhovedet ikke koncentrere mig, tabte tråden og brast i gråd på alle mulige og umulige tidspunkter og havde kort sagt mere end nok at gøre med at holde mig selv nogenlunde oven vande. Jeg var selv forundret over, at Henriks død tog endnu hårdere på mig, end Allies havde gjort. Måske hang det sammen med, at vi alle havde fået tid til at forberede os på Allies død. Uanset hvor nødig man vil se kendsgerningerne i øjnene, kommer der jo et tidspunkt, hvor man inderst inde ved, at døden er uafvendelig, selvom man mod al fornuft vedbliver at håbe. Jeg vidste og erkendte i mindst en måned, at Allie havde tabt kampen mod kræften, mens Henriks død kom som lyn fra en klar himmel. Så måske var det lige så meget chokket som sorgen, der næsten fik mig til at gå i spåner.

Da jeg mødte på kontoret næste morgen, var Ruth allerede i fuld gang. Jeg havde sovet over mig for første gang i mit liv. Jeg plejer at vågne, lige før vækkeuret ringer, men mit indre ur fungerede åbenbart ikke, og jeg havde glemt at slå vækkeuret til aftenen før. Jeg vågnede efter et par timers urolig søvn ved lyden af gråd, og det varede lidt, før det gik op for mig, at det var mig selv, der græd. Jeg måtte have drømt, men det var ikke nogen befrielse at vågne, for jeg huskede straks, hvad der var sket, og havde mest lyst til bare at blive i min seng og aldrig stå op mere. Men det gør man jo ikke bare. I stedet så jeg på uret og konstaterede, at klokken var halv ni, så der var kun lige tid til en hurtig douche, før jeg trak i tøjet og gjorde mig klar til at gå på arbejde. Gå på arbejde! Udtrykket var absurd. Det lød alt for hverdagsagtigt og fredeligt.

Gårsdagens blæst og regn var blevet afløst af stille vejr og høj klar himmel, næsten en septemberhimmel. En smuk solrig dag, som om der ikke fandtes en bekymring i verden.

Der lugtede stadig af røg og krudt, da jeg nåede op på vores etage, og jeg tøvede uvilkårligt, før jeg vovede at åbne døren og gå ind. Men alt forekom normalt, og forseglingen foran Henriks kontor var fjernet. Ruth sad ved computeren i forkontoret, og det virkede på en eller anden måde både beroligende og trøsterigt at se hende sidde der og arbejde, som om intet var sket.

»Go'morgen, Bea,« sagde hun, idet hun vendte sig halvt om mod mig. »Jeg var lidt spændt på, om du i det hele taget kom i dag.«

»Det gjorde jeg altså,« sagde jeg let. »Hej!«

Jeg kunne simpelt hen ikke få mig selv til at sige godmorgen. Det var ikke en god morgen, det var en hæslig morgen.

»Jeg behøver ikke at spørge, hvordan du har sovet,« fortsatte hun. »Det kan jeg se. Elendigt!«

»Ja, og det var vel også, hvad man kunne forvente. Du ser heller ikke selv for godt ud, men du er allerede i gang.«

»Ja, jeg ordnede lige et par ting, før jeg gik herfra i går, og jeg var så udkokset, da jeg endelig kom hjem, at jeg faldt i søvn på sofaen med alt tøjet på og først vågnede klokken seks i morges. Så kunne jeg jo lige så godt gøre mig i stand og tage på arbejde.« Hun rejste sig. »Lad os gå hen i frokoststuen, der er kaffe på kanden, og jeg købte morgenbrød på vej herhen.«

Mine øjne fyldtes med tårer, og Ruth sendte mig et hurtigt blik.

»Jeg ved det, Bea. Morgenkaffen plejede Henrik at tage sig af, men nogen skal jo gøre det.«

Folk syntes altid, det var lidt underligt, nærmest en smule komisk, når de hørte, at det var direktøren, der lavede morgenkaffe til personalet. Men Henrik mødte altid mindst en time før vi andre for at gennemgå posten, som han hentede på posthuset undervejs til arbejde. Han sagde gerne, at han fik lavet mere i den ene time end hele resten af dagen. Hans sekretær, Bente, mødte først, når vi andre var kommet. Hun bor i oplandet, og det passede med en busforbindelse.

Da vi sad ved bordet, opdagede jeg pludselig, at jeg var glubende sulten. Jeg havde ikke spist noget siden morgenen før, og da var det kun blevet til et bæger yoghurt.

»Hvad har du så lavet?« spurgte jeg, mens jeg smurte et rundstykke.

»Hentet posten og sorteret den. Og jeg har lige sendt en mail til Tony Armstrong og meddelt ham, hvad der er sket. De er sikkert dårligt nok mødt endnu derovre, men jeg går ud fra, at vi får en mail fra ham her i løbet af formiddagen.«

Tony Armstrong er vores engelske samarbejdspartner.

»Gud ved, hvad han siger?« mumlede jeg.

»Han kondolerer,« svarede Ruth tørt.

Det var ikke det, jeg mente, og det vidste hun godt, men vi lod det ligge.

»Hvad mere?«

»Jeg har aftalt et møde med advokaterne klokken 10.30 og med vores revisor klokken 13. Han ville godt have lidt tid til at forberede sig. Og det passer fint, for så kan vi nå bedemanden indimellem.«

»Hvornår har du ordnet alt det?«

»I går. Jeg kom i tanke om, at det nok ville være klogt at få det på plads, og jeg nåede lige at fange dem, før de lukkede. Bedemanden har jeg talt med her til morgen, der skal vi være kvart over elleve.«

Ruths universalmiddel mod genvordigheder af enhver art har altid været at holde sig beskæftiget. Nu sørgede hun også for at holde mig beskæftiget.

»Kan vi nå alt det?« spurgte jeg tvivlende.

»Selvfølgelig. Jeg går ud fra, at *Landsretten* har check på Henriks ønsker med hensyn til begravelsen, så bedemanden burde være hurtigt overstået.«

Hun var så uhyggeligt effektiv, at det gjorde mig endnu mere depri. Det understregede kun min egen utilstrækkelighed.

»Hvad med Jakob?« spurgte jeg modvilligt. Jeg følte ikke trang til at beskæftige mig med ham, men han var jo trods alt ansat her.

»Hvis han dukker op her til formiddag, hvad jeg tvivler på, så kan han begynde at gennemgå Henriks kalender, og hvad der ellers er; men jeg har på fornemmelsen, at han gik på druk i går, det vil typisk være hans måde at reagere på. Vi får ham nok ikke at se før i morgen. Jeg ringede til Bente i aftes, før jeg gik i koma, og spurgte om hun kunne afse tid en af dagene til at komme ind og give en hånd med. Når det kommer til stykket, er hun nok den, der ved mest om, hvad Henrik har haft af møder og aftaler. I hvert fald indtil hun gik på barsel.«

Vi havde forgæves forsøgt at finde en vikar for Bente, så vi havde måttet lade os nøje med en fra et vikarbureau. Det var ikke vikarens skyld, at det ikke fungerede, for hun var eminent dygtig. I hvert fald til maskinskrivning. Hun kunne skrive blindskrift næsten fejlfrit med et astronomisk antal anslag i minuttet, men det var ikke lige det, vi havde mest brug for, og hendes tilstedeværelse drev Henrik til randen af desperation.

»Jeg aner ikke, hvad jeg skal sætte kvindemennesket til,« klagede han, »bortset fra at tage telefonen og sige NSC, og det kan ingen af os jo være tjent med. Jeg kan dårligt nok lade hende holde styr på mine aftaler eller skrive fakturaer, for hun kan ikke undgå at få kendskab til alle mulige fortrolige oplysninger, og vi kan jo ikke pålægge hende tavshedspligt i al evighed. Det dur ikke med nogen, vi ikke har et personligt kendskab til.«

Så vikaren røg ud igen, og vi andre skiftedes til at tage kontortjansen og glædede os bare helt vildt til, at Bentes barselsorlov fik ende.

»Kommer Karin i dag?«

»Nej, men hun havde lagt en besked på telefonsvareren. Hun fortsætter med den opgave, hun og Mogens var i gang med. De havde regnet med at afslutte den i går, nu bliver det så i dag – med lidt held. Hun havde selv kontaktet Therkelsen, så han har overtaget Mogens' rolle.«

Therkelsen er en af vore freelancere, en pensioneret politimand. De der gamle cirkusheste kan ikke undvære duften af savsmuld, uanset hvor meget de har gået og brokket sig undervejs.

Heldigvis havde NSC fra begyndelsen valgt så vidt muligt at benytte de firmaer, der boede under samme tag. Dels er de alle seriøse og velestimerede, dels gjorde det alt meget lettere. Og så skal det da heller ikke være nogen hemmelighed, at de også lader en del opgaver gå vores vej, når lejlighed byder sig. Ikke mindst forsikringsselskabet har vi et nært samarbejde med. Jeg ved godt, at forsikringsselskaber har ry for at have en masse undtagelser skrevet med mikroskrift, men når man står på den anden side af hegnet og har lejlighed til at studere alle de mest fantasifulde skadesanmeldelser, tager man kritikken med et gran salt. Skal man tro anmelderne, så har for eksempel enhver hund med respekt for sig selv både Vuitton- og Gucci-tasker og dyre modebriller på menuen. Og de nøjes skam ikke med at nippe lidt til maden, næh, de sluger alle beviser på deres forbrydelse – rub og stub! Jeg er ret chokeret over de svindelnumre, som selv såkaldt pæne mennesker prøver at slippe af sted med.

Hos advokaten skulle vi møde to af navnene fra messingskiltet. Vi blev modtaget af en sekretær, der førte os ind i det allerhelligste, nemlig landsretssagfører C.F. Mikkelsens kontor. Han er firmaets grundlægger og bliver i omtale, men sandelig aldrig i tiltale, sjældent kaldt andet end *Landsretten*. Han er lige fyldt 80, men har vist ingen planer om at trække sig tilbage foreløbig. Han har dog indskrænket sit virke til mest at dreje sig om testamenter, arvesager og skøder. Jeg var lidt spændt på at møde ham, for skønt vi arbejder i samme hus, havde jeg aldrig set ham. Ligesom Henrik møder han altid før alle andre og forlader hver dag kontoret som den sidste sammen med sin privatsekretær, som efter sigende også har været hans mangeårige elskerinde. Jeg skriver har været, for selvom hun er en halv snes år yngre end han, har jeg svært ved at forestille mig, at de stadig har et erotisk forhold, men man skal jo intet forsværge. Ifølge Ruth er det noget forholdsvis nyt, at *Landsretten* møder tidligt og går sent. Rygtet siger, at for omkring fem år siden var han efterhånden blevet lige så krumbøjet som Dronning Ingrid og måtte ligesom hun bevæge sig ved hjælp af en rollator, og det ønsker han ikke at stille offentligt til skue. Det er i hvert fald sandt, at der, kort efter at jeg var begyndt hos NSC, i dyre domme blev installeret elevator i huset. Jeg har aldrig selv benyttet den, og eftersom den befinder sig i en slags tårn på bagsiden af huset, har jeg heller ikke set, hvem der ellers bruger den.

Kontoret var stort og smukt indrettet med palisandermøbler fra midten af forrige århundrede. *Landsretten* sad bag sit skrivebord, da vi trådte ind, og hilste høfligt, men uden at gøre mine til at rejse sig. Jeg betragtede ham nysgerrigt. Så vidt jeg kunne bedømme, måtte han have været en meget høj mand, for selvom ryggen ludede, forsvandt han ikke helt bag det store palisanderskrivebord. Som yngre var han sikkert blevet anset for en meget nydelig mand. Min mormor ville nok have kaldt ham distingveret. Nu var ansigtet lige lovlig markeret, det hvide hår lidt for tyndt, og på den skarpe næseryg hvilede et par guldindfattede halvbriller, som han studerede os over. Det var en gammel herre, vi sad overfor, men blikket var klart og nærværende, og stemmen kunne have tilhørt en mand i sin bedste alder. *Landsretten* var Henriks personlige advokat, som han havde arvet efter sin far – eller *Landsretten* havde måske snarere arvet Henrik. Den anden tilstedeværende var Claus Bang, en yngre advokat, der udelukkende beskæftiger sig med deres erhvervskunder. Det var ham, der tog sig af alt det juridiske, da vi stiftede vores aktieselskab. Hans IQ er efter sigende skyhøj, han er enormt dygtig og meget sympatisk, men ingen kunne i deres vildeste fantasi finde på at kalde ham distingveret. Tværtimod. Han er en lille rund mand med basunkinder og store meget runde øjne, der får ham til at se evigt forbavset ud. Selvom hans tøj ganske givet er skræddersyet, ser det altid ud, som om han er ved at sprænge sig vej ud af det. Han ligner en krydsning mellem en pantsat bondedreng og mit private billede af en ostehandler. Han lagde ud med at ridse firmaets situation op. Det var hurtigt gjort, for dels er NSC trods alt stadig kun en lille bolsjeforretning, dels var alting betinget af dette og hint, som jeg ikke fik fat i, så han og Ruth enedes om, at han også skulle deltage i mødet med revisoren, så vi alle nøjagtigt vidste, hvordan landet lå.

Landsretten havde lavet testamente for Henrik, som han i sin tid havde gjort for Henriks far. Jeg gætter på, at det også var på hans foranledning, der i det hele taget blev skrevet testamente. Det skete i forbindelse med firmaets omdannelse til aktieselskab.

»Ja, fru Jantz, som De jo sikkert ved, er De Henrik Gerners universalarving.«

Jeg nikkede.

Det kom ikke som nogen overraskelse. Henrik havde talt med mig om det, allerede før testamentet blev skrevet. »Jeg har tænkt mig, at du og Ruth skal arve min aktiepost til deling, men resten, hvis der altså bliver en rest, vil jeg testamentere til dig, hvis du ikke har noget imod det,« havde han sagt.

Hvis jeg ikke havde noget imod det! Det lød så skingrende skørt, at jeg begyndte at grine, men han så bebrejdende på mig. »Jeg mener det alvorligt, Bea. Min eneste familie er Moster Herdis, og det ville være latterligt, hvis hun arvede, ikke? Jeg mener, hun er over 80, og hun ville såmænd bare testamentere det hele til Kattens Værn.«

»Moster Herdis kan ikke fordrage katte,« påpegede jeg.

»Nå, men whatever! Og hun er højst sandsynlig død, når det bliver aktuelt.«

Og jeg havde bare grinet endnu mere og sagt: »Henrik, det er jeg måske også til den tid. Vi er næsten jævnaldrende, så når du engang dør, har jeg ikke langt igen.«

»Man ved aldrig! Folk bliver dræbt i trafikken hver eneste dag eller falder om af et hjerteslag. Du burde faktisk også selv skrive testamente.«

»Det kunne jeg ikke drømme om. Hvorfor skulle jeg det? Allies børn arver jo automatisk det hele, og det synes jeg er helt fint. Så du kommer ikke til at arve mig, men indsæt du bare mig som arving, det kan der ikke ske noget ved.«

Erfaringen burde have sagt mig, at det er jordens dummeste bemærkning.

I øvrigt endte det faktisk med, at jeg også gjorde testamente.

Dengang tog jeg det hele som en joke, det gjorde jeg virkelig. Jeg ville ønske, jeg havde taget det mere seriøst, lyttet bedre efter, så jeg havde opfattet, om der lå andet og mere bag end blot et ønske om at have orden i tingene. Om Henrik havde haft en forudanelse om sin død, eller om han måske ligefrem havde indset, at han sad inde med en viden, der kunne være farlig for ham. Nej, det var mere end et halvt år siden, så det var utænkeligt.

»Jeg vil tilråde, at boet bliver behandlet som et gældsfragåelsesbo,« indskød Claus Bang.

»Hvad vil det sige?« spurgte jeg.

»At du/I ikke kommer til at hænge på en eventuel gæld.«

»Det bliver næppe nødvendigt,« indvendte *Landsretten* med et lille selvtilfreds smil, der antydede, at hans klienter naturligvis altid var solvente.

»Er De sikker på det?« vovede Claus Bang at spørge. *Landsretten* var åbenbart heller ikke dus med sine kolleger – i hvert fald ikke i klienternes påhør.

Landsretten sendte ham et køligt blik, men fandt det end ikke umagen værd at svare.

»Hvad med Henriks storebror?« spurgte jeg forsigtigt.

Det var tydeligt, at det spørgsmål heller ikke faldt i god jord. *Landsretten* blev endnu mere stram i betrækket.

»Hvad mener De?«

»Jeg mente bare ... han er vel også arving?« sagde jeg lidt forvirret over hans reaktion.

»Hans Christian Gerner er død,« sagde *Landsretten* kort.

»Men hans lig er jo aldrig blevet fundet.«

»Det samme kan siges om tusindvis af andre, fru Jantz. Hans Christian er død, det er der ingen tvivl om. Også juridisk. Der blev afsagt dødsformodningsdom for flere år siden. Desuden kunne Henrik Gerner frit testere over alt, hvad han ejede. Søskende er ikke tvangsarvinger.«

»Nej, men så vidt jeg ved, arvede Henrik jo alt efter sin far. Hus, penge og det hele. Hvis hans bror nu pludselig dukkede op, så ...«

»Fru Jantz, dette er en absolut futil diskussion,« afbrød han irettesættende. »For det sker ikke. I øvrigt *arvede* Henrik ikke sin fars formue. Han fik den som gave, mens hans far endnu levede. Efter fru Gerners død skiftede hr. Gerner med de to sønner, og dengang blev Hans Christians mødrene arv hensat til ham. Det drejede sig ikke om noget stort beløb, huset er jo steget ikke så lidt i værdi siden da. Disse penge arvede hr. Gerner naturligvis efter dødsformodningsdommen, og det var det eneste, Hans Christian ville have kunnet kræve. Der var ingen arv, for hans far havde foræret Henrik alt.«

»Må man det? Gøre sit barn arveløst?«

»De blander begreberne sammen, fru Jantz,« sagde han lidt utålmodigt. »Han gjorde ikke nogen arveløs, for der var som sagt ingen arv. I levende live har man den fulde rådighed over sin formue. Man er så sandelig ikke forpligtet til at efterlade sine arvinger så meget som en krone.«

»Var det ikke lidt hårdt?«

»Det var ikke hr. Gerners opfattelse og heller ikke min for den sags skyld. For det første var vi alle overbevist om, at Hans Christian var død, selv Henrik havde bøjet sig for kendsgerningerne. For det andet sagde hr. Gerner – og også her var jeg fuldstændig enig med ham – at dersom Hans Christian blot havde lavet et forsvindingsnummer og med overlæg afbrudt al forbindelse med familien, så var han ikke den søn, de havde troet, han var, og så fortjente han ikke at arve noget som helst. Hr. Gerner mente – og jeg tror med rette – at Hans Christians forsvinden ødelagde den øvrige families tilværelse og var skyld i fru Gerners død. Som han sagde: 'Min kone døde for mig, da vores søn forsvandt. Hun var den eneste, der stædigt holdt fast ved, at han var i live, men efterhånden som håbet svandt, slukkedes livsgnisten.'«

Der blev et øjebliks tavshed. Jeg vidste, at Henriks mor var død af kræft, men jeg turde da ikke udelukke, at hendes ældste søns forsvinden indirekte var årsagen. Der findes jo så mange teorier om, hvad der kan udløse en kræftsygdom.

Jeg havde truffet Hans Christian en eneste gang. Det var kort efter, at jeg var begyndt i gymnasiet, hvor Henrik og jeg kom til at gå i samme klasse. Hans Christian var fire år ældre og student fra året før. Vi var en lille flok fra min klasse, der havde lånt et sommerhus i Løkken den sidste weekend i august. Sæsonen var endnu i gang, og formålet med turen var simpelt hen at feste igennem og slå nogle ordentlige buler i lagkagen. Vi løb på Hans Christian på *Peter Bådsmand,* og jeg faldt ligesom de andre piger pladask for ham. Selvfølgelig. Han var gudesmuk! Høj og lyshåret med gylden hud, de mest fantastiske blå-blå-blå øjne og et smil, der slog benene væk under os. Senere spekulerede jeg somme tider på, om jeg forelskede mig i Henrik, fordi jeg var blevet betaget af hans storebror. Jeg havde i hvert ikke lagt særligt mærke til Henrik før den aften. Hans Christian var ikke kun flot og afsindigt charmerende, han var også lidt af en lokal helt. Juniormester i tennis, guitarist og forsanger i et populært lokalt band og set med mine 16-årige øjne vildt spændende. En verdensmand. Han havde rejst Indien, Nepal, Thailand og Kina tyndt et helt år og stod for at rejse til Amerika få dage senere. Desværre varede vores første og eneste møde kun en halv times tid, allerhøjst, så fik han nok af at sidde og imponere en flok halvberusede l.g.'ere og vendte tilbage til sit eget selskab. Jeg så ham aldrig siden. Han forsvandt på sin rundrejse i Amerika kort efter nytår. Så vidt jeg huskede i Mexico, men det var jeg nu ikke helt sikker på. Jeg kunne heller ikke længere huske de nærmere omstændigheder. Om han blev overfaldet eller styrtede i en afgrund. Det var noget i den retning. Det blev selvfølgelig slået stort op i de lokale aviser, og det er klart, jeg var interesseret, men det var før Henrik og jeg blev skolekærester, så jeg fulgte kun historien på afstand. Og da jeg senere begyndte at komme i Henriks hjem, havde jeg en tydelig fornemmelse af, at emnet var tabu. Men hvor jeg så end havde det fra, vidste jeg, at Henrik i lang tid ligesom sin mor nægtede at tro, at hans beundrede storebror var død.

Det var længe siden, jeg sidst havde skænket Hans Christian en tanke. Hans navn var selvfølgelig nu og da dukket op i Henriks og mine samtaler og udveksling af barndomserindringer, men nu, hvor vi talte om ham, blev han pludselig nærværende, og samtidig var der noget, der rørte på sig dybt nede i min mudrede bevidsthed. Jeg prøvede at fange det, men jeg var for udmattet, og min hjerne arbejdede for trægt, så jeg nåede det ikke, før jeg blev kaldt tilbage til nutiden af en høflig kremten fra *Landsretten.*

»Med hensyn til begravelsen har Henrik Gerner skriftligt gjort rede for sine ønsker. Bisættelse i stilhed i sognekirken, han vil kremeres, og urnen skal sættes ned i de ukendtes grav.«

Jeg ville gerne have haft urnen sat ned i Allies grav, men det var selvfølgelig en tåbelig tanke. Det vidste jeg godt, jeg syntes bare, det ville have været så fint, hvis de to mennesker, der havde betydet mest for mig, havde hvilet det samme sted.

»Han har også bestemt, hvilke salmer der skal synges, og på hvilke melodier. Hvem der skal indbydes og så videre. Der skal være en lille sammenkomst for følget bagefter på Hotel Phønix.« Han rakte mig et A4 ark. »Her står det hele nedskrevet punkt for punkt. Bare tag det med til bedemanden. Ved man i øvrigt noget om, hvornår ...?«

Han gjorde ikke sætningen færdig. Det var heller ikke nødvendigt. Jeg sendte Ruth et spørgende blik.

»Kriminalinspektør Winther mente, at obduktionen ville være afsluttet mandag, måske tirsdag.«

»Så foreslår jeg, at De henlægger bisættelsen til onsdag eller torsdag. Torsdag er måske det klogeste.«

»Ja,« sagde vi i kor som et par lydige børn.

»Med hensyn til skifteretten skal den jo have forskellige papirer. Dåbsattest, sygesikrings- og personnummerbevis.«

»Ja, men ...« begyndte jeg.

Han afbrød. »Jeg går ud fra, at han opbevarede sine private papirer hjemme. Ved De, om der er adgang til huset?«

»Ja, jeg har en nøgle,« sagde jeg.

»Jeg tænkte nu snarere på, om politiet har afspærret det.«

»Politiet?« Jeg så forbavset på ham. »Men det skete jo slet ikke der.«

Claus Bang brød ind. »Nej, men politiet vil formodentlig ransage huset for at prøve at finde noget, der kan give et fingerpeg om motivet til drabet. For jeg formoder, at de stadig famler i blinde.«

»Netop,« sagde *Landsretten*. »Så jeg tilråder, at De forhører Dem hos politiet, før De tager derud. Der er ingen grund til at køre forgæves.«

Han lænede sig tilbage i stolen og gned hænderne mod hinanden med en tør raspende lyd, der sendte kuldegysninger igennem mig, som når jeg rører ved en lerpotte eller en tot vat.

»Nogen spørgsmål?« spurgte han og så opfordrende på os over halvbrillerne. Vi rystede stumt på hovedet. »Det synes ikke at være tilfældet. Advokat Bang taler med revisoren senere i dag, og jeg kontakter skifteretten på Deres vegne, så snart jeg har papirerne i hænde. Og jeg vil naturligvis gerne orienteres i god tid om, hvornår bisættelsen finder sted.«

Han lod Claus Bang om at følge os ud, da vi havde taget afsked.

»Han skjuler det godt,« sagde Bang, da vi var kommet uden for hørevidde. »Men jeg kan godt sige jer, at han er dybt rystet. Han tog hjem i går, så snart han hørte om ... æh, ulykken, og det er vist aldrig sket før. Han og Gerner senior var jo ungdomsvenner, så han har kendt Henrik nærmest fra, før han blev født. Og nu er hele familien væk, trist, trist, trist!« Han rystede på hovedet.

Ulykken! Det var da for pokker ikke nogen ulykke, det var mord! Men det siger man måske ikke højt i pænere kredse.

»Tror du stadig, vi kan nå bedemanden i dag?« spurgte jeg Ruth, da vi var kommet tilbage til vores eget kontor. »Jeg mener, hvis vi først skal ud og finde Henriks papirer.«

Ruth så på sit ur. »Ja, hvis vi i det hele taget kan komme ind i huset, kan vi sagtens nå det, så lad os ringe til Winther med det samme.«

Jeg havde gemt det direkte nummer til Winther på min mobil, og jeg fik hende i røret næsten øjeblikkeligt. Jeg forklarede hende, hvad det drejede sig om.

»Vi er færdige derude, så det er der ikke noget i vejen for.«

»Fandt I noget?«

»Ikke umiddelbart, men vi har hentet hans computer ind til nærmere undersøgelse, og vi har også taget forskellige småting og nogle papirer med.«

»Forhåbentlig ikke dem, vi skal bruge.«

»Nej, ikke hans personlige papirer, bare nogle kontoudtog og den slags, så hvis du synes, der mangler noget, er det altså os, der har fjernet det.«

Jeg havde tit lukket mig ind i Henriks hus, når han ikke selv var hjemme, men i dag var det anderledes. Det føltes næsten som at være på forbudte veje – eller i hvert fald som utidig indtrængen i hans privatliv, og selvom huset virkede både varmt og indbydende, følte jeg mig alligevel som en uvelkommen gæst.

Det er Henriks barndomshjem. Et gammelt murermesterhus fra omkring 1910, der ligger på en blind vej med en vendeplads nede for enden.

Oprindeligt var der to pæne store stuer, soveværelse, badeværelse og køkken nedenunder. Ovenpå var der to værelser til drengene og et loftsrum. Da Henrik overtog huset, moderniserede han køkkenet, lavede gæstetoilet i underetagen, slog de to stuer sammen til en og inddrog soveværelset til kontor. På første sal indrettede han to gode værelser og et superlækkert badeværelse med spa, og alt hvad dertil hører.

Huset har også en stor kælder med masser af rum, men udover at indrette en lille vinkælder dernede har han ikke gjort noget særligt ved den.

Det er ikke noget kæmpehus, og det er bestemt ikke nogen arkitektonisk perle, men jeg havde altid tidligere følt mig godt tilpas i det. Det havde sjæl. Nu var det, som om sjælen havde forladt det.

»Ved du, hvor han har sine papirer?« spurgte Ruth, da vi stod i stuen.

»I arbejdsværelset,« sagde jeg og nikkede hen mod de åbne fløjdøre. »I skrivebordet. Øverste skuffe til venstre.«

Jeg overlod skuffen til Ruth, mens jeg selv blev stående midt på gulvet i dagligstuen. Den var indrettet med moderne, men temmelig intetsigende møbler og malerier. Sandt at sige virkede den ret upersonlig. Der var gået lidt for meget Bo Bedre i den efter min smag. Jeg så mig om. Umiddelbart var der ingen tegn på, at der manglede noget, men hvad kunne der også være af interesse her?

Ruth kaldte på mig fra arbejdsværelset, og jeg gik ind til hende.

»Jeg har fundet den her mappe med private papirer,« sagde hun. »Der er hans dåbsattest, separations- og skilsmissebevilling, gamle eksamensbeviser både fra gymnasiet og politiskolen, soldaterbog og hvad ved jeg, om det så er hans forældres dåbsattester, vielsesattest og dødsattester, men jeg kan ikke finde hans sygesikringsbevis og personnummerbevis.«

Jeg vidste med det samme, hvor de var.

»Hvor har du dit sygesikringsbevis?« spurgte jeg.

»Ja, selvfølgelig!« udbrød hun, idet hun slog sig på panden med den ene hånd. »Hvor dum kan man være? I min taske. Han havde dem på sig.«

»Ja,« nikkede jeg. »I tegnebogen. Den ligger sikkert på politistationen, hvis den overhovedet eksisterer endnu.«

Jeg skyndte mig at bortmane de billeder, den sidste sætning fremmanede.

»Vi tager hele mappen,« afgjorde hun. »Det må vel for pokker være nok.«

»Sikkert.«

Arbejdsværelset var husets hyggeligste rum. Møblerne her var en blanding af gammelt og nyt. Langs hele den brede endevæg var der reoler fra gulv til loft. Det var nu ikke, fordi hans bogsamling var noget at skrive hjem om. Det var mest leksika, ordbøger og faglitteratur. De få skønlitterære bøger, han havde, var nogle jeg havde givet ham. Computeren var ganske rigtigt væk, konstaterede jeg, og ikke bare den stationære, men også hans bærbare, og der var huller hist og her i reolen, hvor der tilsyneladende var fjernet nogle springbind. Det var måske de kontoopgørelser, Winther havde talt om. Der manglede også nogle indrammede fotografier, der plejede at stå på skrivebordet. Blandt andet et sølvbryllupsbillede af hans forældre med begge sønnerne, et af en solbrændt storsmilende Hans Christian med studenterhue og et forstørret amatørfoto af ham sammen med et par kammerater på en udendørs bar i Mexico, eller hvor det nu var. Et elendigt foto, de var nærmest sorte i hovedet alle tre, men det var det sidste billede, familien havde af ham. Hans julehilsen til dem kort før han forsvandt.

Jeg undrede mig over, at politiet havde taget billederne med. Hvad i alverden kunne de bruge dem til? Fingeraftryk måske? Men hvorfor?

Jeg lagde mappen ned i min taske og håbede, at bedemanden ville stille sig tilfreds med den. Det ville han, og vi nåede mødet med revisoren lige på klokkeslæt.

Da vi kom tilbage til kontoret, lå der en mail fra Tony Armstrong:

»I was deeply chocked and distressed to learn about Henrik's terrible death. It is quite unbelievable.

Please, receive my sincere condolences. If I can be of any assistance, don't hesitate to mail me. I shall of course attend the funeral, and we have a lot to discuss. Maybe we could do that afterwards.«

»Han kommer til bisættelsen,« sagde jeg til Ruth.

Hun nikkede. »Det havde jeg sandelig også ventet.«

V

Vi havde stik imod *Landsrettens* anbefaling fastlagt bisættelsen til om onsdagen – dagen efter folketingsvalget. Ruth havde konfereret med Winther igen, og eftersom der ikke var behov for langvarige retsmedicinske undersøgelser, var hun sikker på, at vi kunne få Henriks lig udleveret allerede mandag, så det burde ikke volde problemer.

Det lyder måske temmelig ufølsomt, men jeg tror faktisk, at vi alle sammen ønskede at få bisættelsen overstået så hurtigt som muligt, så vi kunne lægge begivenhederne bag os og prøve at komme videre.

I mellemtiden måtte vi så forsøge at få hverdagen til at fungere. Gøre de nødvendige forberedelser til bisættelsen, tage os af de opgaver der ikke kunne vente, svare på spørgsmål fra kunderne og efter bedste evne holde pressen fra døren. Det var bestemt ikke den form for publicity, NSC havde mest brug for.

Der havde ikke været flere bomber, og ingen havde henvendt sig til politiet eller pressen for at tage ansvaret for bomben. PET og FET afviste kategorisk enhver forbindelse til terrorgrupper, så vi måtte se i øjnene, at det var en privat vendetta af en eller anden slags. Bomben havde været bestemt for Henrik, men hvorfor?

Jakob dukkede op fredag morgen og lignede en pisket hund. Jeg holdt mig på afstand af ham, og det var tydeligt, at han også helst ville undgå mig. Der herskede i det hele taget en spændt og ubehagelig atmosfære i firmaet. Jeg vil ikke sige, at alle mistænkte alle, slet ikke, det var trods alt for langt ude, men alligevel. Torsdag nat, da jeg igen lå søvnløs og spekulerede på hvem og hvorfor, havde jeg i hvert fald taget mig selv i at få de mest uhyrlige tanker, og selvom jeg straks afviste dem som udslag af en slags paranoia, illustrerer det meget godt, hvordan stemningen var, for jeg var nok ikke den eneste af os, der havde den slags vanvittige ideer. Det havde pludselig slået mig, at vi kun havde Mogens' ord for, at han havde hørt eksplosionen, da han var på vej op ad trappen. Karin sad nede i bilen og havde ikke hørt noget. Så hvad nu hvis det i virkeligheden var ham, der havde haft bomben med? Jeg gik endda så vidt, at jeg frittede Karin ud næste morgen, forhåbentlig uden at hun opdagede, hvad jeg sigtede til, og hun var fuldstændig sikker på, at Mogens ikke havde haft noget med sig, da han gik ind i ejendommen.

Bente, Henriks sekretær, mødte ligeledes om fredagen, tårevædet og helt knust. Jeg er overbevist om, at end ikke ti vilde heste kunne have holdt hende væk fra kontoret. Hun havde brug for at tale med os andre og få sat ord på sine følelser, uanset hvor meget hendes spæde barn ellers fyldte i hendes liv. I dagens løb lykkedes det hende og Jakob ved fælles anstrengelser og ved hjælp af Henriks mødekalender, som lå på Bentes computer, at få stykket en nogenlunde dækkende liste sammen over alle Henriks aktiviteter og møder i de seneste 12 måneder. Bente kunne tilmed ved hjælp af kartoteket og sine egne notater erstatte de kryptiske tegn på skærmen med navne eller firmaer.

Jeg stillede mig bag hende og kiggede på skærmen.

»MKL?« spurgte jeg. Det dukkede op flere gange. »Hvem er det?«

»Magasin K&L.«

Det burde jeg have kunnet gætte. Jeg havde faktisk selv været på job i K&L flere gange, end jeg brød mig om at huske. Jeg regnede ud, at Soc. Ud. betød socialudvalget, og at Al. Fors. var vores forsikringsselskab. Ud for mange af initialerne var der anbragt en stjerne og et lille bogstav. »Hvad betyder det?« spurgte jeg og pegede.

»Det markerer, hvem af jer der skulle have opgaven, b for Bea, r for Ruth og så videre.«

Jeg holdt blikket fæstet på skærmen og så mit b dukke op flere gange.

»Hov!« udbrød jeg. »Hvem er det der?« Jeg pegede på en linje, hvor der stod et par initialer efterfulgt af et b.«

Bente rystede på hovedet. »Aner det ikke. Det er 14. september, da var jeg jo gået på barsel. Det må være Henrik selv, der har ført det ind. Ved du ikke, hvem det er? Det ser jo ud til, at det job var tiltænkt dig.«

»Ja,« sagde jeg. »Det gør det jo; men jeg ved ikke, om jeg fik opgaven. Har du slet ingen ide om, hvem m r kan være?«

»Overhovedet ikke. Jeg kan kun sige så meget, at det ikke er en af vores faste kunder, så jeg gætter på, at det er en sexløber.«

Sexløber er vores interne slang for en utroskabssag.

»Gider du se efter, om der er en faktura til nogen med de initialer? Efter den 14. september.«

»Det kan jeg ikke her. Det er Ruths domæne. Hvorfor det? Tror du, det er vigtigt?«

»Det ved jeg ikke. Vi aner jo ikke, hvad der er vigtigt, og hvad der er fuldstændig betydningsløst. Jeg må hellere spørge Ruth, om hun ved, hvem m r er.«

Det gjorde hun ikke, og der eksisterede intet skriftligt til nogen med de initialer.

»Tror du, det er vigtigt?« sagde hun og lød som et ekko af Bente.

Jeg trak på skuldrene. »Det er en uregelmæssighed,« sagde jeg. »Der burde være en faktura.«

»Det er måske et møde med en klient, der sprang i målet,« foreslog hun. »Det sker jo somme tider.«

Jeg nikkede. Men klienten måtte have været der, for der var anbragt et lille b efter initialerne. Og Henrik havde faktisk overdraget mig en opgave, mens jeg var i USA. Eller rettere, da jeg var på vej hjem. Noget med at forsøge at finde en forsvunden pige. Det var ikke lykkedes mig at finde hende, det var som at lede efter en nål i en høstak, og det meddelte jeg ham, da jeg kom hjem. »Skidt med det,« havde han sagt. »Der var alligevel ikke noget kød på det ben. Det var nærmest for at gøre fyren en tjeneste, når du nu alligevel kom på de kanter.«

Og det var så det. Men jeg havde aldrig fået at vide, hvem vores kunde var. Fyren, han ville gøre en tjeneste. Hvis han var den mystiske m r, var det eneste, jeg vidste om ham, at han var ung og formodentlig også pengeløs. Det var sikkert forklaringen på den manglende faktura.

Jeg blev stående og gnavede eftertænksomt i min tommelfinger, så rystede jeg på hovedet ad mig selv og besluttede at glemme alt om den lille uregelmæssighed.

Mandag morgen kiggede Mogens ind, mens vi sad ved morgenkaffen i frokoststuen. Da jeg hilste på ham, skammede jeg mig over de tanker, jeg havde gjort mig om ham.

»Hvordan har du det?« spurgte han.

»Jo tak, det går da. Der er heldigvis så meget, vi skal tage os af. Hvad med dig?«

»Jeg har det ad helvede til – ligesom I andre. Jeg fatter det stadig ikke. Det er en guds lykke, at jeg har de navnløse damer at gå op i, ellers ville jeg blive skør.«

Lidt skør var han åbenbart allerede blevet, siden han kaldte tre mord en guds lykke, men jeg forstod ham godt.

»Er I ikke kommet længere?« spurgte jeg.

»Næh, ikke det der ligner, så det er ikke, fordi det er særlig opmuntrende, men det giver mig i det mindste noget andet at tænke på. Jeg er faktisk ved at danne mig min egen teori om, hvem de var, hvorfor de blev myrdet – og hvorfor de blev det på den måde. Både kvinderne og spædbarnet. Jeg håber ved gud, at jeg bare er lidt for fantasifuld, men hvis min teori holder, så er det langt mere modbydeligt og kynisk, end man kan forestille sig.«

»Hvordan det?«

Han rystede afværgende på hovedet. »Nej, Bea! Jeg behøver bare at kaste et blik på dig for at vide, hvor elendigt du har det, så det vil jeg slet ikke fortælle dig. Du har allerede været udsat for mere, end godt er. Så du skal i hvert fald ikke også have det at ligge søvnløs over. Og måske er jeg fuldstændig på vildspor. Det håber jeg fandeme.«

Jeg pressede ham ikke, for han havde fuldstændig ret i, at jeg havde mere end nok i vores egne problemer. Jeg havde bestemt ikke brug for de navnløse damer, men alligevel vævede de sig på besynderlig og uhyggelig vis ind i mine tilbagevendende mareridt de følgende nætter.

Bisættelsen fandt sted i Henriks sognekirke, en moderne og meget anderledes kirke. Der var dueblå hynder på bænkene, måske et knæfald for nutidens mere blødsødne menighed, og under loftet hang i hundredvis af små bitte lamper, vel egentlig kun pærer, så det var som at sidde under et stjernetæppe. Ellers var kirkerummet meget enkelt, nærmest spartansk udsmykket, men de mange lamper fik det ligefrem til at virke festligt, næsten for festligt til lejligheden.

Man kunne svagt høre kirkeklokkens tunge slag, ellers herskede der en afventende stilhed i rummet. Der lød kun nu og da en skraben af en fod over gulvet eller en undertrykt hosten. Alles opmærksomhed var rettet mod kisten, der virkede enorm, som den stod der i ensom majestæt. Det var en enkel hvid kiste kun pyntet med en stor buket røde roser – Henriks yndlingsblomst.

På en måde var det mig stadig komplet umuligt at fatte, at Henrik var død. At det virkelig var ham, der lå der i kisten under de røde roser. Sidst jeg havde set ham, havde han været munter og smilende – næsten overstadig, så hvordan hang det sammen? Alle havde frarådet mig at se ham, men nu fortrød jeg, at jeg ikke havde gjort det. Måske ville det have gjort det ufattelige fatteligt.

En lille gysen gik igennem mig. Jeg havde været hjemme i tre og et halvt år, og det var den tredje bisættelse, jeg overværede. Det var, som om døden havde fulgt mig som en skygge, siden jeg igen satte foden på dansk jord.

Jeg sad mellem moster Herdis og Rade på en lille stolerække med front mod kisten. Ved siden af Rade sad min svoger René og hans nye kone, Ulla. Jeg havde sagt til Rade, at han ikke behøvede at tage med til bisættelsen, men han insisterede. »Selvfølgelig vil jeg med. Han var din kæreste og min ven. Det er vigtigt at følge ham på vej.« Rade havde aldrig accepteret, at Henrik og jeg ikke længere var kærester. Det var efter hans mening bare en grille, en fejltagelse fra min side, som der før eller siden ville blive rådet bod på. Så sammen var vi kørt hen efter Moster Herdis, som jeg havde lovet at hente.

Jeg lod blikket glide hen over de øvrige tilstedeværende. Det var et lille følge, kun en snes mennesker. Alle medarbejderne fra NSC selvfølgelig, både faste og freelancere, ti i alt. Lige over for os sad Ruth, Mogens, Jakob, Karin, Inge og Bente. Vi sad der, hvor man ellers placerer de nærmeste pårørende. NSC var Henriks familie. Sammen med moster Herdis hans eneste.

Landsretten var der, hans rollator stod parkeret bagest i kirkerummet. Det var nok Claus Bang, der havde kørt den derned, efter at *Landsretten* var blevet bænket. Han sad der allerede, da vi kom. Ved siden af dem sad en lille rund mand, jeg aldrig havde set før. Jeg vidste, at Ruth havde været i lufthavnen for at hente Tony Armstrong, vores engelske partner, så jeg gættede på, at det måtte være ham, selvom han slet ikke svarede til det billede, jeg havde dannet mig af ham. Jeg havde ventet en høj slank fyr med et langt engelsk hesteansigt, og i stedet så jeg en lille tyksak med et rundt kerubansigt. Næsten som en klon af Claus Bang. Sammen lignede de grangiveligt tegningerne af tweedledee og tweedledum fra *Alice i Eventyrland*. Tony Armstrong så op, og idet han mødte mit blik, sendte han mig et nik og antydningen af et lille medvidende smil, næsten som et budskab: »Don't say it, I know it, I look like Tweedledee.«

Bag dem sad vores revisor, direktøren for vores forsikringsselskab, en mand og en dame, jeg ikke kendte, formentlig forretningsforbindelser, og direktøren og personalechefen fra K&L. De to sidstnævnte var også Henriks tenniskammerater.

En lyd eller en bevægelse nede bag i kirken fangede min opmærksomhed, endnu en person trådte ind i rummet. En høj mand iført en kameluldsfrakke med pelskrave. Der var noget fremmedartet, noget udansk ved ham, men måske var det bare frakken, der gjorde det. I virkeligheden var det nok endnu en tenniskammerat, jeg huskede ikke, hvor mange der stod på listen. I hvert fald valgte han at sætte sig på en af de bageste bænke.

Beth Winther var der også. Diskret i baggrunden. Jeg troede kun, det var på film, at politiet mødte op ved ofrets begravelse, men måske gjorde jeg hende uret. Hun havde trods alt også kendt Henrik.

Nu lød bedeslagene, og da det sidste slag døde hen, blev der et øjeblik dødstille i kirken, som om alle holdt vejret, indtil orglet intonerede den første salme, *Altid frejdig.* Henrik og jeg havde diskuteret salmerne, da han skrev testamente, og jeg havde sagt, at man ikke kunne begynde med *Altid frejdig.*

»Hvorfor ikke?« spurgte han, og jeg blev ham svar skyldig, så den blev stående, hvor den stod.

Jeg havde lovet mig selv ikke at græde, men da jeg hørte præstens *Vi er samlet her i dag for at tage afsked med Henrik Gerner,* undslap der mig en lille tør hulken. Jeg skævede hurtigt til Moster Herdis, men hun ænsede mig ikke. Hun sad ret op og ned og lod tårerne få frit løb. De banede sig vej ned ad hendes rynkede kinder som små bjergbække efter et regnskyl.

Jeg følte, at nogen stirrede på mig, og da jeg lod blikket glide ned over følget, så jeg, at det var den ukendte gæst.

Efter præstens tale sang vi *Blomstre som en Rosengaard.* Jeg vidste godt, hvorfor Henrik havde valgt netop den. Det er jo i virkeligheden en adventssalme, så egentlig passede den godt til årstiden, men det var ikke derfor. Det kunne han jo umuligt have vidst, da han valgte den.

Den sidste salme var *Sig månen langsomt hæver,* og så var det overstået. Jeg var ikke kommet igennem det uden tårer, men jeg var heller ikke gået helt i opløsning. Mormor ville have været tilfreds med mig; hun afskyede »føleri«, som hun kaldte det. Det var vist det eneste punkt, hvor Allie skuffede hende – hun havde så let til tårer.

Kisten blev båret ud, og følget fulgte langsomt efter. Jeg måtte have lommetørklædet frem endnu en gang, da det gik op for mig, at postludiet var en fantasi over *Jesus bleibet meine Freude,* for jeg vidste, at det var en sidste drillende hilsen til mig fra Henrik. Det er et af mine yndlingsstykker, og han havde altid hånet mig for det og sagt, at det afslørede, at min smag var både sentimental og småborgerlig.

Trods tårerne så jeg, at den ukendte gæst var forsvundet. Han måtte være gået ubemærket under den sidste salme. Han agtede åbenbart ikke at deltage i sammenkomsten efter bisættelsen.

Udenfor fik jeg omsider hilst på Tony Armstrong. Han havde små hænder med korte tykke fingre, og jeg havde frygtet at få et slapt og fugtig håndtryk, men hans hænder var varme og tørre og håndtrykket fast, og blikket, der mødte mit, var intelligent og humoristisk. Ruth og jeg havde aftalt at spise middag med ham om aftenen. En uforpligtende komsammen, hvor vi kunne føle hinanden på tænderne før vores egentlige møde den følgende dag. Indtil videre kunne jeg lide, hvad jeg så; hvad han syntes om os, anede jeg endnu ikke.

Beth Winther kom hen og hilste på. »Vi vil gerne tale med dig igen, Bea,« sagde hun efter et par indledende høflighedsfraser.

»Med Ruth og mig? Er der noget nyt?«

»Kun med dig.«

»Mener du nu? I dag?«

»Nej, så meget haster det ikke. Skal vi sige i morgen klokken 9?«

Det lød mere som en ordre end som et forslag, men jeg forsøgte alligevel.

»Vi skal faktisk have et møde med Tony Armstrong.« Jeg gjorde et lille kast med hovedet hen mod ham.

»Det kan sikkert godt udsættes lidt,« afgjorde hun. »I morgen klokken 9 på politigården, ikke? Bare spørg efter mig.«.

Hun gik, før jeg kunne nå at spørge om mere.

»Hvem var ham fyren i kameluldsfrakken?« spurgte jeg Ruth.

»Det har jeg ingen anelse om. Han stod i hvert fald ikke på listen, men det kan jo have været en gammel ven. Der er også nogen, der bare elsker begravelser.«

»Ja, hver sin lyst,« mumlede jeg.

»Hvad ville Winther?« spurgte Ruth.

»De ville tale med mig igen.«

»Kun dig?«

»Ja, i morgen tidlig. Så enten må vi udsætte mødet med Armstrong, eller også må I begynde uden mig.«

»Det finder vi ud af. Var der noget nyt?«

»Det sagde hun ikke noget om, men det må der vel være.« Hvorfor skulle de ellers tale med mig?

Jeg stod op klokken kvart i syv næste morgen. Middagen med Tony havde været uventet hyggelig, men sluttede tidligt. Ingen af os var oplagt til nattesæde, så jeg var hjemme hos mig selv allerede før halv elleve.

Jeg cyklede ud til svømmehallen og gennemgik det sædvanlige ritual. Det var første gang, jeg var der efter Henriks død, og jeg opfattede det som et tegn på, at tilværelsen var ved at komme ind i den vante gænge igen, men jeg skulle blive klogere.

Hjemme igen klædte jeg mig omhyggeligt på. Sorte bukser, sort jumber og en hvid læderjakke. Jeg tog bilen og kørte hjemmefra i god tid, for jeg vidste ikke, hvor lang tid det ville tage at finde en parkeringsplads.

»Hvad kan jeg så hjælpe dig med?« spurgte betjenten ved skranken jovialt.

»Jeg hedder Bea Jantz, jeg skulle tale med kriminalinspektør Winther.«

»Ja, lige et øjeblik.«

Beth Winther kom selv ned efter mig. Hun var nok bange for, at jeg skulle fare vild undervejs. Jeg troede, vi skulle mødes på hendes kontor, men rummet, hun viste mig ind i, lignede mere et forhørslokale, som man kender dem fra film og tv. Søgaard sad allerede derinde, og et eller andet ved hele atmosfæren fik mig til at føle mig ilde til mode.

»Værsgo,« sagde Winther og trak en stol ud, mens hun selv satte sig overfor ved siden af Søgaard. Jeg sendte ham et lille høfligt smil, som han besvarede med et afmålt nik.

»Jeg forstår ikke helt, hvorfor I vil tale med mig igen,« sagde jeg. »Jeg er sikker på, at jeg har fortalt alt, hvad jeg overhovedet kan komme i tanker om.«

»Somme tider kommer man i tanker om noget flere dage efter,« sagde Winther.

Jeg rystede på hovedet. »Det gør jeg ikke. Jeg har tænkt det igennem masser af gange, men der er ikke dukket noget op. Hvad med jer? Har I ikke fundet noget.«

»Nej,« sagde Søgaard. »Vi har gået hans computere igennem og talt med eller tjekket alle, han har været i kontakt med det sidste år, og resultatet var sådan.« Han løftede hånden og formede et nul med tommel og pegefinger. »Zero!«

»Det kan måske ligge længere tilbage,« sagde jeg. »Hvis ikke det er en sindssyg person.«

»Måske,« sagde Winther forbeholdent.

»Men hvis han ikke har skabt sig uvenner gennem sit arbejde, og hvis vi ser bort fra eventuelle sindssyge, kan vi jo vælge at se på sagen fra en helt anden vinkel,« fortsatte Søgaard.

»Som for eksempel?«

»Som for eksempel at hive den gode gamle traver ud af stalden. Cui bono?«

Jeg så uforstående på ham. *»Cui bono?«*

»Ja, har du aldrig hørt det udtryk?«

»Det tror jeg ikke.«

»Det er latin,« sagde han.

»Ja?« sagde jeg spørgende.

Det kunne jeg godt høre. Jeg havde faktisk haft latin i et år for næsten en menneskealder siden, men jeg havde lykkeligt glemt det meste. Cui bono? Det måtte være noget med god eller godt. Godt for hvem? Til gavn for hvem? Noget i den retning.

Tusind sommerfugle lettede i min mave og flagrede forvildet rundt.

Søgaard så afventende på mig, men jeg trak bare på skuldrene. »Jeg aner ikke, hvad det betyder.«

Det var en lodret løgn. Jeg mere end anede det, men så vanvittige kunne de da ikke være!

Jo, præcis så vanvittige kunne de være.

»Det betyder, hvem gavner det? Eller hvem har fordel af det?«

»Aha!«

»Det er et spørgsmål, man altid gør klogt i at stille, så det gjorde vi også her.«

Og mirabile dictu! (siden vi nu skal snakke latin). Der var Bea minsandten – i naturlig størrelse – og det var åbenbart svar nok, tænkte jeg; men jeg forholdt mig tavs.

Nu så Søgaard næsten triumferende på mig. »Og du kommer da ikke udenom, at du drager fordel af Henrik Gerners død.«

VI

»Endelig!« udbrød Ruth, da jeg omsider trådte ind ad døren til hendes kontor. Henriks kontor var under total renovering, og jeg havde hidtil delt kontor med en af de andre, når jeg ikke havde tjansen i forkontoret. Det var meningen, at jeg skulle overtage Henriks kontor, når håndværkerne – gud ved hvornår – blev færdige. Politiet havde fjernet både hans pc og alle de røgsværtede ringbind, resten af inventaret havde vi simpelt hen kasseret. »Vi var lige ved at tro, de havde beholdt dig,« tilføjede hun med et lille smil.

»Det var jeg også,« sagde jeg, idet jeg kastede et hurtigt blik på mit ur, selvom jeg lige havde tjekket det og udmærket godt vidste, at klokken var tyve minutter i tolv. »Og det var vist lige før.«

Ruth og Tony sad med en masse papirer spredt imellem sig ved et lille rundt bord, der midlertidigt var anbragt her og gjorde det ud for konferencebord – til meget små konferencer. Jeg nikkede til Ruth og gav Tony hånd med et ikke ligefrem overstrømmende smil, før jeg satte mig. Ham havde jeg faktisk glemt alt om efter mødet med Søgaard og Winther, og jeg må indrømme, at jeg i det øjeblik helst havde været ham foruden. For det første var samtalen nødt til at foregå på engelsk, når han var der, og selv om både Ruth og jeg har en fortid i USA, ville det gøre det mere besværligt at genfortælle det, som var blevet sagt på dansk. For det andet ville jeg have foretrukket at være alene med Ruth, når jeg fortalte, hvordan mit møde var forløbet. I hvert fald i første omgang, for jeg indså selvfølgelig, at Tony var berettiget til at få et referat før eller siden.

»Du ser lidt kvæstet ud,« konstaterede han.

»Det er jeg ved gud også,« sagde jeg. »De gav mig godt nok en ordentlig tur i vridemaskinen.«

»Hvordan det?« spurgte Ruth uforstående. »Var der ikke noget nyt i sagen?«

»Jo, det kan man vist godt sige,« svarede jeg let. »Jeg er deres mistænkte nummer et.«

Ruth åbnede munden for at komme med et udbrud, men så skiftede hendes minespil fra vantro til irritation. »Ærlig talt, Bea, jeg synes situationen er for alvorlig til at sige den slags – selv for sjov.«

»Jamen, Ruth, det er ikke for sjov. Desværre. Jeg har sjældent været mere alvorlig. Jeg *er* deres mistænkte nummer et.«

Jeg forstår godt, at hun havde svært ved at tage mig alvorligt, for jeg kunne selv mærke, at jeg ligefrem boblede af undertrykt munterhed. Spørg mig ikke, hvad det er for nogle mærkværdige mekanismer, der går i gang, for jeg kan ikke forklare det. Måske var det en slags lettelse over, at de trods alt havde ladet mig gå. På et tidspunkt havde jeg virkelig frygtet, at de her og nu ville sigte mig for mordet på Henrik.

»Mener du helt seriøst, at de mistænker dig?« Nu havde vantroen igen fået overtaget. Hun så anråbende på Tony og mig. »Men det er jo fuldstændig latterligt. Grotesk! Var det Søgaard?«

»Det var ham, der antydede det.«

»Det tænkte jeg nok. Den mand er idiot.«

»Men de var der begge to, både ham og Winther.«

»Sagde de det rent ud?«

»Nej, men der var ikke noget at tage fejl af.«

»Hvad skulle dit motiv være? Du har jo ikke noget motiv, tværtimod.«

»Ih jo, det har – eller havde – jeg sandelig. Jeg havde tilmed flere, i hvert fald ifølge politiet. Søgaard indledte faktisk seancen med at spørge, om jeg kendte udtrykket cui bono.«

»Hvem nyder godt af det,« nikkede Tony.

»Det er da løgn!« eksploderede Ruth.

»Nej, desværre. Og jeg lover jer, at da var jeg lige ved at gå i panik.«

»Men du gjorde det ikke?« indskød Tony halvt konstaterende, halvt spørgende.

Jeg rystede på hovedet. »Nej, vi sad i det der forbandede forhørslokale, og på en eller anden måde mindede det så meget om en eksamenssituation, at det fik mig til at huske på et råd, min far gav mig, da jeg gik til studentereksamen. Han ringede hjem fra Frankrig for at høre, hvordan det gik, og jeg fortalte, at jeg var rystende nervøs. Sjovt nok gav han sit råd på engelsk. *»Don't show it, and don't panic. Do like the ducks. On the surface stay calm, and below it paddle like hell.«*

Tony lo. »Han er en kløgtig mand, din far.«

»Var,« sagde jeg. »Han er død.«

»Åh, det må du undskylde,« sagde han forlegent.

»Det kunne du jo ikke vide, og det er mange år siden, så det ... I øvrigt tror jeg ikke, han selv havde fundet på det.«

»Det kræver også visdom at vælge de rette citater.«

»Var det et citat?« spurgte jeg.

»Ja,« smilede han. »Du fulgte altså hans råd?«

»Så godt jeg kunne. Jeg prøvede i hvert fald, og jeg tror, det lykkedes mig at virke rolig på overfladen, og jeg kan forsikre, at jeg 'padlede som død og helvede' under den. Jeg skulle jo hele tiden forsøge at være en svømmefod foran,« sluttede jeg med et skævt smil.

Jeg havde ikke længere noget mod hans tilstedeværelse, snarere tværtimod. Det var, som om han havde opfattet min mærkelige euforiske stemning og tunede ind på min melodi, der gik på, at nok var situationen alvorlig lige i øjeblikket, men det her var noget, vi sammen kunne grine lettet ad om nogle dage, nogle uger – eller nogle måneder i værste fald.

»Har de ret?« spurgte han. »Jeg mener, høster du fordel af Henriks død?«

»Økonomisk? Ja. Det tror jeg i det mindste.«

»Det gør vi sådan set begge to,« sagde Ruth. »Forudsat at firmaet overlever. Bea og jeg arver Henriks aktiepost til deling. Selvom Bea slog sig i tøjret, skrev vi alle tre testamente næsten samtidig med, at vi oprettede aktieselskabet. Vi har – eller havde – hver 30 procent af aktierne.«

Tony så på mig. »Hvorfor slog du dig i tøjret?«

Jeg trak på skuldrene. »Jeg syntes, det var ... overflødigt. Og jeg ville have, at min søsters børn skulle arve mig. Men jeg kunne se, det var nødvendigt af hensyn til firmaet. Altså hvis jeg døde i utide.«

»Hvorfor var det vigtigt for dig, at din søsters børn arvede?«

Jeg syntes, det var et mærkeligt spørgsmål, men han vedblev at se spørgende på mig. Jeg tænkte mig lidt om, før jeg svarede: »Fordi de er familie,« sagde jeg så. »Og fordi jeg skylder min søster så meget.« Jeg tav et øjeblik. »Men det var nok også på en eller anden måde for ikke at blive glemt.«

Han nikkede og så ud, som om han forstod, hvad jeg mente.

»Og hvis jeg blev gift og fik børn, kunne det jo altid laves om. Desuden var det jo kun aktierne. De får resten, hvis der altså er en rest til den tid,« tilføjede jeg. På trods af hvad der var sket med Henrik, var »den tid« stadig noget, der lå langt ude i fremtiden. Mærkeligt at vi aldrig bliver klogere.

»I havde altså 30 procent hver. Hvem ejer så de sidste ti procent?«

»De er delt op i mindre poster,« forklarede Ruth. »Mogens har fem procent, Bente har to, og Jakobs ekskone har tre.«

»Hans ekskone?« Tony løftede øjenbrynene.

»De blev skilt kort efter. Han ville beholde bilen, og aktierne var det eneste, han havde at handle med, men det er lidt åndssvagt. Vi tilbød faktisk at købe dem af ham, men det ville han ikke høre tale om,« forklarede jeg.

»Vi regner med, at hun nok vil sælge til os på et eller andet tidspunkt,« sagde Ruth.

Tony så på mig. »Hvorfor slog de lige ned på dig, når du og Ruth arver lige meget?«

»Det gør vi heller ikke, det har du misforstået. Det gælder kun aktierne. Bortset fra dem er jeg universalarving. Jeg arver rub og stub. Hus, indbo, alt.«

»Havde han eget hus?«

»Ja, han havde arvet sine forældres hus,« sagde jeg. Det var ikke præcist det, der var sket, men jeg syntes, det ville føre for vidt at komme ind på hele den sørgelige familiesaga.

»Hvad er huset værd?«

»Det ved jeg faktisk ikke,« indrømmede jeg. »Jeg følger ikke rigtigt med i huspriserne. Hvad tror du, Ruth?«

»Otte-ni hundrede tusind gætter jeg på, måske en million. Men Henrik har taget lån i det to gange. Første gang da han renoverede det fra kælder til kvist, anden gang nu i år. Dels til sin andel af aktierne, dels til at købe ny bil.«

Tony smilede. »Nå, han købte ny bil. Hvad slags?«

»En BMW,« sagde jeg og forsøgte ikke at skjule min misbilligelse. Jeg havde hele tiden syntes, det var totalt hjerneblæst at bruge så mange penge på en gammel brugt bil. Han havde overhovedet ikke brug for en BMW. Som Mogens sagde, Henrik holdt sig altid til midtersporet – også helt bogstaveligt.

»En BMW. Der kan man se. Jeg havde egentlig ikke troet, han var muskelbiltypen.«

»Det var han heller ikke, og det var også en brugt BMW,« forsvarede jeg ham, som om det gjorde sagen bedre. Det syntes jeg jo ikke engang selv. »Seks år gammel.«

»Men den arver du vel også, går jeg ud fra.«

Jeg så forbavset på ham. Det havde jeg ikke skænket en tanke. »Jah, det gør jeg vel.«

»Ved du, hvad han gav for den?«

Ja, mon ikke!

»350.000.«

Tony spærrede øjnene op. »350.000 danske kroner for en seks år gammel BMW! Du tager gas på mig.«

»Bilpriser i Danmark er noget helt for sig,« sagde jeg. »Her betragtes biler ikke som et nødvendigt transportmiddel, men som vild luksus og derfor et naturligt skatteobjekt. Jeg tror, det stammer fra dengang, da kun de mest velhavende havde bil. I dag betyder det, at unge familier, især på landet, der har brug for en bil for at komme rundt, men ikke har råd til en ny bil, kører rundt med deres børn i de rene dødsfælder.«

Jeg var på nippet til at ride en af mine kæpheste, men Tony standsede mig med et nyt spørgsmål. »Hvad vil du tro, din arv beløber sig til i alt?«

»Det har jeg overhovedet ingen ide om.«

»Bare et slag på tasken.«

Jeg så anråbende på Ruth. Hun er betydeligt bedre til den slags end jeg, så det var hende, der kom med et bud.

»Inklusive aktierne og efter salærer, begravelsesudgifter og så videre er trukket fra, bliver det nok omkring 450.000 før boafgift. Men det afhænger jo helt af husprisen. Det kan blive 50.000 mere eller mindre.«

»Og efter boafgift?«

»Afgiften er ca. 30 procent.«

»Altså cirka 300.000.«

»Nej, snarere mere,« indskød jeg. »For vi tegnede også krydsende livsforsikringer netop for at imødegå boafgiften på aktierne.«

»Okay, lad os sige 350.000. Ifølge politiet skulle dit motiv altså være en arv på cirka 350.000 danske kroner?«

»Et af flere motiver,« korrigerede jeg.

»Ja, men lad os nu gøre det her færdigt. Hvorfor mener de, at det beløb er motiv nok til – undskyld udtrykket – at slagte hønen, der lægger guldæg? Hvordan er din økonomi? Er du i bundløs gæld? Ånder kreditorerne dig i nakken?«

Jeg smilede svagt. »Svaret på det første er 'god'. De næste er 'nej' og 'nej'. Jeg er ikke forgældet, og jeg har ingen kreditorer i hælene.«

»Godt.«

»Faktisk spurgte de om næsten det samme. De kendte min indtægt her i NSC de to foregående år, så det må de have undersøgt. De har jo siddet med næsten alle firmaets papirer. De ville vide, hvordan jeg med min forholdsvis beskedne indtægt havde været i stand til både at købe bil – det gjorde jeg sidste år – og så indbetale et aktiebeløb på 300.000 kr. i år.«

»Hvad sagde du til det?«

»Jeg fortalte dem, at de kunne få alle relevante oplysninger om min privatøkonomi hos min revisor, som ved mere om den, end jeg selv gør. Jeg har samme revisor som firmaet.«

»Fint!« strålede Tony og gned sig åndelig talt i hænderne. »Man skal aldrig forsvare sig eller komme med undskyldninger, før man er under anklage.«

»Da de begyndte på deres cui bono-nummer, spurgte jeg faktisk, om jeg var sigtet for noget, for i så fald ville jeg have en advokat.«

»Udmærket.«

»De sagde selvfølgelig nej, de havde bare et par punkter, de skulle have opklaret.«

»Jeg fatter ikke, at Beth Winther gik med på den galej,« sagde Ruth hovedrystende.

Jeg trak på skuldrene. »Det kan jeg sådan set godt forstå. De har åbenbart ikke fundet andet. De havde været gennem alle hans aftaler og hele hans forretningskorrespondance uden at finde noget at sætte tænderne i, og ...«

»Så satte de tænderne i dig.«

»Ja, og hvis Søgaard nu har presset på og sagt, at hun ikke burde lade et overfladisk bekendtskab med mig influere på sagen og blablabla, så kunne hun næsten ikke gøre andet, vel? Og når alt kommer til alt, beholdt de mig jo ikke.«

»Det vil sige, at de opgav det økonomiske motiv.«

»Nej, det er jeg nu ikke overbevist om. De sagde, de ville kontakte min revisor, og jeg tror ikke, de lader det blive ved snakken.«

Tony lænede sig lidt frem. »Og hvad vil de så finde?«

Tonen var let, men det var egentlig et temmelig nærgående spørgsmål, og hans blik var skarpt og insisterende. Jeg skulle ikke prøve at snakke udenom eller henvise til min revisor. Og han var i sin gode ret til at spørge. Hans nye samarbejdspartner var blevet myrdet, og en af hans medejere var åbenbart mistænkt for mordet. Han havde krav på et ærligt svar.

»At min økonomi er fornuftig. Min storesøster og jeg arvede min mormors hus, da hun døde. Min søster og hendes mand boede der allerede, og på et tidspunkt ville de gerne købe mig ud. Jeg var 20 år, nygift med en velhavende mand og boede i USA, så det passede mig fint. Min søster forvaltede min andel, og det gjorde hun så godt, at beløbet var mere end fordoblet, da jeg vendte hjem for knap fire år siden. Der var for resten også lidt penge efter vores forældre, hvad ingen af os havde ventet. Min far var tegner, illustrator, og tjente indimellem mange penge, men de levede altid i nuet og kunne ikke drømme om at spare op. Sådan er tegnere. De tror alle sammen, at de dør med blyanten i hånden, men vores far havde trods alt fået lavet en livsforsikring en gang i tidernes morgen af hensyn til min mor, og eftersom de begge blev dræbt ved samme ulykke, blev den udbetalt til os. Desuden efterlod min far en hel del tegninger, som det lykkedes min søster at afhænde. Jeg brugte cirka to tredjedele af min »formue« til en meget stor udbetaling på min meget lille lejlighed, så jeg sidder billigt i den, og resten lod jeg stå som en økonomisk buffer.«

»Til en regnvejrsdag,« indskød Tony. »Det lyder, som om din søster er en dygtig forretningskvinde. Er hun uddannet økonom eller sådan noget?«

Et øjeblik så jeg bare tomt på ham. Jeg anede ikke, hvad jeg skulle svare. Det føltes, som om jeg havde kendt Tony altid, så det kom helt bag på mig, at han ikke var inde i mine familieforhold. Det virkede næsten pinligt at skulle forklare ham sammenhængen, og jeg vidste, at han ville blive forlegen. Jeg trak vejret dybt.

»Nej, hun var børnehavepædagog og leder af en børnehave. Hun døde for snart fire år siden. Jeg kom hjem, fordi hun fik cancer.«

Selvfølgelig blev han flov. Hans runde kerubansigt blev blussende rødt, mens han løftede begge hænder og udbrød: »Undskyld, undskyld, undskyld, Bea! Du må synes, jeg er verdens største klodrian, men jeg anede det ikke.«

»Nej, selvfølgelig ikke. Det var ikke din fejl.«

»Nu forstår jeg meget bedre det med arven til din søsters børn.«

Jeg nikkede.

»Så det var altså den økonomiske buffer, du brugte til at købe bil for.«

»Nej, det var selvfølgelig meningen, men jeg fik tilfældigvis nogle penge fri på det tidspunkt.«

»Hvorfra?«

»Som sagt blev jeg gift som 20-årig, men ægteskabet holdt ikke. Vi blev skilt, og for den engangssum, jeg fik i forbindelse med skilsmissen, startede jeg en forretning sammen med en svensk veninde, Maritta.«

»Er vi stadig i USA?«

»Ja, i Philadelphia. Jeg blev boende der efter min skilsmisse, for jeg tror, det er nemmest at åbne en butik et sted, hvor man kender sin målgruppe.«

»Og forretningen gik godt?«

»Ja, langt over forventning. Efter de første begyndervanskeligheder. Men i starten knoklede vi også 12-14 timer i døgnet hver eneste dag i ugen. Det kunne kun lade sig gøre, fordi vi begge to var singler dengang, men det var sjovt. Rigtig sjovt. Vi solgte skandinavisk design. Brugskunst, tøj, smykker, sko. Jo, den gik virkelig godt. Og Maritta er knaldgod til alt det med økonomi. Det er ikke min stærke side, bare spørg Ruth. Men så blev Allie syg, og jeg tog hjem for at være hos hende, tage mig af børnene og aflaste hendes mand lidt, og, nå ja, som du ser, endte det med, at jeg blev her. Jeg hjalp stadig Maritta med at skabe nye kontakter og finde nye produkter her i Skandinavien, og de første par år betalte Maritta mig et månedligt beløb, jeg kan ikke huske hvor meget, men det ved min revisor,« sluttede jeg med et skævt smil.

Tony grinede.

»I længden var det utilfredsstillende for os begge to, så da jeg endegyldigt havde besluttet mig for at blive i Danmark, og Maritta samtidig havde fundet en veninde, en kæreste faktisk, som godt ville købe min andel af forretningen, slog jeg til. Og for nogle af pengene købte jeg så en ny bil. En Peugeot 106.«

»Altså ikke ligefrem en BMW,« smilede Tony. »Og resten satte du hen til en regnvejrsdag.«

»Nej, så fornuftig er jeg nu heller ikke. Min revisor nærmest tvang mig til at oprette en ratepension af hensyn til skatten, men resten klattede jeg væk til tøj, ferier og fornøjelser. Jeg købte mig blandt andet en kajak.«

»En kajak!« Han så vantro på mig. Jeg kunne lige så godt have sagt, at jeg havde købt en tur ud i rummet.

»Ja, en havkajak. Jeg ror.«

Han lo. »Ja, hvis du bare havde den stående til pynt, burde du få dit hoved undersøgt. Men bortset fra kajakken virker det hele jo meget fornuftigt. Og så brugte du altså din økonomiske buffer til at indbetale din andel af aktiekapitalen?«

Jeg rystede næsten undskyldende på hovedet. »Nej, så meget havde jeg slet ikke stående, så jeg ville have været nødt til at tage et lån i min lejlighed, men det blev aldrig nødvendigt, for jeg fik pludselig nogle uventede penge, og den her gang var de virkelig uventede. Det med forretningen vidste jeg jo.«

»Nu må du ikke fortælle mig, at du vandt i lotto eller sådan noget, vel?«

»Nej, så havde de jo ikke været uventede, vel? Jeg mener, jeg regner da altid med, at jeg vinder millioner. Nej, de stammede faktisk fra min far. Han var som sagt illustrator, og for 30 år siden eller mere traf mine forældre en gammel amerikansk dame i Cannes, hvor de boede i mange år. Hun kan for resten ikke have været *så* gammel, for hun lever da endnu, men det syntes jeg dengang. Hun skrev småbørnsbøger, og hun blev helt betaget af hans illustrationer, så hun foreslog, at de lavede en billedbog sammen. Det endte med at blive en serie bøger, der gik som varmt brød i USA. Mine forældre levede højt på den i mange år. Jeg elskede den selv, da jeg var lille. Den handlede om en hel familie af små pelsdyr og var sådan rigtig pussenusset. Jeg aner ikke, hvad det var for nogle dyr, måske var de kun fantasivæsner, men de var kære. Nu var alle de børn, der havde elsket dem som små, blevet voksne og begyndte at spørge efter dem til deres egne børn, så serien blev genoptrykt, og her i foråret fik jeg pludselig 300.000 kr. Det er jo større forhold i USA.«

Ruth smilede. »Det var, da Bea pralede af det, at Henrik og jeg stak hovederne sammen og blev enige om at spørge, om hun ville være partner i firmaet.«

»Jeg pralede ikke af pengene,« indskød jeg. »For jeg synes nærmest, det er flovt bare sådan at få dem foræret. Jeg var ligefrem glad for, at der skulle betales skat af dem. Men jeg pralede måske nok lidt af min far. Jeg synes, det var ret fantastisk, ikke? Jeg mener, det var næsten, som om han forærede Allie og mig 300.000 kr. hver. Det var synd, hun ikke oplevede det. Og hvem ved, måske kommer der mere. Så min økonomi er ret god, men det er jo ikke min fortjeneste.«

»Bortset fra forretningen,« bemærkede Tony.

»Nåja, men det er alligevel på en måde lidt uretfærdigt, når man tænker på, hvordan andre knokler uden at få noget ud af det.«

Tony trak på skulderen. »Verden er uretfærdig.«

»Ja,« sagde jeg og tænkte på Henrik.

Det tror jeg også, de andre to gjorde, for vi sad alle tre tavse lidt.

Endelig rømmede Tony sig. »Okay, det var så økonomien.«

»Ja, og nu ved du lige så meget om min økonomi, som ...«

»... din revisor,« afbrød han med et grin.

»Nej, som mig. Han ved sikkert meget mere.«

»Sikkert,« nikkede Tony. »Selv hvis vi forudsætter, at politiet ikke vidste noget om de penge, du modtog fra USA i foråret, synes jeg, det er et meget spinkelt motiv at tillægge dig. Men du sagde, at der var flere motiver?«

»Ja, og de handlede om Henriks og mit forhold.« Jeg så spørgende på ham. »Vidste du, at Henrik og jeg havde været kærester?«

Han rystede på hovedet. »Jeg *vidste* det ikke, men jeg gættede det. Blandt andet ud fra nogle af de ting vi talte om i aftes. Det var tydeligt, at I havde kendt hinanden i mange år, og at I havde eller havde haft et forhold.«

»Vi havde stadig et meget nært forhold, men vi var ikke længere kærester, og det havde politiet flere forskellige vinkler på. Den ene var, at Henrik havde gjort det forbi, fordi han var blevet træt af mig, og da jeg sagde, at det var mig, der havde afsluttet forholdet, var Søgaards udlægning, at det var, fordi han havde andre guder, så jeg var optændt af jalousi.«

»Hell has no wrath like a woman scorned!« citerede Tony.

»Netop.«

»Var du en forsmået og jaloux kvinde?«

Jeg lo. »Du godeste, nej! Henrik havde ikke andre, mens vi var kærester, og jeg tror heller ikke, han har haft nogen siden, men det kan jeg selvfølgelig ikke vide med sikkerhed. I øvrigt koblede de det sammen med det første motiv. Søgaard antydede, at jeg var bange for, at Henrik ville ændre sit testamente, fordi vi ikke længere var kærester; men jeg kunne så fortælle dem, at vores forhold var ophørt, længe før testamentet blev skrevet.«

»Hvad havde fået dem til at tro, at I havde et dårligt forhold?«

»Åh, det var Jakob, den idiot.«

»Jakob, det er ham den meget store fyr, ikke?«

»Jo.«

Ruth og jeg fortalte hurtigt, hvad der var sket den dag i frokoststuen.

»Er det rigtigt, at I skændtes meget?«

»Nej, vi diskuterede.«

Ruth løftede øjenbrynene. »Ja, mon ikke! Og bølgerne kunne somme tider gå højt.«

»Det kunne de,« indrømmede jeg. »Han kunne være så forbandet bedrevidende. Jeg tror faktisk, det morede ham at gøre mig hidsig.«

»Så kaldte hun ham en skide mandschauvinist,« lo Ruth.

»Det var han også,« sagde jeg. »Det må du indrømme. Han kunne diskutere sagligt og fornuftigt med Mogens og Jakob og lytte til deres argumenter, men ...«

»Også med mig,« indskød Ruth.

»Ja, fordi du er ældre, og fordi han trods alt måtte anerkende, at der faktisk var ting, du vidste mere om end han. Du har jo været en menneskealder i branchen. Men når det var mig eller de andre piger, var udgangspunktet altid, at han havde ret, og han var blind og døv for alle argumenter. Hvis man ikke sort på hvidt kunne vise, at man havde ret, så fik man det ikke, og det er jo ikke alt, der kan bevises. Det var virkelig påfaldende.«

Tony så på Ruth. »Er det rigtigt? Opfattede du det også sådan?«

»Ja, der er faktisk noget om det, men jeg havde egentlig aldrig tænkt over det, før Bea kom ind i firmaet. De andre piger havde aldrig diskuteret hans afgørelser, selvom de måske ikke var helt enige. De bøjede bare af. Men med Bea fik piben en anden lyd. Hun gav ham kamp til stregen.«

»Ja, jeg var nok selv lidt strid indimellem,« indrømmede jeg. »Men jeg var blevet trynet så grundigt af min eksmand, at jeg havde lovet mig selv aldrig at lade det ske igen, og jeg var ikke bange for at miste mit job. Det første år var jeg ikke engang sikker på, om jeg ville blive i Danmark. Og Henrik kan simpelt hen være så røvirriterende, at ...«

Jeg tav brat. Et øjeblik havde jeg fuldstændig glemt, at Henrik aldrig ville irritere mig mere.

»... kunne være,« rettede jeg spagfærdigt og mærkede øjnene blive fugtige »Undskyld, du må tro, at ...«

»Jeg tror ikke noget,« sagde Tony. »Man skal have været død meget længe, før man bliver gjort til helgen. Henrik irriterede dig indimellem, og det har du lov til at give udtryk for. Der var vel også en grund til, at jeres forhold ikke holdt, men om nogle år har du glemt hvorfor.«

Jeg nikkede og tørrede øjnene. »Jeg holdt så utroligt meget af ham, ellers havde jeg ikke engang gidet skændes med ham.«

Tony kastede et hurtigt blik på sit ur og begyndte at samle sine papirer sammen. »Det er på tide at bryde op. Men jeg vil lige sige, at hvis ikke politiet har noget andet og mere håndfast, som jeg ikke kender til, så tror jeg ikke, du hører mere fra dem. Kunne du i det hele taget lave en bombe?«

Jeg så forundret på ham. »Det har jeg aldrig skænket en tanke.« Jeg tænkte mig lidt om. »Men det vil jeg næsten tro. Det kan vel ikke være så svært, og jeg var god til kemi i skolen. Jeg har også hørt, at der er masser af opskrifter på internettet.«

Tonys runde øjne blev endnu rundere, så grinede han. »Det skal du nok ikke gå rundt og sige højt. Men ellers har jeg fuld tillid til dig – også forretningsmæssigt. Jeg har kun kendt dig et døgn, og selvfølgelig kan man ikke se folk længere end til tænderne, men jeg stoler på min egen intuition, og den siger mig, at du og Ruth er i stand til at løfte arven efter Henrik. Så hvis I er indstillet på at lade vores aftale stå ved magt, så er jeg det også. Der kan måske blive tale om nogle mindre ændringer, men dem foreslår jeg, at vi diskuterer over en frokost. Mit fly går klokken 17, så det kan vi lige få tid til.«

»Når det nu ikke er mig, og politiet ikke har andre bud, står vi altså stadig med spørgsmålet: Hvem myrdede Henrik og hvorfor?« sagde jeg, idet vi gik hen mod døren.

Tony sendte mig et lidt drillende smil. »You are the detectives.«

Næste morgen var omtrent *back to normal,* men der var unægtelig lidt mere stille end normalt. Vi var alle enige om, at fra nu af var det *business as usual,* og det var jo fint nok, men det forudsatte, at kunderne også var indstillet på det. Hvis kunderne svigtede, kunne vi lige så godt dreje nøglen om, men Ruth var fortrøstningsfuld. »Giv dem lidt tid,« sagde hun. »Imens kører vi bare videre med de opgaver, vi var i gang med.«

Jakob og Therkelsen var i gang med noget bilforsikringssvindel og Inge med en ny sexløber. Karin havde kontortjansen og sad i forkontoret og skrev sin rapport om den sag, hun og Mogens netop havde afsluttet – uden at blive forstyrret af kimende telefoner.

Ruth og jeg sad inde på vores fælles kontor. Hun var ved at skimme morgenaviserne; det gør en af os hver dag for at se, om der eventuelt er noget af interesse for os. Jeg var ved at lægge sidste hånd på en slags skriftlig redegørelse til vores faste kunder. Vores afsluttende møde med Tony var forløbet godt. Vi var enige med ham om de ændringer, han foreslog, blandt andet var der selvfølgelig opgaver, vi ikke magtede på nuværende tidspunkt. Han foreslog også, at jeg inden alt for længe tog en tur til England for at gennemgå samme kursus, som Henrik havde fulgt derovre. Så måske var det en fordel, at vi ikke havde så mange opgaver lige nu.

»Jeg vil ikke blande mig i, hvordan I tilrettelægger firmaets fremtid, men hvis det er tilladt at komme med et råd, så tror jeg, I gør klogt i at ansætte en erfaren medarbejder mere, for I vil jo komme til at mangle Henrik.«

Jeg nikkede. Det havde jeg selv tænkt på, og jeg havde allerede en i tankerne.

»Nej, hvor makabert!« udbrød Ruth pludselig.

»Makabert?«

»Ja, de har fundet et lig på stranden ved Rubjerg.«

»Åh nej! Sig det er løgn. Endnu en navnløs kvinde?«

»Nej, snarere en topløs mand.«

»Hva'?«

»Ja, en strandvasker, og det makabre og topløse er, at der kun var et halvt lig,« forklarede hun med øjnene i avisen. »Nederste halvdel af en mand.«

»Altså, Ruth!« udbrød jeg bebrejdende, men kunne alligevel ikke lade være at smile. Egentlig var det en tragedie, men det var for grotesk til at virke tragisk.

»Man mener, det er en sømand, der er faldet over bord og senere er blevet klippet midt over af en skibsskrue.«

Jeg gøs. »Bvadr, hvor ulækkert! Man må da håbe, han var død, før han røg ind i skruen.«

»Det var han sikkert, og drukning siges at være en smuk død.«

»Sikke noget vrøvl. Det tror jeg simpelt hen ikke på. Jo, selve døden måske, men dødsangsten slipper man jo ikke for.«

Jeg har altid selv været mest bange for angsten. Den man føler, når man ved, at nu er alt håb ude. Min eneste trøst i forbindelse med Henriks død var faktisk, at han ikke kunne have nået at føle angst. »Hvem fandt ham – eller det?«

»Strandfogeden.«

»Nå, det er da altid noget,« sagde jeg. »Han er sikkert vant til det.«

Ruth rystede opgivende på hovedet. »Nej, ved du nu hvad, Bea! Det er altså hverken hver dag eller hvert år, der skyller strandvaskere i land. Mit gæt er, at han aldrig har oplevet det før.«

»Næh, måske, men han er i det mindste forberedt på, at det kan ske. Ellers er det altid legende børn eller gamle mænd, der lufter hund, som helt uforvarende falder over et lig.«

Der lød stemmer ude fra forkontoret, og lidt efter trådte Karin ind og lukkede døren efter sig. »Hvad er det, I er så optaget af?« spurgte hun.

»De har fundet en halv mand på stranden ved Rubjerg.«

»Du godeste! Død?«

Ruth og jeg gloede forbløffet på hende i et nanosekund, og så brast vi begge to i latter. Det var en typisk Karinsvipser. Somme tider ryger ordene bare ud af munden på hende uden først at være en tur omkring hjernen.

Vi grinede og grinede, så tårerne trillede ned ad kinderne. Karin stod et øjeblik og så spørgende på os, indtil det gik op for hende, hvad hun havde sagt, så sluttede hun sig til latterkoret. Vi grinede, så tøjet var ved at falde af. Det var måske en anelse hysterisk, men det virkede også forløsende. Det var første gang efter Henriks død, at jeg overhovedet lo rigtigt, og jeg følte et lille stik af dårlig samvittighed. Det er, som om man svigter den døde, hvis man ler og morer sig, så jeg tror, at de fleste ubevidst undgår alt, hvad der kan få dem til at le, selv om en sund latter måske lige præcis er det, man har brug for.

»Hvad ville du i grunden?« spurgte Ruth, da vi næsten havde fået grinet af.

Ruth førte forskrækket hånden op til munden. »Hold da op! Det havde jeg nær glemt. Der sidder en herre ude i forkontoret, som spørger efter dig, Bea.«

»Ligefrem en *herre?«*

»Afgjort en herre. Det vil du også give mig ret i. Skal jeg vise ham herind?«

»Ja, gør endelig det. Det er ikke hver dag, vi ser en *herre.«*

Karin forsvandt igen, og Ruth foldede avisen sammen og gjorde sig klar til at forlade kontoret. Et øjeblik efter lød der en let banken på døren.

»Kom ind!« råbte jeg uden at rejse mig.

Døren gik op, og *herren* trådte ind.

Jeg genkendte ham med det samme. Eller rettere jeg genkendte kameluldsfrakken. Han var yngre, end jeg havde troet, da jeg så ham i kirken. Omkring 40, gættede jeg, og nydelig. Velklædt og solbrændt. Solariebrun formodentlig.

Han nikkede til os begge to.

»Goddag,« sagde han høfligt. Så gik han et par skridt hen mod mig.

»Du må være Beatrice,« sagde han. »Beatrice Jantz.« Tonen var lidt familiær, som om vi var gamle bekendte.

Jeg sendte ham et høfligt bekræftende smil, og han smilede tilbage.

»Jeg kan godt huske dig,« fortsatte han. »Men du genkender vist ikke mig.«

Jeg så spørgende på ham, mens jeg uden held prøvede at placere ham.

»Jeg er Henriks bror. Hans Christian Gerner!«

VII

Senere var jeg parat til at sværge på, at jeg havde gættet det, allerede inden ordene faldt, men jeg ved, at det må være indbildning, for samtidig har jeg en klar erindring om, at jeg bare sad der ved skrivebordet og stirrede fuldstændig målløs på ham, mens Ruth, der var på vej ud, standsede brat og vendte sig i døråbningen med et udtryk, som en der lige har fået at vide, at verden gik under i går.

Men mens jeg måbende betragtede *herren* i kameluldsfrakken, var det, som om det billede, jeg havde af Hans Christian, og ansigtet lige der foran mig tonedes ind i og over hinanden, som når man ser folk ældes på film, og med et kunne jeg se, at det var ham. Det var virkelig Hans Christian, der mirakuløst var vendt tilbage fra de døde. Håret var ikke helt så lyst, smilet ikke helt så blændende og de blå-blå-blå øjne havde mistet noget af deres farve, men det *var* ham.

Det forekom mig, at der gik en evighed, så trådte Ruth et skridt ind i rummet, lukkede døren bag sig og lænede sig op ad dørkarmen med korslagte arme. Det brød på en eller anden måde fortryllelsen, som da prinsen kyssede Tornerose. Alle figurerne blev pludselig levende igen, computeren summede svagt, og trafiklyden nede fra gaden trængte atter ind i rummet.

Jeg rømmede mig, men alligevel syntes jeg, at min stemme lød hæs, da jeg endelig fik munden på gled og overgik Karin med dagens hidtil dummeste bemærkning. »Du er altså ikke død.«

Jeg kunne have bidt tungen af, men det var for sent.

Han kneb sig spøgefuldt i kameluldsærmet.

»Av! Nej, det er jeg åbenbart ikke!«

Jeg syntes ikke, det var morsomt. Overhovedet ikke. Her dukkede han uden videre op efter 17 år og efter at have voldt så mange mennesker så megen sorg, og så stod han bare der og spillede fransk klovn. Jeg mærkede mit blodtryk stige faretruende.

Han aflæste mit ansigtsudtryk korrekt.

»Undskyld, det var en spøg, men den var vist ...«

»Ret malplaceret?« foreslog jeg spidst.

»Æh, ja,« sagde han og så ud, som om han ikke kendte ordet.

Jeg skar en lille grimasse. Jeg var ærgerlig på mig selv over, at jeg havde været lige ved at lade vreden løbe af med mig, og jeg ærgrede mig over vores ubeherskede munterhed kort forinden. Manden havde lige hørt os hyle af grin, så han havde ingen grund til at tro, at vi var så sønderknuste, at enhver spøg var bandlyst.

Jeg slog ud med hånden mod en stol, og han satte sig og knappede kamelen op.

»Jeg så dig i forgårs,« sagde jeg lidt mere imødekommende. »I kirken.«

Han nikkede. »Ja, jeg var i London i forretninger i forrige uge og fik helt tilfældigt øje på en dansk avis, et par dage gammel, der havde historien på forsiden. Jeg fik lidt af et chok, da jeg så navnet. Jeg var straks klar over, at Henrik Gerner måtte være min bror. Navnet er jo ikke helt almindeligt, og alderen passede også. Jeg havde ellers altid forestillet mig, at Henrik og jeg en skønne dag ville mødes igen. Så det ... ja, kort sagt, det var et chok.«

»Bor du i Mexico?«

»Nej, i USA.«

»Alle troede, du var død.«

Han rystede på hovedet. »Ja, det har jeg hørt. Jeg forstår ikke, hvor den historie stammer fra.«

»Det mexicanske politi. For I blev da overfaldet, ikke?«

Jeg havde næsten lige fået historien repeteret af Moster Herdis, men jeg var ikke sikker på, om jeg kunne stole helt på hendes hukommelse. Selvom hun var åndsfrisk, er 17 år jo lang tid.

»Jo.«

»Og din engelske kammerat slap væk og meldte det til politiet. Han hørte skud, da han løb, og troede, de havde dræbt dig.«

»Sikke en idiot! Hvorfor skulle de skyde mig? De ville bare have penge. Det var ham, de skød efter. Men de skød ikke for at dræbe, så havde de nemt kunnet gøre det. Det var for at skræmme både ham og mig.«

»Lod de dig så bare gå?«

»Nej, de beholdt mig et par dage, til der var faldet ro over gemytterne, og de tog selvfølgelig alt, hvad jeg ejede og havde. Penge, fotoapparat, alt, lige med undtagelse af det tøj, jeg gik og stod i. Men de lod mig beholde mit pas, og da de endelig slap mig fri, gav de mig 25 dollars.«

»Og for dem besluttede du så at blive i Mexico og leve lykkeligt til dine dages ende,« sagde jeg sarkastisk.

Han smilede bare. »Jeg ved ikke, hvorfor du absolut vil have mig anbragt i Mexico. Næh, de smuglede mig over grænsen til USA og sagde, at jeg skulle holde mig væk, ellers! Og jeg så det som min chance for at forsvinde sporløst og endelig blive en fri mand. En *libero.*«

»Det forstår jeg ikke.«

»Næh, hvordan skulle du kunne det?«

»Du blev væk i 17 år uden det mindste livstegn, men da du læste, at Henrik var død, tog du alligevel hjem til begravelsen?«

»Ja, han var jo trods alt min bror, ikke? Min sidste levende slægtning.«

»Bortset fra Moster Herdis,« indskød jeg.

Han så et øjeblik tomt på mig. »Moster Herdis?« Så gik der et lys op for ham. »Lever hun endnu? Var det hende den gamle dame, du sad ved siden af i kirken? Hold da kæft, hende kunne jeg overhovedet ikke kende.«

»Der sker noget med folk på 17 år.«

»Ja, mon ikke! Nå, men jeg besluttede altså at tage hjem til Henriks begravelse. Der havde aldrig været nogen hard feelings mellem os, så hvorfor ikke? Men jeg var sgu da i tvivl. Meget. Det var sådan *skal-skal-ikke,* du ved, så det endte med, at jeg slog plat og krone om det.«

»Vidste du, at begge dine forældre var døde?«

Han fik glas i øjnene, og stemmen blev iskold. »Mine adoptivforældre mener du. Ja, det kan du bande på, jeg vidste. Ellers var jeg ikke kommet.«

Jeg så spørgende på ham, men han uddybede det ikke nærmere. Han havde lydt så indædt, at jeg valgte at droppe emnet, selv om jeg var nysgerrig. Jeg havde helt glemt, at han var adoptivbarn, men nu kunne jeg godt huske, at jeg havde hørt det engang i tidernes morgen. Henriks forældre nåede lige netop at få ham, før de faldt for aldersgrænsen, og næsten fire år senere fik de så Henrik ved naturmetoden. Sådan går det jo somme tider. Men Henrik havde selvfølgelig altid omtalt ham som »min bror« – man går jo ikke rundt og siger »min adoptivbror«. Eller »mine adoptivforældre« for den sags skyld. Hvad mon der var foregået? Hvorfor denne næsten utilslørede vrede? Det fik jeg nok aldrig at vide.

»Men hvorfor er du i grunden kommet?« spurgte jeg. »Jeg mener her. Hvad vil du her?« Jeg slog ud med armen i en bevægelse, der omfattede både Ruth, mig selv og NSC.

»Det lyder ikke, som om jeg er særlig velkommen.«

Jeg havde på tungen, at det kunne han vel heller ikke forvente, men jeg beherskede mig. Det var ikke mig, han havde såret. Jeg havde ikke noget udestående med ham – bortset fra at jeg var skuffet.

»Vi er overraskede,« sagde jeg undskyldende. »Det kan vel ikke undre dig?«

»Jeg ville bare hilse på,« forklarede han. »Jeg genkendte dig jo i kirken. Og jeg syntes også, det kunne være interessant at se min brors firma. Vi kommer formodentlig alle tre til at have en del med hinanden at gøre.«

Jeg så uforstående på ham.

»Hvad mener du?« spurgte Ruth og gik et par skridt nærmere.

»At så vidt jeg kunne forstå, efterlader Henrik sig hverken kone eller børn, så det må vel betyde, at jeg er hans eneste legale arving.«

Jeg undertrykte et gisp.

»Javel ja,« sagde Ruth.

Jeg tvang mig til ikke at se på hende.

»Jeg håbede for resten også, at I kunne give mig nogle oplysninger. Blandt andet vil jeg gerne vide, hvem hans advokat er. For jeg går ud fra, at han har en.«

»Ja, det har han. Han overtog din fars.«

»Min fars?«

»Ja, *Landsretten,*« indskød Ruth.

»*Landsretten?*« gentog han spørgende. »Nåh ja, nu husker jeg det. Men det må da være en efterfølger. Så vidt jeg husker, var han på min fars alder.«

»Ældre faktisk, men det er ham selv i egen person.«

»Hvor var det nu, han havde kontor? Var det ikke her i nærheden?«

»Jo, det er faktisk her i huset,« sagde Ruth tørt.

»Er det? Der var jeg heldig. Jeg har aldrig været der, men jeg kunne huske, det var her i nabolaget. Da jeg gik op ad trappen, så jeg godt, at der var et advokatfirma, men jeg tænkte ikke nærmere over det. Jeg forestillede mig jo ikke, at den gamle fyr stadig eksisterede, og der var så mange navne på skiltet, at jeg opgav at læse dem.«

Men *Landsretten* stod øverst, tænkte jeg, Så han havde kun behøvet at læse et enkelt navn. Jeg ville snarere tro, at han havde set navnet, men at han mere eller mindre bevidst havde bortraderet alt fra sin fortid af grunde, som jeg ikke kendte.

»Ham må jeg hellere se at få talt med engang i dag.«

»Du skal ikke regne med, at du sådan uden videre får foretræde for *Landsretten,*« sagde Ruth. »Men på vej herfra kan du da gå derind og aftale en tid med hans sekretær.«

»Han får et chok,« sagde jeg. »Han er blevet lidt affældig, men hjernen er klar nok.«

Og Hans Christian Gerner skulle bestemt ikke forvente at blive modtaget med kyshånd.

»Måske er det bedre, hvis jeg ringer og aftaler en tid?«

»Ja, det vil jeg nok anbefale,« sagde Ruth.

»Bliver du her i byen i længere tid?« spurgte jeg.

»Ikke i denne omgang. Jeg bliver kun et par dage. Jeg er nødt til at tage tilbage til London og afslutte mine forretninger der, men jeg kommer sikkert snart herover igen. Det afhænger blandt andet af, hvor interessant jeg synes, NSC ser ud.«

»Klart,« sagde Ruth, og igen undgik jeg at se på hende.

Han rejste sig og knappede kamelen. »Jeg vil ikke tage mere af jeres tid. Jeg kan se, at mit besøg var lidt af en overraskelse, men jeg håber, at jeg vil føle mig mere velkommen næste gang.«

Han gav os begge hånden til farvel.

Han gik hen mod døren, men standsede med hånden på dørhåndtaget. »Åh, for resten, jeg vil bede jer være lidt diskrete. Jeg har forstået, at der var en del presseomtale af ... af min forsvinden i sin tid, og jeg har ikke spor lyst til også at komme på avisernes forsider.«

Da døren havde lukket sig bag ham, sad Ruth og jeg tavse et meget langt minut.

»Nå?« sagde jeg endelig.

Ruth sendte mig et skævt smil. »Han levede ikke helt op til det billede, du har givet mig af ham.«

»Jeg synes nu, han ser ret godt ud,« protesterede jeg.

»Ja, ret godt, men gudesmuk og de blåeste øjne! Helt ærligt, Bea.«

»Ruth, det er næsten 17 år siden. Ingen af os bliver yngre. Jeg ligner sgu heller ikke en sild på 17 år, vel? Okay, jeg indrømmer, at mit billede nok var lidt for meget skønmaleri. Mere fantasi end virkelighed. Herregud, jeg så ham kun den ene gang, hvor jeg tilmed var lidt tipsy.«

»Lidt *tipsy!* Du må have været skidefuld,« grinede hun.

»Nu er det dig, der overdriver. Han ser faktisk godt ud efter sin alder.«

»Han så ældre ud, end han er,« fortsatte hun uanfægtet. »Jeg tror, han har levet et hårdt liv. Han har garanteret ligget i overhalingsbanen hele tiden«

»Det har han vel været tvunget til.«

»Og så den frakke.« Hun rystede på hovedet. »Med pelskrave!«

»Hvad er der nu i vejen med at være velklædt?«

»Velklædt, my ass! Håbløs stil.«

Jeg gad ikke diskutere hans tøjsmag med hende.

»Hvorfor kom han i det hele taget?« spurgte jeg.

»Det var da indlysende, var det ikke? Han regner med, at han skal overtage NSC.«

»Hvad gør vi?«

»Ingenting. Vi ved jo, at han regner forkert.«

»Skal vi slet ikke foretage os noget?«

»Nej, det må *Landsretten* tage sig af. Jeg var skrækslagen for, at du skulle plapre ud med kendsgerningerne. Jeg tror, han kunne blive ubehagelig.«

Jeg smilede. »Og jeg turde næsten ikke se på dig af frygt for, at du skulle gøre det.«

»Jeg kunne dy mig, og jo mindre vi ser til ham jo bedre. Han er en cool customer.«

Jeg svarede ikke. Han var jo trods alt Henriks forsvundne bror, og jeg havde engang haft en lille svaghed for ham. Eller – hvorfor ikke indrømme det – han havde været min drømmehelt i flere år, så jeg ville ikke sidde her og kritisere ham. Tilmed havde jeg mærket et lille stik af dårlig samvittighed, for det føltes næsten, som om jeg havde hugget hans arv for næsen af ham.

»Nej, du har ikke,« sagde Ruth, der havde siddet og iagttaget mig.

»Hvad har jeg ikke?«

»Du har ikke snydt ham for hans arv. Det har intet med dig at gøre.«

Jeg hader, når hun laver sit tankelæsernummer. Det er lidt for spooky, især fordi hun som regel rammer plet. Jeg kom til at tænke på Moster Herdis' bemærkning om, at jeg altid påtog mig skylden. Var der noget om det?

»Han kan selvfølgelig ikke røre aktierne,« sagde jeg eftertænksomt. »Men han har vel krav på sin mødrene arv, tror du ikke?«

»Det aner jeg ikke.«

»Nå, men hvis han har, så må de jo tage dem af det, jeg ellers skulle have. Det overlever jeg også nok.«

»Jeg tror ikke, han skal have noget, men det vil jo vise sig.«

Jeg syntes stadig, vi burde foretage os et eller andet.

»Nu ved jeg, hvad vi gør,« sagde jeg. »Vi ringer ned til Claus Bang og fortæller ham, at Hans Christian er opstået fra de døde. Så kan han forberede *Landsrettens* sekretær, og hun kan forberede sin herre og mester. Ellers får de bare begge to et slagtilfælde, de gamle liv.«

»God ide.«

Det blev til endnu en søvnløs nat. Natten før havde jeg for første gang siden Henriks død sovet igennem, en lang drømmeløs søvn, og var vågnet udhvilet og fuld af energi. Nu lå jeg igen og vendte og drejede mig, mens tankerne kørte i ring. Jeg rystede hovedpuden, stod op og drak vand og blev stående lidt ved køkkenvinduet og så på mit eget spejlbillede i ruden, før jeg igen dabbede ind i seng, hvor tankerne troligt havde ventet på mig. I nat var det ikke kun Henriks død og NSC's fremtid, det handlede om, men mindst lige så meget Hans Christian Gerner. Jeg havde endnu ikke helt fundet ud af, hvad jeg syntes om den nye Hans Christian, men jeg tilstår gerne, at jeg var skuffet. I de første år efter hans forsvinden havde jeg selvfølgelig indimellem drømt om, at han en skønne dag ville dukke op igen, og uanset hvor længe det varede, ville årene været gået sporløst hen over ham. I min drøm var han i al evighed 20 år.

Han ville heller ikke være forsvundet med sin gode vilje. Der ville være en eller anden dramatisk forklaring. At han var blevet holdt fanget af røvere, eller at han havde fået hukommelsestab og ikke anede, hvem han var, eller hvor han kom fra. Et eller andet, som ikke kunne lægges ham til last, men som snarere ville få ham til at fremstå i et endnu mere romantisk skær.

Så selvfølgelig var det en skuffelse at blive konfronteret med virkeligheden i skikkelse af en midaldrende mand i kameluldsfrakke, som ikke lagde skjul på, at han selv havde valgt at gøre sig usynlig, og som – måske, måske ikke – først og fremmest var vendt tilbage, fordi han forventede at være sin brors arving. Ruth opfattede ham som en Karl Smart og nærede ikke noget ønske om at se ham igen, men det gjorde jeg. Jeg ville gerne møde ham, tale med ham og prøve at få svar på alle mine spørgsmål. Jeg var ganske enkelt hamrende nysgerrig. Hvorfor valgte han at forsvinde sporløst for 17 år siden? Alle kender den klassiske historie om manden, der går ned efter cigaretter og er pst væk for evigt. Den findes i utallige versioner, men ved nærmere eftersyn er der altid en forklaring. Måske ikke en rationel forklaring, men dog en forklaring. Fyren har fået nok af konen, af familien, af ansvaret eller bare nok af det hele, men Hans Christian var kun 20 år, og ingen forhindrede ham i at gøre, hvad han havde lyst til. Var det bare en ungdommelig, impulsiv beslutning, som han på en eller anden måde var blevet fanget af? Hvad mente han med, at han endelig blev en fri mand, en libero? Det var han jo allerede. Så hvad havde fået ham til at cutte alle bånd til sine forældre, sin bror, sit barndomshjem? Hvordan havde livet i virkeligheden været i den pæne villa med den idylliske rosenhave? Fru Gerners stolthed, indtil hun helt mistede interessen for den efter sønnens forsvinden?

Henrik havde altid fremstillet sin barndom som den rene skære idyl. Far og mor havde skabt et trygt og kærligt hjem for deres to drenge. Den ideelle kernefamilie. Faderen var skoleinspektør, moderen lærer, så da de endelig fik deres ønskebørn, var de fuldt etablerede med villa, vovse, Volvo og alt, hvad der ellers skulle til for at give dem en god opvækst. Men var kernen rådden inderst inde?

Henrik havde nok været mest knyttet til sin far, men han tilbad sin mor og ville gøre alt for at glæde hende, men efter Hans Christians forsvinden var *alt* slet ikke nok. Jeg husker hende kun som en grå tavs skygge, der aldrig smilede eller lo. Hun havde elsket sin fortabte søn så højt, at det set i bakspejlet næsten virkede sygeligt. I nattens små timer bliver selv de mest usandsynlige teorier sandsynlige, så selvfølgelig strejfede tanken om incest mig. Kunne der have været noget incestuøst i det tætte forhold mellem mor og søn? Var det dét, han flygtede fra, da han fik muligheden?

Jeg vendte hovedpuden, så jeg fik den kølige side op, og puttede vækkeuret ned i natbordsskuffen. Det tikkede alt for højt og hakkede tiden i ubrugelige småstykker, og jeg kunne ikke holde ud at se de selvlysende visere sluge stumperne i små glubske bidder som fisk i et akvarium. Nu *ville* jeg sove. Jeg slappede af i armene og benene og gjorde kroppen tung, så det føltes, som om jeg var ved at synke ned gennem madrassen, mens jeg koncentrerede mig om en plet i panden lige over næseroden. Det lykkedes næsten, men netop som jeg var ved at falde hen, gav det et sæt i mig, som om jeg var faldet ned gennem en skakt og havde ramt bunden, og i samme øjeblik var jeg lysvågen og vidste, at der havde været en lyd. En skraben eller kradsen, som om nogen stod udenfor og skrabede på min entredør. Jeg lå længe og lyttede, mens jeg stirrede anspændt ud i mørket, indtil mørket blev til farver. *Rødt og gult og blåt for øjet svæver, det er blomster engelen udstrør.* En af mormors godnatsange, som jeg både elskede og hadede. Den fik mig altid til at tudbrøle. Jeg tror, hun tog det som et tegn på, at jeg trods alt var et følsomt barn.

Lyden kom ikke igen, men noget klikkede pludselig på plads i mit hoved. Måske var det engelens skyld. Nu vidste jeg, hvad der var Henriks hellige gral.

Og hvor nær han havde været ved den.

Så nær og dog så fjern.

Som de fleste af de foregående nætter endte det med, at jeg borede hovedet ned i puden og græd.

»At finde sin bror!« udbrød Ruth vantro. »Var det hans 'hellige gral'«?

Jeg nikkede.

Vi sad i frokoststuen med vores morgenkaffe. Kun os to. Jeg havde været lige ved at sove over mig om morgenen og følte mig stadig væk lidt klatøjet efter kun tre-fire timers søvn. Vækkeuret havde ligget længe og protesteret nede i natbordsskuffen, før jeg blev vågen nok til at registrere lyden og finde ud af, hvor den kom fra, men jeg nåede mit sædvanlige morgenritual, svømmehal og det hele. Jeg kunne stadig mærke, at jeg havde forsømt det i næsten to uger. Det er utroligt så hurtigt, man kommer ud af form.

»Er du sikker?«

»Tusind procent!«

»Det lyder ikke overbevisende.«

»Så lad os sige hundrede.«

»Hvordan kom du i tanker om det?«

Jeg trak på skuldrene. »Du ved, man ligger og tænker på alting og ingenting, når man ikke kan sove, og pludselig dukkede et billede op. Det var sommer, vi sad hjemme i vores have, mormors have, Henrik og jeg, og som jeg husker det, var der blomster overalt. Et farveorgie. Rødt og gult og blåt for øjet svæver, du ved. Af en eller anden grund var snakken kommet til at dreje sig om tempelridderne og den hellige gral. Jeg kan stadig huske det meste af samtalen.«

»Fortæl!« sagde Ruth.

»'Jeg tror, det på en måde må gøre livet lettere at have sådan en opgave,' sagde jeg, mens vi sad der i solen. 'Mere meningsfuldt i hvert fald. Man ved præcis, hvad det handler om. Du skal finde den hellige gral, om det så tager dig hele livet.'

Henrik sendte mig et forundret blik.

'Tror du ikke?' spurgte jeg lidt usikkert. Måske syntes han, det var dybt åndssvagt. Som regel hånede han mig, når jeg blev for filosofisk, men denne gang nikkede han.

'Jeg ikke bare tror det, jeg *ved* det. Jeg søger også efter en hellig gral, *min* hellige gral.'

'Gør du!'

Jeg vidste ikke, om han tog gas på mig, men han så dødsens alvorlig ud.

'Ja, og jeg opgiver ikke, før jeg finder den.'

'Heller ikke selvom det varer hele livet?'

'Nej, og heller ikke om det så skal koste mig livet.'

Det var, som om der gik en sky for solen, og det løb mig koldt ned ad ryggen.

'Men hvad er så vigtigt for dig? Hvad er din hellige gral?'

'At finde min bror.'«

»Men han vidste da, at hans bror var død, ikke?« spurgte Ruth.

»Jo, han vidste, at man sagde, han var død, men dengang troede han ikke på det. Det gjorde han nok i virkeligheden aldrig. Han lod bare, som om han havde accepteret det for at få fred. Og han havde altså ret. Jeg har på fornemmelsen, at han havde lovet sin mor at finde ham, men det er kun en fornemmelse. Det er ikke noget, jeg ved.«

»Men hvad nu hvis det så viste sig, at han var død?«

»Det spurgte jeg også om. Så ville han finde sandheden om hans død.«

»Men Hans Christian var og er altså ikke død.«

»Nej.«

Ruth sad tavs og drejede på sit krus, mens hun så eftertænksomt frem for sig.

»Og Henrik sagde til Mogens, at han havde fundet sin hellige gral,« sagde hun endelig.

»Ja, nemlig.«

»Så du tror, at han havde fundet ud af, at hans bror var i live.«

»Han var opstemt og ligesom lidt hemmelighedsfuld. Det kan ikke have betydet andet, vel?«

»Næh, jeg er tilbøjelig til at give dig ret. Henrik var på en eller anden måde kommet på sporet af ham.«

Jeg nikkede. »Måske var han kun et par måneder, et par uger eller – hvem ved – et par dage fra endelig at gense sin barndoms og ungdoms helt.«

Ruth rystede trist på hovedet. »Det er lige til at græde over.«

»Det har jeg også gjort, Ruth. Det har jeg eddermame også gjort.«

Et øjeblik sad vi hver især nedsunket i vores egne dystre tanker, så rejste Ruth sig energisk. »Nå, vi kan jo ikke bare sidde her og falde hen. Der er arbejde, der skal gøres.«

Jeg så hurtigt på mit ur.

»Gider du tage forkontoret i dag? Bare et par timer her i formiddag.«

»Det kan jeg godt. Har du da noget andet på programmet?«

»Ja. Kan du huske, at Tony sagde *you are the detectives?* Og det har han jo ret i, så nu vil jeg gøre noget ved det og se, hvad jeg kan finde ud af.«

»Bea, det er vist ikke lige noget for os. Det er en sag for politiet.«

»Det ved jeg godt, men foreløbig har de jo ikke fundet ud af noget – andet end at sætte mig på listen over mistænkte. Nu vil jeg prøve at gå i Henriks fodspor. Selvfølgelig har politiet allerede været overalt, men vi kendte Henrik, så måske kan jeg få øje på noget, som ville have vakt hans interesse. Et eller andet, der bare er lidt ude af fokus.«

»Måske. Det er da et forsøg værd, men hvor vil du ende, og hvor vil du begynde?«

»Jeg begynder bagfra og tager det sidste sted først.«

»Det var den sag om industrispionage eller sådan noget.«

»Ja. Vi ved, at han løste opgaven, for vi sendte en regning dengang, og den blev betalt prompte. Kunne man ikke forestille sig, at spionen, der blev afsløret, følte trang til at hævne sig?«

»Er det ikke lidt langt ude?«

»Alt i den her sag er lidt langt ude. Nu prøver jeg i hvert fald.«

Jeg havde ringet til firmaet den foregående dag og fået en aftale om et kort møde med direktøren. Min erfaring er, at man altid skal gå direkte til toppen, og desuden havde han været med til Henriks bisættelse og gravøllet bagefter. Han var en af dem, jeg ikke kunne placere, da vi sad i kirken. Jeg kom på klokkeslæt og blev straks vist ind til direktøren. Ikke noget med at lade folk vente i forkontoret for at demonstrere, hvor travl og betydningsfuld man er.

Han kom mig i møde, da jeg trådte ind i kontoret og førte mig hen til en lille sofagruppe.

»Jeg kan ikke fordrage at sidde bag et skrivebord, når jeg taler med folk,« sagde han.

Han var på min alder, måske et par år ældre og meget uformelt klædt i cowboybukser og lyseblå skjorte, men der var en diskret krokodille på bukserne, og skjorten var en Armani. Jeg noterede også, at der hang en lækker lys skindjakke på stumtjeneren bag døren. Han var næsten et hoved mindre end jeg, spinkel og krølhåret, men han virkede sej. Han haltede let, da han gik hen over gulvet, det havde jeg ikke bemærket, sidst vi mødtes. Måske havde jeg slet ikke set ham gå.

»Bilulykke,« forklarede han og slog sig let på benet. »For fire år siden. Men det var nådigt sluppet. Lægerne havde to scenarier, da jeg blev bragt ind. At jeg døde på operationsbordet, eller at jeg blev totalt lam. Det vidste jeg heldigvis ikke, så jeg valgte altså en tredje mulighed.« Han grinede. »Men måske er det derfor, at det, vi laver her, fascinerer mig så meget.«

»Hvad laver I da?« spurgte jeg, idet vi satte os.

»Du får den ultrakorte version. Populært sagt er vores ambition at gøre blinde seende, døve hørende, give de stumme mæle og få de lamme til at danse.«

»Det var ellers noget af en ambition!«

Han lo. »Ja, og så langt er vi slet ikke nået endnu, men vi er på vej. Vi fremstiller microchips i samarbejde med et team af hjerneforskere, og det er fantastisk spændende, men det er endnu ikke det, der giver os smør på brødet.«

»Er du selv forsker eller tekniker ...?«

»Nej, nej! Jeg forstår som regel ikke en hujende fis af, hvad de snakker om. Jeg er bare ham, der administrerer butikken. For resten, vil du have et eller andet? Kaffe, te?«

»Nej tak.«

»Politiet har jo været her, og jeg mener ikke, vi kunne fortælle dem noget af interesse, så du skal ikke nære for store forventninger, men bare spørge løs. Jeg vil hellere end gerne hjælpe, hvis jeg kan. Vi satte stor pris på Henrik. Han har altid været os en god mand.«

Jeg fremlagde min teori, men han rystede smilende på hovedet. »Nej, nej, nej, den slags foregår helt udramatisk. Vi havde fået et tip om, at der var en muldvarp blandt de ansatte, og vi havde meget hurtigt en til vished grænsende formodning om, hvem muldvarpen var. Henriks opgave var at finde håndfaste beviser mod ham.«

»Kunne I ikke bare have fyret ham?«

»Det kunne vi selvfølgelig. Man kan jo altid sige samarbejdsvanskeligheder! Men helt bortset fra at fyren var utroligt samarbejdsvillig – han var parat til at arbejde over helt alene både aftener og weekends – så havde det kostet os dyrt at bryde kontrakten. Men Henrik gravede de nødvendige beviser frem, vi præsenterede dem for muldvarpen og bad ham tælle guldstøvet op og pakke sine sydfrugter. Og det var så det. Stille og roligt og helt uden dramatik.«

»Derfor kunne han alligevel godt være hævngerrig,« indvendte jeg.

»På Henrik?« Han rystede på hovedet. »Han anede formodentlig ikke engang, hvem der fældede ham. Og hævngerrig? Nej, det er en kalkuleret risiko.«

»Men I ved jo, hvem han er. Og I fik selv et tip. Nu kan han da umuligt få et job andre steder.«

Han lagde hovedet tilbage og lo hjerteligt. »Kære Bea, han er da tilbage i det firma, han kom fra. Sandsynligvis med en fed bonus på sin bankkonto. Sådan er det bare i det virkelige liv. Vi har prøvet det et par gange før, og hver gang har vi henvendt os til NSC. Og det agter vi i øvrigt at gøre igen, hvis det bliver aktuelt. Henrik har selv taget sig af det to gange, men vi har også haft ham den høje skaldede fyr, hvad er det, han ... jo, Mogens, der var det, og han var lige så god som Henrik. Næsten bedre. Han har mere fantasi, og han faldt fantastisk godt i hak med alle her.«

Jeg trak et uhørligt lettelsens suk. Jeg håber i det mindste, det var uhørligt. Jeg havde faktisk spekuleret på, om vi fremover ville få den slags opgaver, og om vi i det hele taget ville være i stand til at løse dem. Om nogen af os kunne klare det. Nu vidste jeg, at der i hvert fald var en, som kunne. Vores potentiale var måske i det hele taget meget større, end jeg i mine mere pessimistiske stunder havde troet. Det vidste Ruth selvfølgelig, det var derfor, hun havde været meget mindre bekymret end jeg.

Når man taler om solen og så videre, men det er åbenbart også nok at tænke på den, for da jeg kom tilbage til NSC, stod Mogens og hang op ad skranken i forkontoret med sit kaffekrus i hånden og sludrede med Ruth. Han så træt og grå ud og mindede om natklubbens sidste gæst, der hælder vand ud af ørerne til en professionelt deltagende bartender, som lader det hele gå ind ad det ene øre og ud ad det andet. Alligevel lyste jeg op, da jeg så ham. Jeg kunne selv mærke, at mit smil gik næsten fra øre til øre. Han smilede lidt overrasket igen, han kunne jo ikke vide, at mit overstrømmende smil skyldtes, at han – ganske vist indirekte – lige havde lettet en sten fra mit hjerte.

»Hej,« sagde jeg. »Er du sat af sagen, eller har du opklaret den?«

Han grinede, men hans grin nåede ikke engang øjnene. »Gid det var så vel, men ingen af delene, desværre. Jeg stak bare lige herop for at nasse en kop kaffe og få lidt sympati.«

Min sammenligning med natklubbens sidste gæst havde været et ret godt skud.

»Hvad med dig?« spurgte Ruth. »Fik du noget ud af det?«

Jeg rystede på hovedet. »Ikke ud over at snakke med en sød fyr. Ham Lars er en rigtig nuser. Kender du ham?«

»Nej, jeg har kun truffet ham den ene gang til bisættelsen.«

»Det gør jeg,« indskød Mogens. »Og han er ikke bare nuser – det var dog et frygteligt udtryk, du kan lige prøve at kalde mig det –

men han er også knaldhamrende dygtig og lige tilpas nørdet til at kunne begå sig mellem alle de andre nørder, de har der.«

Jeg sendte ham et drillende blik. »Du faldt også ret godt til hos dem, så vidt jeg forstod. Og i øvrigt kunne jeg ikke drømme om at kalde dig nuser. Du er slet ikke typen.«

»Det ved jeg godt. Jeg er den store, stærke heman! For resten kunne jeg godt have fortalt dig, at det var en nitte.«

»Sikkert, men du var her jo ikke. Går det slet ikke fremad med dine navnløse damer?«

»Det går da fremad, men det er sgu med småbitte skridt, småbitte skridt. Den yngste havde fået de fleste af tænderne smadret, men den anden havde størstedelen i behold, og tandlægerne mener, at tandarbejdet er lavet i Østeuropa, sandsynligvis Baltikum. Så vi hælder mere og mere til den teori, at der er en forbindelse mellem de to drab, og at begge kvinderne var prostituerede fra Østeuropa.«

»Prostituerede? Også hende med spædbarnet?«

»Ja, hvorfor ikke?«

Fordi der ikke vokser græs på alfarvej. Sådan plejede mormor at sige, men jeg trak bare på skuldrene.

»Det er i grunden et sjovt træf,« sagde jeg så. »Nå ja, sjovt er nok ikke lige ordet, men mærkeligt. Hende pigen, jeg skulle forsøge at opspore i Oslo på vej hjem fra USA, var også fra Baltikum. Litauen, tror jeg. Men vist nok af russisk afstamning. Og indtil hun forsvandt, arbejdede hun på en massageklinik.«

Mogens fik et interesseret glimt i øjet. »Her i byen?«

»Det mener jeg, men jeg er ikke sikker.«

»Hvor gammel var hun? Kan du huske det?«

»Jeg kan huske hele hendes signalement. 21, cirka 170 cm, lysblond, blå øjne, pæne tænder og lidt buttet. Store nødder!«

»Hvad hed hun?«

»Det har jeg lykkeligt glemt. Noget i retning af Kalina, Elina eller sådan noget.«

»Du har vel ikke et foto af hende?«

»Jeg havde i snesevis, men jeg tror, jeg har smidt det hele væk, både papirer og fotos. Der kom jo aldrig noget ud af det, så der var ingen grund til at arkivere det. Hvis jeg har noget, ligger det hjemme. Men ville det ikke være for meget af et tilfælde, hvis hun skulle være en af dine navnløse damer?«

»Hun er forsvundet, ikke?«

»Hun *var* forsvundet, men måske er hun for længst dukket op igen. Henrik hørte aldrig mere noget til den unge fyr, der havde bedt os finde hende.«

Telefonen ringede, og Ruth tog den.

»Jeg tror på tilfældet,« insisterede Mogens. »Det er man fandeme nødt til, hvis man skal være i den her branche. Så gider du se efter, om du har et enkelt foto tilbage? Bare et.«

Jeg så Ruth kigge på mig. »Ja, lige et øjeblik!« sagde hun.

»Det skal jeg nok, men jeg tvivler på, jeg har et.«

»Det er til dig,« sagde Ruth og rakte mig røret. »Politiet.«

Så Tonys spådom holdt altså ikke stik.

Det var Beth Winther.

»Hej, Bea. Mon du har tid til at komme herned?«

Det lød ikke som en kommando, hvad jeg så ellers skulle lægge i det.

»Hvornår?«

»Så snart som muligt.«

»Må jeg tage Ruth med?«

»Ja, hvis du gerne vil.«

Det var dog fantastisk så fremkommelig, hun var blevet. Det tog jeg som et godt tegn.

»Er der noget nyt?«

»Det snakker vi om, når vi ses. Hvornår kan du være her?«

»Er en halv time okay?«

»Ja, det er i orden. Hej.«

Jeg lagde røret på og så på Ruth. »Gider du – og kan du?«

»Selvfølgelig. Vi har ingen aftaler, så vi lukker bare kontoret, og jeg stiller telefonen om til min mobil. Sagde hun, hvad det drejede sig om?«

»Nej, ikke et ord.«

Mogens havde hørt det hele, men han stillede ingen spørgsmål. Han vidste bedre end at vade ind på sine kollegers enemærker. »Nå, jeg må videre på min ørkenvandring,« sagde han let og gik hen mod døren. »Tak for skænken!« Han vinkede med kruset. »Glem nu ikke det foto, vel? Ciao!«

»Køre eller gå?« spurgte jeg Ruth, da vi tog vores overtøj på.

»Lad os bare gå. Vi har godt af lidt luft, og vejret er rimeligt.«

»Fortalte du Mogens om Hans Christian?«

»Nej, vi lovede ham jo at være diskrete, så lad ham nu rejse tilbage til London, før vi fortæller nogen noget.«

»Gad vide, om han har mødt *Landsretten,«* sagde jeg, da vi passerede messingskiltet på vej ned ad trappen.

»Ikke endnu,« svarede Ruth. »Jeg har talt med Claus Bang, som kunne fortælle, at Hans Christian skal i audiens klokken 14 nul dut. Han sagde også, at *Landsretten* er så vred, at han fnyser!«

Jeg smilede. Det kunne jeg levende forestille mig.

Både Beth Winther og Søgaard var der, men denne gang foregik mødet i Beth Winthers kontor, og stemningen var ikke nær så aggressiv, næsten fjendtlig, som jeg havde opfattet den sidste gang, men alligevel fornemmede jeg en anspændt atmosfære i rummet.

Beth Winther lænede sig lidt frem, efter at de indledende fægtninger var overstået. »Jeg vil gå lige til sagen. Kriminalteknisk laboratorium har arbejdet som små heste med alle de mere eller mindre forkullede stumper og stykker, vi fandt på gerningsstedet. Først og fremmest med det, vi anså for at stamme fra den forede konvolut, som bomben var i. Vi ved, at selve bomben var lavet i en ganske almindelig videokassette. Resultatet af deres anstrengelser var ved første øjekast temmelig magert, men de kan jo næsten trylle, og der var en enkelt ting af interesse. Vi er næsten sikre på, at det er resterne af den adresseseddel, der sad på pakken. De har mailet et par fotos af det, de fik tryllet frem, og det kommer her.«

Hun drejede computerskærmen, så Ruth og jeg kunne se, og trykkede på en tast. Først kunne jeg ikke skelne, hvad det var, men lidt efter lidt tonede billedet frem på skærmen. Øverst en stump af et firmanavn, så vidt jeg kunne se. Afsenderen, falsk formentlig. Lidt længere nede kunne jeg se bogstaverne NSC og derunder, klart og tydeligt, næsten med flammeskrift: Att. BEATRICE JA

Det var alt, resten af bogstaverne manglede, men det var nok.

Jeg stirrede på bogstaverne og følte, at de brændte sig fast på min nethinde. Jeg vidste, at jeg ville se dem igen og igen i mine natlige mareridt. BEATRICE JA

Det var især det JA, der ramte mig som et kølleslag. Det var ikke bare de to første bogstaver i mit efternavn, det var også et stort JA!

JA! Vi fik dig!

YES, gotcha!

Men de havde ikke fået mig.

I stedet havde de fået Henrik.

VIII

Jeg lod tungen løbe hen over læberne, som pludselig føltes meget tørre. Så løftede jeg hovedet og så på kriminalinspektør Winther, som mødte mit blik med et lille bekræftende nik.

»Ja, Bea. Det ændrer unægteligt billedet, ikke? Det lader til, at vi har taget helt fejl. Brevbomben var slet ikke bestemt for Henrik Gerner. Den var adresseret til dig.«

Søgaard smilede vennesælt, den knold, som om det i virkeligheden passede ham fint at se mig som offer, for det var ganske givet det, han gjorde. I politiets optik havde jeg skiftet rolle fra morder til offer. Måske burde jeg betragte det som et avancement, men det gjorde jeg ikke, tværtimod! Alt i mig protesterede mod at være offer, og ikke bare et tilfældigt offer, men *ofret*. Hvis jeg gik ind på deres tankegang, betød det jo, at jeg på en måde var skyld i Henriks død, og det ville være for tung en byrde at slæbe rundt på resten af mit liv.

Jeg ved ikke, om det lykkedes mig at virke rolig på overfladen, men under den padlede jeg i hvert fald endnu en gang som død og helvede. Der måtte være en vej ud af dette kafkaske mareridt. Endelig øjnede jeg en sprække i den mur, der pludselig var skudt op foran mig.

Jeg rømmede mig. »Ja, mig eller NSC,« sagde jeg roligt, som om vi blot sad og diskuterede fordele og ulemper ved to forskellige mærkevarer.

»Det er jo det, jeg hele tiden har sagt,« indskød Ruth. »At det var NSC, han ville ramme.«

»Pakken var sendt til Bea,« indvendte Winther lidt irriteret. »Det har I jo lige selv set. Att. BEATRICE JA«

Jo tak, jeg havde set det, hun behøvede ikke at skære det ud i pap.

»Men jeg åbnede den ikke, vel?« sagde jeg en anelse triumferende. »Hvis det virkelig var mig, han – eller man – var ude efter, var fremgangsmåden alt for usikker. Hvem som helst kunne have åbnet den pakke.«

»Hvem som helst? Når den udtrykkeligt var adresseret til dig. Det tror jeg ikke på. Og det får mig selvfølgelig til at spørge, hvorfor Henrik åbnede pakken.«

»Fordi han altid åbnede posten. Han hentede den i vores boks på posthuset på vej til kontoret og brugte den første time på at åbne den og løbe den hurtigt igennem,« forklarede jeg.

»Også selvom brevet eller pakken var stilet til en af de andre medarbejdere?«

»Ja.«

»Men det kunne jo være noget helt privat.«

»Nej,« brød Ruth ind. »Vores politik er – og har altid været – at ingen medarbejdere modtager eller afsender private breve eller pakker på deres arbejdsplads.«

»Hvorfor dog?«

Ruth smilede svagt. »Det er en regel, jeg indførte for mange år siden. Vi har jo blandt andet en hel del sager om utroskab den ene eller den anden vej, og det ville sikkert forbavse jer at høre, hvor mange glødende kærlighedsbreve, der skrives og modtages på arbejdspladsen. Dels er det spild af tid, dels ville jeg ikke have, at NSC skulle lægge navn til den slags og fungere som en slags postillon d'amour. Så uanset hvilket navn der stod på brevet eller pakken, ville det helt sikkert blive betragtet som noget, der var beregnet for NSC som sådan.«

»Og det var altid Henrik, der åbnede posten?«

»Som regel. Hvis han var forhindret, gjorde en af os andre det. Som oftest var det mig, men ikke altid. Det kunne også være Bente, Henriks sekretær, eller Bea, efter at hun er trådt ind i firmaet.«

»Hvem vidste det?«

»Det var noget alle vidste.«

»Alle?« Søgaard hævede øjenbrynene.

»Ja, alle medarbejderne hos NSC.«

»Men ikke andre?«

»Jo, selvfølgelig. Det var ikke nogen hemmelighed, at Henrik tog sig af posten.«

»Men de kendte ikke jeres politik med hensyn til private breve.«

»Næppe, bortset fra vores vikar. Vi havde en vikar for Bente en kort overgang, og hun kendte selvfølgelig reglerne. Men vi er langt fra det eneste firma, der kører efter de regler. Så som Bea siger, ville fremgangsmåden være højst usikker, hvis man var ude efter en bestemt person.«

»Har du vikarens navn og adresse?«

»Kun hendes navn,« sagde Ruth. »Anja Laursen. I kan sikkert få hendes adresse hos det bureau, vi fik hende fra. Nordjysk Vikarbureau.«

Det er skønt, at andre er lige så uopfindsomme som vi, når det gælder firmanavne.

»Så I siger faktisk, at hvis Henrik var det egentlige offer, må gerningsmanden være en, der kender proceduren omkring posten?«

»Ja, eftersom mit navn stod på pakken,« sagde jeg, selvom jeg følte, at jeg lagde strikken om min egen hals.

Søgaard sendte mig da også straks et mistænksomt blik. Jeg var åbenbart allerede tilbage i rollen som første morder.

»Det er derfor, jeg mener, at NSC var målet,« sagde Ruth. »Vedkommende var fløjtende ligeglad med, hvem der åbnede den pakke.«

»Hvorfor så i det hele taget skrive et bestemt navn?« indvendte Winther. »Beatrice Jantz. Det kan jeg ikke få til at hænge sammen.«

»Enten valgte han i blinde, eller også var gerningsmanden så snedig, at han forudså præcis det, der skete. Nemlig at politiet var i stand til at rekonstruere adressesedlen,« foreslog Ruth. »Ved at skrive et bestemt navn kunne han lokke jer på vildspor, så I kun koncentrerede jer om denne ene, altså Bea.«

Winther rynkede brynene, og selv jeg syntes, det lød lidt for snedigt. Det var et helt usandsynligt tilfælde, at det var lykkedes at redde lidt af papiret – for ikke at tale om at tyde, hvad der stod.

Hun lænede sig lidt frem mod mig. »Hvorfor afviser du så kategorisk, at bomben kunne være tiltænkt dig?«

Jeg tænkte mig lidt om. Jeg kunne ikke fortælle, at den egentlige grund var, at jeg ikke ville være *ofret*.

»Jeg afviser det ikke kategorisk,« sagde jeg så. »Jeg finder det bare helt usandsynligt. Jeg mener bestemt ikke, at jeg har sagt eller gjort noget, som kunne drive nogen til at foretage en så sindssyg handling. Og jeg er 100 procent sikker på, at jeg ikke sidder inde med en farlig viden om nogen eller noget. Men det væsentligste for mig er tidsfaktoren. Det er næsten to uger siden, Henrik blev dræbt, og jeg er her altså endnu. Hvis det var mig, han var ude efter, så ville han have forsøgt igen. Nu blev det Henrik, det gik ud over, og det er gerningsmanden tilsyneladende tilfreds med.«

Winther så skeptisk ud. »Tilsyneladende, ja. Indtil videre. Men I har ikke overbevist mig. Og jeg vil sige rent ud, at jeg foretrækker at tro, at det var dig, den skide bombe var bestemt for.«

Jeg troede ikke mine egne ører. Hvad pokker havde hun nu imod mig? Jeg troede kun, det var Søgaard, der fandt mig komplet uspiselig.

»Hvad er det, du siger? Det kan du da ikke mene!«

»Jo, det forsikrer jeg dig.«

»Jamen, hvorfor dog?«

»Fordi du er i live.«

Hun sagde ikke *endnu.* Det var jeg taknemlig for. Man bliver jo nøjsom efterhånden.

»Kan du ikke se det?« fortsatte hun. »Du er i live og kan selv hjælpe os med at afsløre gerningsmanden. Du ved præcis, hvad du har foretaget dig, hvem du har mødt, hvad der er blevet sagt og gjort og hvornår, så vi ikke denne gang skal nøjes med små kryptiske notater, som vi ikke ved hvad betyder. Vi kan spørge ind til alt det, som ikke virker umiddelbart forståeligt, og du kan fortælle os om dit privatliv. Vi havde så godt som intet af den slags på Henrik.«

Jeg nikkede, men jeg gjorde det tøvende. Ikke fordi jeg ikke kunne se hendes pointe, og heller ikke fordi jeg stadig ikke kunne forlige mig med teorien om, at bomben havde været bestemt for mig, men fordi jeg afskyede tanken om at blive »spurgt ind til«, og jeg afskyede endnu mere tanken om, at politiet skulle rode i mit privatliv. Ikke fordi der er noget særligt at rode i – eller måske netop derfor.

»Jeg forstår godt jeres begrundelse,« sagde Ruth til Winther. »Men hvis I har ret, så følger jo også deraf, at drabsmanden vil forsøge igen.«

Beth Winther nikkede. »Ja, sandsynligvis.«

»Og hvad har I så tænkt jer at gøre ved det?« fortsatte Ruth.

»Vi har ikke resurser til at overvåge Bea døgnet rundt, men vi vil sørge for skærpet patruljering ved hendes bopæl, og vi rykker ud straks, hvis hun alarmerer os. Det kan ske pr. telefon via et specielt nummer, men vi har også tænkt os at udstyre hende med en af de alarmer, som ellers er forbeholdt voldstruede kvinder.«

Dem måtte jeg vel ret beset også høre til, hvis hun mente, hvad hun sagde.

Mærkeligt nok gjorde det ikke særligt indtryk på mig. Det hele forekom mig så absurd, at jeg slet ikke kunne forholde mig til det.

»Jeg foreslår, at Bea flytter hjem til mig, indtil I har pågrebet gerningsmanden,« sagde Ruth.

Det var lidt ubehageligt sådan at være genstand for deres diskussion. Jeg var lige ved at råbe: »Hallo, venner, det er mig, det handler om, og jeg er her også.«

»Det er selvfølgelig Beas afgørelse,« sagde Winther – og tak for det! »Men set fra vores synspunkt vil det bedste være, at hun ikke laver om på sin dagligdag.«

»Fordi I vil have ham til at forsøge igen.«

»Både og. Vi vil i hvert fald gerne have lidt mere at gå efter, før han gør forsøget. Derfor skal han ikke vide, at vi ved – eller formoder – at det var Bea, han var ude efter. I mellemtiden håber vi at få så mange oplysninger fra hende, at vi bliver i stand til at fastslå motivet. Når først vi ved *hvorfor,* er der større chancer for også at vide *hvem.* Vi mener faktisk også, at det er det sikreste for Bea at fortsætte med business as usual, for hvis han lugter lunten, kan han føle sig tvunget til at handle her og nu.« Hun så på mig. »Rent praktisk betyder det, at vi døgnet rundt skal vide, hvor du er hvornår. Og sammen med hvem. Giv besked, både når du kommer, og når du går. Det er bare et ring på det specielle nummer. Her!« Hun rakte mig en lille gul lap med et nummer. »Lær det udenad, så du kan taste det både i søvne og i mørke, ikke? Og så kan du bruge weekenden til at kortlægge din færden hele det sidste år. Præcis samme procedure som med Henrik. Hvor, hvornår og hvilke sager du har haft. Om du har personlige fjender, om du alligevel sidder inde med en viden, som kan være farlig for nogen. Enhver lille uregelmæssighed, hvor betydningsløs den end virker. Så gennemgår vi det sammen på mandag. Skal vi sige klokken 14 her på kontoret?«

»Ja, okay.«

»Er det i orden, at vi fortæller vores medarbejdere om jeres nye teori?« spurgte Ruth.

Beth Winther tøvede et øjeblik. »Jo færre der ved det med Bea jo bedre,« sagde hun.

»Husk på, vi er vant til at behandle fortrolige sager,« indvendte Ruth. »Vi kan alle sammen holde på en hemmelighed. Og jeg må tilstå, at jeg er nervøs for Beas sikkerhed. Så jo flere vi er til at passe på hende jo bedre. Den slags er jo en del af vores normale arbejde.«

»Så okay da, men kun de nærmeste medarbejdere. Ikke tilfældige vikarer og den slags.«

»Klart.«

Beth Winther bladede i nogle papirer, der lå foran hende. »Vi kan i øvrigt allerede nu kigge på den sag, som jeg sidder med her. Det er en politirapport fra den 18. august. Du anmeldte et overfald. Fortæl os om det.«

»Hvorfor det? Du sidder jo med rapporten.«

»Fordi vi gerne vil høre din version.«

»Ja, men for pokker, det var jo ikke mig, der blev overfaldet, så jeg kan ikke se, hvad det kommer ...«

»Bea!«

»Okay. Så lad mig begynde med at gøre opmærksom på, at overfaldet faktisk skete den 17. og ikke den 18. Omkring klokken 21.45. Jeg var ved at gøre mig i stand til at gå i seng, da ...«

»Det var tidligt,« sagde Søgaard og så skeptisk på mig. »En sommeraften!«

Hvornår var det nu blevet suspekt at gå tidligt i seng? Jeg har ellers altid lært, at »tidligt op og tidligt i seng, det er sundt for en lille dreng, og man kan også gerne sige, at det er sundt for en lille pige.« Men okay, jeg var ikke ligefrem en lille pige.

»Jeg står tidligt op – også om lørdagen,« sagde jeg værdigt. »Og jeg har en meget lille lejlighed, så mit fjernsyn er i soveværelset. Hvis jeg vil se en udsendelse, der slutter efter kl. 23, gør jeg mig i stand og ser fjernsyn i sengen.«

»Godt,« sagde Winther lidt utålmodigt. »Videre.«

Winther ville have hele historien i alle detaljer, men det korte af det lange var, at Rade var blevet overfaldet på vej hjem fra døgneren, hvor han havde været henne efter kaffe og cigaretter. Der er kun fem minutters gang, men halvvejs hjemme blev han overfaldet af en flok knægte, nogle af dem med baseball-køller, som fuldstændig umotiveret og uprovokeret faldt over ham med slag og spark. Men det mest nederdrægtige var, at et par stykker af fyrene holdt ham fast, mens en af dem klippede den ene halvdel af hans flotte moustache af. Kun den ene halvdel! Og bagefter tog fyren en batterishaver frem og barberede ham så tæt, at han næsten tog huden med. Det lykkedes Rade at rive sig løs og nå hjem og trykke på min dørtelefon. Jeg hørte den ringe helt afsindigt, som om der stod en med fingeren på knappen, og i første omgang blev jeg bare dødirriteret. Jeg troede, det var en eller anden fuld stodder, der syntes, det var morsomt at genere folk på den måde. Jeg skyndte mig ud i entreen, tog røret af og hvæsede »Ja!« Ikke andet.

Først hørte jeg bare en stønnen og var lige ved at smække røret på, men så lød der en hvisken eller snarere en hulken: »Hjælp, Bea, hjælp mig!« Og jeg kunne høre råben i baggrunden. Jeg gav mig ikke engang tid til at tage en morgenkåbe på, jeg styrtede bare ud på trappen i natkjole, tændte lys og buldrede ned i håb om at lyde som hele kavaleriet. Jeg tror, jeg vidste, hvad der var sket, så snart jeg hørte hans stemme, men jeg var slet ikke forberedt på, hvor galt det så ud. Det lignede et rent blodbad. Hans næse blødte, hans ene øjenbryn var flækket, og han havde en ordentlig bule. At han også var fyldt med blå mærker på armene og overkroppen, fandt jeg først ud af senere.

Knægtene stak af, da jeg kom. Jeg må have set ret afskrækkende ud, men en af dem vendte sig og råbte, at det måske kunne lære ham at holde sig fra danske kvinder. Det var fuldkommen forrykt, jeg mener, Rade fylder 75 næste gang, men selvfølgelig troede jeg straks, at det var en bande nynazister, selv om de virkede alt for unge.

Jeg havde mest lyst til at sætte efter dem, men det ville være det glade vanvid, først og fremmest handlede det jo om at få Rade samlet op. Det lykkedes mig at få ham bakset ind i huset og videre ind i hans lejlighed, og så snart jeg havde fået ham anbragt på en stol, tastede jeg 112. Jeg fortalte, at det drejede sig om et overfald, og at vi havde brug for både ambulance og politi. Jeg tilføjede endda, at hvis de var hurtige, kunne de sandsynligvis snuppe hele banden.

»Jah,« sukkede Beth Winther, da jeg var nået så langt i min historie, og Søgaard trak på skuldrene.

Mens vi ventede på ambulancen, vaskede jeg det værste blod af Rades ansigt, og først da så jeg, hvad de havde gjort ved hans moustache. Den ene halvdel hang bedrøveligt ned, den anden var væk.

Jeg blev så rasende, at tårerne stod mig i øjnene. Jeg kunne med sindsro have drejet halsen om på de skide racister, og jeg lovede mig selv, at det her skulle de ikke slippe godt fra. Jeg ved ikke, hvad Rade selv følte, måske ikke noget lige på det tidspunkt, men jeg følte, at han havde været udsat for et overgreb, der næsten kunne sammenlignes med en voldtægt. De havde på en eller måde forsøgt at berøve Rade hans manddom. Selvfølgelig sidder den ikke i skægget, men Rades moustache var hans pryd og hans stolthed.

Jeg så på Beth Winther. »At barbere det halve af hans moustache af var den ultimative ydmygelse,« sagde jeg. »En hån, der virkelig fik mig til at tænde af.«

Hun nikkede.

»Ambulancen kom ret hurtigt, men jeg kunne ikke engang tage med Rade på hospitalet, for jeg var nødt til at vente på politiet. To stive klokketimer ventede jeg uden at ane, hvor slemt det stod til med ham. De kom først, netop som klokken slog 12. Da lå hele banden nok hjemme i deres senge og sov de uskyldiges søvn efter endt dagsværk,« sluttede jeg.

»Hvor galt stod det så til med ham?«

»Galt nok. Han havde fået hjernerystelse, og ud over de blå mærker og det flækkede øjenbryn havde han også en fibersprængning i den ene arm. Hvor galt det kunne være gået, hvis han ikke havde haft held til at slippe fra dem og trykke på knappen til min dørtelefon, er jo ikke til at vide. Jeg syntes i hvert fald, det var en sag for politiet, så den næste dag indgav jeg en officiel anmeldelse, og der blev skrevet rapport, det er formodentlig den, du sidder med der, og det var så det. Det undrer mig, at rapporten findes, jeg troede, den var blevet arkiveret skråt, for der kom aldrig noget ud af det, og jeg tror ærlig talt heller ikke, at jeres kolleger foretog sig noget som helst. De virkede ikke særligt interesserede.«

»Vi er jo nødt til at prioritere,« sagde Søgaard selvfølgelig. Han er så forudsigelig, at man kunne skrige. »Men vi får nok fingre i den bande små racister en anden gang.«

»Små var de bestemt ikke,« protesterede jeg. »Og ville det ikke være bedre, hvis der ikke kom en anden gang?«

»Det undrer mig lidt, at de netop slog ned på Rade,« sagde Beth Winther. »Det var ham, der sad ved siden af dig til Henriks bisættelse, ikke? Jeg synes ikke, han ser specielt fremmedartet ud.«

»Det gjorde han faktisk, da han stadig havde sin moustache,« forklarede jeg.

»Det er jo svært for politiet at finde ud af, hvem der står bag den slags tilfældige overfald,« sagde knolden Søgaard.

»Men det var netop ikke et tilfældigt overfald. De må have planlagt det. Det sagde jeg også, da jeg anmeldte det. Man render normalt ikke rundt med saks og batterishaver i lommen, vel? De stod simpelt hen og ventede på ham et stykke fra kiosken, så de må også have vidst, hvad vej han skulle.«

»Så siger vi det,« sagde han. »Men derfor er det alligevel svært.«

»Ja, det er det vel,« sagde jeg neutralt.

Det var overhovedet ikke svært. Det tog mig kun en dag at finde ud af, hvem rødderne var. Jeg begyndte i døgneren. Det er en pakistaner, der ejer den, og både Rade og jeg er faste kunder, så han var meget hjælpsom. Han kunne nævne et par navne, og derfra var det bare a piece of cake. Det tog mig en dag mere at finde ud af, hvad det i virkeligheden handlede om. Og det havde intet med racisme at gøre.

Winther så eftertænksomt på mig. »Jeg kan trøste dig med, at der nok ikke bliver nogen anden gang. De fik sig faktisk en forskrækkelse nogle dage efter.«

»Det lyder godt,« sagde jeg. »Står det også i rapporten?«

Hun så mig ind i øjnene. »Nej, ikke i den her, men vi fik en anmeldelse fra en af dem, der havde været med til overfaldet.«

Jeg så oprigtigt forbløffet på hende. »Anmeldte han, at han havde været med til overfaldet?«

»Nej, nej, selvfølgelig ikke. Han var kun 15 og kom sammen med sin far for at anmelde, at han og hans kammerater var 'blevet truet på liv og førlighed', som faderen sagde, og undervejs fik vi så hele historien trukket ud af ham. Faderen havde temmelig røde ører, da de gik.«

»Det havde han også grund til.«

»Er du ikke interesseret i at høre, hvad knægten fortalte?«

»Jo da, selvfølgelig. Fortæl, fortæl, jeg er lutter øre.«

Søgaard sendte mig et knusende blik, og Ruth så forbavset på mig.

»Han fortalte, at den 22. august om aftenen trængte tre personer ind i deres klublokale.«

»Havde de ligefrem et klublokale? Så må I da vide, hvem de er.«

»Ja, det ved vi nu, men de havde ikke tidligere gjort sig bemærket. Drengen fortalte, at alle tre personer havde masker på, almindelige fastelavnsmasker, to gorillaer og en heks, men han var sikker på, at heksemasken var en kvinde, for hun var ikke så stor som de andre og havde en lys stemme. Gorillaerne var mindst to meter på hver led, påstod han, og de sagde ikke et ord, men de havde baseballkøller med, og den ene af dem var i følge med en kæmpestor bidsk savlende hund.«

»Ja, men dog! En hel zoologisk have, hva'?« sagde jeg med et grin.

Winther overhørte mig og fortsatte uanfægtet. »Han fortalte, at heksen havde sagt, at hvis hun nogen sinde hørte, at de havde overfaldet nogen igen, så ville de alle sammen få så mange tæv, at ingen ville kunne kende dem den første måned – hvis de i det hele taget var i stand til at gå uden for en dør. 'Jeg kender hver eneste en af jer og ved, hvor I bor – og det samme gør disse to gorillaer,' sagde hun ifølge knægten. Han blev faktisk skræmt fra vid og sans.«

Jeg lo. »Sikke en historie! Troede I på den?«

»Ja, hvorfor ikke?«

»Måske ville han bare gøre sig bemærket. Men det kan selvfølgelig heller ikke udelukkes, at de har overfaldet nogen, som ikke bare ville finde sig i den slags og havde bedre held med sig end politiet.«

Det var min svoger Réné, der havde skaffet mig de to »gorillaer«. Til hverdag et par skikkelige familiefædre fra Frederikshavn, som han kender fra sin fortid som vægtløfter. At den ene havde medbragt sin Dogue de Bordeaux, en gammel, mølædt og savlende kæmpehund var – sammen med maskerne – prikken over i'et. Vi burde have scoret et 6-tal for den kunstneriske udførelse. Jeg gav gorillaerne en tusse for ulejligheden, og de morede sig kongeligt bag maskerne. Det gjorde vi faktisk alle tre. Især frydede det mig at pege med en behandsket finger direkte på fyren, der havde berøvet Rade hans overskæg og sige. »Og dig har jeg et særligt godt øje til, Jonas Rindom. Vi ved, at det var din ide, og at det var dig, der klippede og barberede jeres offer. Laver du nogen sinde noget af den slags igen, så skal vi sørge for, at hunden her bider noget af dig – og det bliver ikke dit overskæg.« Samtidig gav den ene gorilla sin hund et tegn, der fik den til at knurre ildevarslende og ryste på sit kæmpehoved, så savlet fløj rundt i hele lokalet. Den var ekstremt ulækker, men meget virkningsfuld. Jonas Rindom blev helt bleg, og en af knægtene hylede: »Vi melder jer! Vi melder jer fandeme!« Men jeg havde ikke i min vildeste fantasi troet, at han var dum nok til at gøre det.

Det var, da jeg fandt ud af, at en af knægtene hed Jonas Rindom, at det gik op for mig, hvad det hele handlede om. Han er sønnesøn af fru Rindom, som bor i min opgang og flirter helt vildt med Rade ved enhver given lejlighed, og er der ikke en given, sørger hun for at skabe en. Hun er i 70'erne ligesom Rade, og knægten har vel i ånden set familiens arv forsvinde op i den blå luft, hvis de to blev kærester. Jeg tror ikke på, at det var interesse for hendes ve og vel eller gode rygte, for det er synd at sige, at familien overrender hende.

»Det er slet ikke noget, du kender til?« spurgte Winther lidt for henkastet.

»Det er første gang, jeg hører den historie,« sagde jeg fuldstændig sandfærdigt. »Men jeg synes, den er ret morsom, hvis den virkelig er sand. Hvad var i øvrigt meningen med at fortælle den?«

»Hvis nu heksen var dig, kunne man jo godt forestille sig, at de havde et motiv.«

Jeg lo igen. »Til at slå mig ihjel? Nej, ved du nu hvad, det er for fantasifuldt. I øvrigt kunne ingen af de knægte have lavet en bombe, om det så gjaldt deres liv.«

»Hvor ved du det fra?« spurgte Søgaard.

»Fordi det ville være alt for raffineret. Slet ikke deres stil. Overfaldet på Rade var trods alt bare almindelig grov vold. Og jeg håber, de virkelig har fået sig en lærestreg.«

»Det vil jo vise sig,« sagde Winther. Hun åbnede en skuffe og tog et etui op. »Lad os lige vise dig, hvordan du bruger alarmen.«

Den var forhåbentlig effektiv, men ligefrem diskret kunne man ikke kalde den. Winther tydede mit minespil korrekt.

»Den er nok mest til hjemmebrug,« sagde hun lidt undskyldende, da hun rakte mig etuiet.

Hun samlede sine papirer sammen som tegn på, at samtalen var forbi, og vi rejste os alle sammen.

»Mandag klokken 14,« mindede hun mig om, idet vi gik.

»Er noteret,« sagde jeg og kom straks efter til at tænke på noget, som jeg ville have spurgt hende om, men døren havde allerede lukket sig bag os.

»Jeg har længe haft mistanke om det,« sagde Ruth, da vi atter stod på gaden. Vi havde ikke sagt et ord til hinanden på vej ud. »Og nu fik jeg min mistanke bekræftet.«

»Mistanke om hvad?«

Hun smilede skævt. »Om at du er en heks.«

»Mig!« Jeg lavede en ganske god imitation af en forfulgt uskyldighed.

»Åh, come off it! Mig kan du ikke narre. Og jeg tror heller ikke, du narrede Winther. Du var heksen i det lille eventyr, hun underholdt os med.«

»Det har jeg aldrig tænkt mig at indrømme, og jeg tror ikke, hun vil forfølge sagen.«

»Hvorfor har du aldrig fortalt det?«

Jeg grinede. »Jeg fortæller ikke eventyr. Og som du selv sagde, er vi vant til at holde på hemmeligheder.«

»Mon ikke hun alligevel holder et lille øje med de rødder?«

»Næppe,« sagde jeg og satte hende ind i baggrunden for hele historien.

»Så du mener ikke, det er sandsynligt, at de kan have sendt bomben – for at hævne sig?«

»Nej, det er helt usandsynligt. Det er bare en flok drengerøve, der aldrig tidligere har været i kontakt med politiet. Det var Jonas Rindom, der fik dem lokket med på den galej, og det har de sikkert fortrudt mange gange. Desuden siger politiet jo, at bomben var meget professionelt lavet. Den blev lavet for at dræbe, så det ...«

Jeg gjorde ikke sætningen færdig. Bare tanken om, at nogen *måske* havde forsøgt at dræbe mig, var kvalmende, og etuiet i min lomme mindede mig om, at han eller hun *måske* ville forsøge igen.

Måske?

IX

Klokken var kun lidt over tre, men det var en overskyet dag, så det var allerede ved at mørkne, og det var bidende koldt, da vi fortsatte hjemad til kontoret i skarpt trav uden at veksle mange ord, og vi havde dårligt nok fået overtøjet af, før Ruth stilede direkte mod frokoststuen.

»Jeg ved ikke, hvordan du har det, men jeg trænger til en kop kaffe oven på den udflugt. Uf, hvor er den danske vinter dog rædsom! Og Winthers nye oplysninger var ikke ligefrem opmuntrende, vel?«

»Næh, det var synd at sige. Burde vi for resten ikke have fortalt dem om Hans Christian?«

»Det synes jeg ikke. Han var jo slet ikke her i landet på det tidspunkt, så han kan ikke fortælle dem noget af interesse, og det er der åbenbart heller ikke andre, der kan. De er i virkeligheden ikke nået et skridt nærmere en opklaring. Det eneste, vi ved, er, at der går en morder løs derude, som er ude efter ...«

»NSC,« afbrød jeg. »Jeg gik faktisk lige og tænkte på, at vi måske alle sammen burde gennemgå de sager, vi har haft, for at se, om der skulle vise sig noget eller nogen.«

Ruth startede kaffemaskinen, før hun vendte sig om imod mig.

»Og ved du, hvad jeg gik og tænkte på, Bea?« sagde hun.

Jeg rystede på hovedet, selv om jeg havde en anelse om, hvad der ville komme.

»At vi tog det med dit navn alt for let. Vi narrer os selv, hvis vi bliver ved med at lade, som om den bombe kunne være beregnet på hvem som helst af os. Dit navn stod på pakken, og i ni af ti tilfælde, ville det have været dig, der åbnede den. Jeg er bange for, at Winther har ret, og det er vi nødt til at forholde os til. Så tænk, Bea. Tænk! Der må være et eller andet.«

Jeg vidste, hun havde ret. I hvert fald i at vi måtte forholde os til det. Men der *var* jo ikke noget, uanset hvor meget jeg tænkte. Og jeg kunne stadig ikke komme bort fra det med tidsfaktoren. Hvis jeg havde siddet inde med en farlig viden for 14 dage siden, så ville den nærmest være højeksplosiv efter mordet på Henrik – men der var ikke sket noget som helst. Hvad var så forklaringen på det?

»Det aner jeg ikke,« sagde Ruth, da jeg nævnte det for hende. »Men apropos det med at kigge på vores gamle sager, hvad så med hende din morder? Kan vi helt udelukke hende?«

»Irma la Douce? Nej, det var faktisk blandt andet hende, jeg tænkte på.«

»Ja, det anede mig. Men hvorfor skulle hun foretage sig noget? Selvom hun gættede – og det ved vi ikke engang, om hun gjorde – at du gættede, så var vi alle sammen enige om, at der ikke var nogen sag – i det mindste ikke en politisag. Du havde ingen beviser, og det ved hun, så hun har ingen grund til at frygte dig, vel?«

»Nej,« sagde jeg. »Og desuden er det så længe siden, at alene det gør det meningsløst. Det har jeg også sagt til mig selv, men hertil svarede mig selv, at det var rigtigt, medmindre damen har fået blod på tanden og overvejer endnu en lille »ulykke« i stil med den første.«

»Aha!« sagde Ruth. »*Mig selv* er ikke helt dum, hva'? Ja, så ville hun måske finde det beroligende, at du var væk af vejen.«

»Jeg vil i hvert fald tjekke hende.«

»Tror du virkelig, hun kunne finde på at gøre det igen?«

»Ja, hvorfor ikke? Det gik jo godt første gang. Hvis det var første gang; det ved vi heller ikke. Men inderst inde tror jeg ærlig talt ikke, hun bekymrer sig om mig og min mistanke. Og slet ikke nok til at sende mig en brevbombe. Men som sagt, jeg tjekker.«

Irma la Douce var vores private øgenavn til hende. Vi udtaler det nærmest øma. Øma la Douce dukkede op i en sag, vi havde for vores forsikringsselskab i slutningen af maj. Hun hedder faktisk

Irma, men bortset fra det, kan jeg ikke nævne navne eller steder, for så risikerer jeg garanteret at få en injuriesag på halsen.

Ved første blik var det bare en dybt tragisk historie. Et ungt nygift par, der ventede barn, levede lykkeligt i deres lækre ejerlejlighed, indtil den vordende far ulykkeligvis faldt ud over kanten på deres altan, da han var ved at hænge en ampel med hængepetuniaer op. Om han havde fået overbalance, eller om taburetten, han stod på, tippede over, var umuligt at afgøre. Resultatet var under alle omstændigheder, at han faldt til jorden som en vingeskudt fugl og var meget, meget død, da ambulancen nåede frem. Vi kom ind i billedet, da det viste sig, at den unge mand kun et par måneder før ulykken havde tegnet en livsforsikring på to millioner kroner. Det var der i sig selv ikke noget suspekt i. Tværtimod. Det er sund fornuft, når man er nygift og venter barn. Beløbet var heller ikke urimeligt. Han var it-mand og højt lønnet. Problemet var, at policen indeholdt en selvmordsklausul. Hvis forsikringstageren tog sit eget liv inden for de første to år, ville dødssummen ikke blive udbetalt, men enken måtte nøjes med at få en del af præmierne refunderet. Grunden til klausulen var, at ægtemanden som ganske ung mand havde forsøgt at begå selvmord. Det er der ifølge statistikken ganske mange unge mennesker, der gør, uden at nogen, og allermindst forsikringsselskaberne, hører om det, men hans selvmordsforsøg havde været så dramatisk, at det havde nået både avisernes spalter og hospitalets og lægens journaler, så han havde været nødt til at lægge kortene på bordet, da han tegnede forsikringen. Vores opgave var at finde ud af, om det nu også var en ulykke, eller om det i virkeligheden var et camoufleret selvmord. Politiet betragtede det som en ulykke, men forsikringsselskabet håbede naturligvis at finde en kattelem, så de kunne slippe for at betale de to millioner. Jeg fik sagen og var fra starten på den sørgende enkes side. Både hendes og hans familie bedyrede, at de unge mennesker havde været nærmest stormende forelskede og jublende lykkelige og afviste enhver tanke om selvmord. Det gjorde hans bedste ven også. Ifølge ham følte vennen, at han havde trukket det store lod i livets lotteri, da han blev kæreste med den nu sørgende enke. Han var nemlig så meget af en it-nørd, at både han selv og vennerne var vildt overraskede over, at han havde gaflet sådan en steg. Men han tjente jo skidegodt, tilføjede bedstevennen. Og hendes bedsteveninde – gud bevare mig for mine venner – fortalte, at den vordende mor havde sagt, at det var smadderheldigt, hun var blevet gravid så hurtigt efter, at de var blevet kærester, for han var ellers ikke særlig interesseret i ægteskab og fælleseje og alt det, som hun insisterede på. Barnet gjorde hele forskellen, og hvis lykken ikke varede evigt, ville hun jo få halvdelen af boet ved en skilsmisse.

Ak ja, folk snakker, og jeg lagde villigt øre til snakken.

»Var de stormende forelskede?« spurgte jeg veninden.

»Arh, det ved jeg nu ikke. Jo, han var. Det er helt sikkert. Og hun var da også glad nok for ham, men ligefrem stormende forelsket, nej, det tror jeg ikke.«

»Hvorfor var hun så så ivrig efter at blive gift?«

»Hun havde jo lige haft den her kæreste, der slog op med hende, så det var nok for at trøste sig og så for at vise eksfyren, at hun sagtens kunne få en anden og tilmed blive gift. Måske også for ligesom at hævne sig. De er faktisk begyndt at komme lidt sammen igen, så på en måde var hun heldig med det barn to gange.«

Den sidste bemærkning forstod jeg ikke, og jeg hæftede mig heller ikke særligt ved den. Uanset hvad var jeg stadig på den sørgende gravide enkes side og syntes, det var lidt for luset, at vores forsikringsselskab ikke bare betalte ved kasse 1. De havde da råd til det.

Det var først, da jeg mødte hende, at mistænksomhedens lille orm begyndte at gnave.

Hun boede stadig i samme lejlighed, da jeg opsøgte hende i begyndelsen af juni. Det første indtryk var overvældende. Hun var en flot pige, utrolig flot, på en lidt vild måde. Store grågrønne øjne, stor mund, stort krøllet kastanjebrunt hår og stor barm. Høj, slank og langbenet. Nu forstod jeg bedre vennernes overraskelse.

Jeg præsenterede mig og fortalte, at jeg kom fra forsikringsselskabet.

»Så lad mig begynde med at kondolere,« sagde jeg og gav hånd.

»Ja, det var godt nok ærgerligt, ikke?«

Jeg åbnede munden, men lukkede den igen. Jeg anede ikke, hvad jeg skulle svare. Men hun havde sikkert syntes, det var helt fint, hvis jeg havde sagt: »Ja, det var godt nok ærgerligt, men bedre held næste gang!«

Hun virkede hverken særlig sørgende eller særlig gravid. Det sidste havde en naturlig forklaring. »Jeg aborterede jo. Har du ikke hørt det? Lige efter begravelsen. Det var bare ligesom for meget for mig, ikke?«

»Det gør mig ondt. Det er da forfærdeligt for dig,« sagde jeg.

»Jah, jeg var da også helt vildt ked af det lige de første dage, men jeg var jo kun et par måneder henne, så jeg havde alligevel ikke rigtig vænnet mig til tanken om et barn, og så vildt sjovt er det jo heller ikke at være enlig mor. Det ville også have været synd for barnet, ikke? Jeg mener ingen far at have, så på en måde var det måske det bedste, ikke?«

Det var altså det, veninden havde ment med, at hun var heldig med det barn to gange.

»Jo, måske. Var du indlagt?«

»Næh, det kom bare af sig selv. Om natten. Det gjorde helt vildt ondt, og så begyndte jeg at bløde.«

»Helt vildt?« Jeg kunne ikke dy mig.

»Ja, nemlig.« Hun så lidt forbavset på mig. »Har du også prøvet det?«

»Nej, jeg har hørt om det.«

»Nåh ja.«

»Hvad så? Fik du en udskrabning?«

»Nej, jeg gik til læge dagen efter, og han sagde, at det hele var kommet ud, så det var der ingen grund til. Han sagde, det så fint ud.«

»Godt.«

»Men hvorfor kommer du i grunden? Ved du noget om, hvornår jeg får de penge?«

»Nej, det er ikke min afdeling. Jeg skal bare høre lidt mere om, hvordan ulykken skete. Du ved jo, at der er den der selvmordsklausul.«

»Men det var jo ikke selvmord, så det er da noget underligt noget. Jeg kan ærlig talt godt bruge pengene. Der er også snart termin og sådan.«

»Men du har da fået udbetalt gruppelivsforsikringen, ikke?«

»Jo, men der har jo også været mange udgifter.«

»Ja, selvfølgelig. Kan du vise mig, hvor det skete, og hvad din mand helt præcist foretog sig?«

»Ja, det var herude.« Hun gik i forvejen gennem stuen, døren stod åben ud til altanen, der nærmest var en hængende have. Petuniaer, engelske pelargonier, hængelobelier og tyrolerpelargonier kæmpede om pladsen i altankasser og krukker. Altanen var ikke særlig stor, der var kun lige plads til et lille rundt cafebord og to stole af hvidlakeret smedejern.

»Jeg kan ikke lide at sidde herude nu. Jeg kommer her faktisk kun, når jeg vander blomsterne. Jeg skal også have fundet en anden lejlighed.«

Hun pegede op på en jerndrager, der stak ud fra muren cirka to meter oppe og blev understøttet af en skråstiver.

»Det var der, han ville hænge den op, ikke? Dem, vi købte lejligheden af, havde sådan en slags sidesejl, der var hæftet fast deroppe, ikke? Det var sådan en stor ampel, du ved, skideflot, men den røg jo ned sammen med ham.«

»Hvis ide var det at hænge en ampel op der?«

Hun tøvede et øjeblik, før hun svarede, som om hun overvejede, hvad der ville være klogest at sige.

»Det var vist mig. Ja, det var det, for jeg sagde, at jeg havde tænkt på at hænge en ampel der, og så sagde han, at det måtte jeg ikke gøre – i min tilstand. Han skulle nok hænge den op.«

»Du havde altså allerede købt den?«

»Nej, vi kørte ud til planteskolen og købte alle de her planter og noget jord og den store krukke der,« hun pegede. »Og så amplen. Vi havde fået et katalog, og jeg kunne bare lige se amplen hænge der, ikke? Det kunne være helt vildt flot.«

»Men også lidt farligt, ikke? Hvad nu hvis den faldt ned i blæsevejr?«

»Det kunne den ikke, når den først var hængt op. Den skulle hænge i sådan nogle metalkæder. Det var sikkert nok.«

»Var det samme dag, som ...?«

»Ja, vi plantede kasserne og krukken til med det samme, ja, og amplen selvfølgelig, og så gik jeg ind for at lave frokost, imens ville han hænge den op.«

»Han kunne da ikke nå helt derop.«

»Nej, han brugte den taburet der.« Hun nikkede hen mod en lav trebenet taburet, der stod i hjørnet bag en stor krukke med en hortensia. Jeg gættede på, at krukken skulle have stået på taburetten, men så langt nåede de altså ikke.

»Hvad skete der så?«

»Den væltede.«

»Mener du, at han faldt ned, fordi taburetten væltede?«

»Det ved jeg ikke,« sagde hun undvigende. »Det tror jeg ikke. Den står sikkert nok. Vi købte den i Bilka. Måske fik han bare overbalance og kom til at sparke til den, da han faldt.«

»Du så altså ikke, hvad der skete?«

»Nej, jeg var jo i køkkenet. Men han var i fint humør. Glad. Der var ikke noget i vejen. Hvis der havde været noget, var jeg da blevet derude, ikke? Men det var der ikke, så jeg begyndte bare at lave frokost. Vi havde aftalt at spise på altanen, ikke? Jeg anede ikke, der var sket noget, før jeg hørte ambulancen, og samtidig ringede det på døren. Det var dem inde ved siden af, der kom for at fortælle mig om ulykken. De er læger begge to, så jeg fik en beroligende indsprøjtning. Men han sprang altså ikke. Han faldt. Det ved jeg.«

Hun var måske ikke den skarpeste kniv i skuffen, men hun vidste i hvert fald, hvad den selvmordsklausul betød.

Jeg gik hen til rækværket og mærkede det sædvanlige lille sug i maven, da jeg kiggede ned. Jeg er ikke specielt god til højder. Jeg så mig om. Der var en fantastisk udsigt til begge sider, men midtfor var udsigten spærret af en næsten tilsvarende ejendom. I lejligheden lige overfor kunne jeg se en skygge bag et tyndt lyst gardin.

»Det er liget,« sagde Irma. »Det kaldte vi hende for sjov. Det var noget, han fandt på. Hun sidder altid der. Hjemmehjælpen kommer og hjælper hende op om morgenen og planter hende i stolen der. Så kommer der nogen ved middagstid og sørger for, at hun får noget at spise og kommer på wc, og så sidder hun der igen, til de kommer og lægger hende i seng.«

Jeg kom til at tænke på *Skjulte øjne* med Cary Grant.

»Tror du, hun sad der, da ...?«

»Det gjorde hun sikkert. Hun sidder der altid.«

»Så må hun da have set noget.«

»Hende! Hun kan sgu hverken høre eller se. Hun er helt senil. Det sagde jeg også til ham politimanden, der var her. Jeg har mødt hende to gange. Der kommer sådan en besøgsven og lufter hende en gang imellem. Hun kan næsten ikke stavre af sted. Hvordan hun får hende op og ned ad trappen, fatter jeg ikke. Det er åndssvagt, at hun bor helt deroppe. De har ikke elevator derovre.«

»Måske har hun ikke lyst til at flytte.« Jeg gik hen og løftede taburetten op. Den var tungere, end jeg regnede med. »Må jeg tage den med ind i stuen?« spurgte jeg.

»Hvorfor?«

»Jeg vil bare se, hvor nemt den vælter,« sagde jeg.

Jeg havde ikke lyst til at eksperimentere ude på altanen. Jeg ville nødig ryge ud over kanten.

Hun så interesseret til, mens jeg anbragte taburetten på gulvet og stod op på den. Jeg rakte ud efter en imaginær krog, skiftede stilling og flyttede fødderne, så vægten blev anderledes fordelt, men taburetten stod urokkeligt.

»Hvor høj var han?« spurgte jeg.

»Han var kun en centimer højere end mig, 176 cm. Jeg gik aldrig i højhælede sko, når vi var ude sammen.«

»Det kender jeg,« sagde jeg. »De kan ikke lide, at vi ser ned på dem, vel?«

I de syv år jeg var gift, gik jeg også altid med lave hæle. Jeg kiggede på taburetten. Jeg var højere, end ægtemanden havde været, og alligevel ville jeg have foretrukket at bruge en af stolene. De var højere, og man kunne støtte sig til stoleryggen, når man skulle op og ned, men okay, jeg har jo det der med højder.

»Jeg tror ikke, taburetten væltede,« konkluderede jeg. »Han må have fået overbalance.«

»Det er jo det, jeg hele tiden har sagt.«

Jeg satte taburetten ud på altanen igen.

»Ja, det var vist det hele,« sagde jeg.

Hun fulgte mig ud. Jeg standsede op i entreen.

»Hold da op! Har du sådan en?« udbrød jeg begejstret og pegede på en hul elefantfod, der fungerede som stokke- og paraplystativ. Den havde været skjult bag døren, da jeg trådte ind i lejligheden.

»Det var min mands. Han havde vist købt den på et kræmmermarked engang. Men stokke og det hele.«

»Min morfar havde en magen til, men min mormor solgte den nogle år efter hans død,« sagde jeg. »Nu er det vist forbudt at indføre dem, så den er nok blevet en mindre formue værd.«

»Nå,« sagde hun uinteresseret og så ud, som om hun havde mest lyst til at spørge, hvad fanden min morfar ragede hende. Hun virkede nærmest lidt ilde berørt over min begejstring, men så smilede hun. »Du kan godt købe den.«

Jeg rystede på hovedet. »Nej tak, jeg har ikke plads til den.«

Jeg gjorde mig klar til at gå.

»Hvor længe tror du, det varer, før jeg får pengene?« spurgte hun.

»Jeg skriver i hvert fald min rapport i dag,« sagde jeg. »Og så træffer de sikkert snart en afgørelse.«

Jeg gik hen til enden af blokken, før jeg gik over gaden. Da jeg stod på det modsatte hjørne, kiggede jeg op mod altanen. Irma var der tilsyneladende ikke. Fint. Jeg ville helst undgå, at hun så, hvor jeg gik hen.

Der stod A. Clausen på dørskiltet. Jeg forberedte mig på at vente en rum tid, da jeg havde ringet på, men der gik kun et øjeblik, før jeg hørte noget pusle i entreen. Den gamle dame stod sikkert og betragtede mig gennem kyklopøjet i døren. Jeg stillede mig lige foran det og forsøgte at se enormt tillidvækkende ud, men havde på fornemmelsen, at det nærmest havde den stik modsatte virkning. »Hvem er det?«

»Jeg hedder Bea Jantz. Jeg kommer fra forsikringssel ...«

»Jeg skal ingen forsikringer have,« afbrød hun.

»Jeg sælger ikke forsikringer, fru Clausen. Jeg vil bare høre, om du kan fortælle noget om ulykken, der skete her overfor.«

Det vakte åbenbart hendes nysgerrighed.

»Ja, lige et øjeblik.«

Jeg kunne høre sikkerhedskæden blive taget af og låsen drejet, og så gik døren op.

Efter Irmas beskrivelse havde jeg ventet at se en lille ældgammel, krumrygget kone med rollator eller i det mindste et par stokke, men til min overraskelse var det en høj og temmelig kraftig dame i begyndelsen af 70'erne, der stod foran mig. I sine yngre dage var hun sikkert blevet kaldt frodig.

»Bea Jantz?« sagde hun spørgende. »Du er vel ikke i familie med Eric Jantz, tegneren?«

»Jo,« sagde jeg forbavset. »Det er min far. Kendte du ham?«

»Kun hans tegninger. Fra ugebladene. Og så læste jeg selvfølgelig om ulykken dengang. Men det må snart være ti år siden.«

»Næsten 15,« sagde jeg.

»Er det virkelig? Ja, tiden går. Kom indenfor.«

Hun gik tilsyneladende ubesværet foran mig ind i stuen og viste mig hen til en sofagruppe.

Henne ved vinduet stod et spisebord med fem stole. Bordet var skubbet helt op mod væggen under vinduet. Der lå et par blade, en bog og nogle spillekort på bordet; hun havde åbenbart været ved at lægge kabale, da jeg ringede på. Hun fulgte mit blik.

»Ja, jeg sidder for det meste der,« sagde hun og nikkede hen mod bordet. »Jeg synes, det er så anstrengende at sidde med en bog eller et blad i hænderne. For ikke at tale om avisen, det er den rene pest. Jeg har gigt i armene, skal jeg sige dig, så det er meget mere behageligt at sidde ved bordet. Og der er jo også altid noget at se på ovre i genboejendommen. Hvad var det, du ville tale med mig om?«

Jeg kom pludselig i tvivl. Var det den rigtige lejlighed, jeg var i, eller var jeg gået forkert? Irma havde snakket om en gammel dame, der hverken kunne høre eller se og dårligt nok stavre af sted, men damen her så ikke ud til at fejle noget som helst, og hendes hørelse fungerede upåklageligt.

»Om ulykken, fru Clausen« sagde jeg tøvende. »Den unge mand, der faldt ...«

»Kald mig bare Agnes. Ja, det var skrækkeligt. Jeg sad lige der ved vinduet og så det hele, men det værste var skriget. Han skreg hele vejen ned. Jeg kunne høre det ganske tydeligt, for det øverste vindue var åbent ligesom nu, og jeg siger dig, det var, så håret rejste sig på mit hoved!« Mit blik strejfede hendes hår, der var friseret i en stram knold, så det skulle nok ikke tages bogstaveligt. »De første par nætter efter ulykken vågnede jeg flere gange og troede, jeg havde hørt det igen, men det må have været en slags mareridt. Det var lige før jeg ønskede, jeg ikke havde fået mine nye høreapparater dengang.«

»Bruger du høreapparat?«

»Ja, det har jeg gjort i mange år. De første var ikke ret gode, men dem, de laver nu, er fine. Jeg havde fået et par af de der bittesmå apparater, man har inde i øret, men dem kunne jeg ikke tåle. De gav mig allergi, så jeg fik udslet og betændelse i øregangen. Jeg måtte gå uden høreapparat i en hel måned, og jeg siger dig, jeg kunne hverken høre buh eller bæh. Jeg må have virket som en idiot. Jeg kan huske, jeg mødte hende den unge kone, og hun sagde et eller andet til mig, men jeg svarede vist i øst, når hun spurgte i vest. Jeg kunne se, at hun troede, jeg var total dement. Og gå kunne jeg heller ikke dengang. Hofterne, du ved. Og jeg kunne ikke bruge stok på grund af armene. Det var et rigtig træls forår, men jeg fik da nogle andre høreapparater, og nu har jeg også fået begge hofter skiftet ud, og det er gået så godt, så godt. Jeg kan stadig ikke klare trappen, men det skal nok komme.«

»Du så altså selve ulykken? Du så ham falde?«

»Ja, det gjorde jeg, og jeg siger dig, det er det værste, jeg har oplevet. Det var lige omkring klokken et. Hjemmehjælpen havde været der, for jeg kunne jo ikke selv klare noget som helst, og jeg sad der ved vinduet og så på, at de to unge plantede altankasserne til. De blev så fine, men nu kan jeg ikke engang nyde synet af dem.«

»Du er sikker på, at han faldt?«

»Ja, hvad ellers?«

»Han kunne også være sprunget.«

»Nej, nej, nej, det gjorde han i hvert fald ikke. Jeg så jo, at han fik overbalance, og jeg tænkte, bare han vil lade den skide ampel falde – ja, undskyld udtrykket, men det tænkte jeg altså – ellers går det rivegalt. Men han slap den ikke, måske var han bange for, at den skulle ramme nogen nedenfor på græsrabatten, og amplen ligesom trak ham den fejle vej, den var jo tung, kunne man se, og så kom det der rædsomme skrig. Du kan ikke forestille dig, hvor forfærdeligt, det var. Det må have været aldeles skrækkeligt for hans stakkels kone.«

»Hun hørte det heldigvis ikke.«

»Vist gjorde hun det. Det kunne hun umuligt undgå.«

»Jo, for hun var ude i køkkenet, og døren var lukket for ikke at få gennemtræk.«

»Hvem i alverden siger det?«

»Det gør hun selv.«

»Gør hun? Det var da underligt.« Hun sad tavs lidt og så eftertænksomt frem for sig. »Ved du, hvad jeg tror,« sagde hun endelig. »Jeg tror, chokket har været for meget for hende. Derfor har hun glemt det. Fortrængt det, siger man. Jeg ville ønske, jeg kunne gøre det.«

»Kunne det ikke tænkes, at du husker forkert? Du var jo også chokeret.«

»Ja, det var jeg godt nok, men sådan noget glemmer man ikke. Jeg ser det hele for mig igen og igen. Næsten som en film. Først flyttede han en stol, eller hvad det nu var, hen, som han kunne stå på, og da var hun der stadig. Og så makkede han noget med at sætte sådan en dobbeltkrog, du ved, ligesom dem slagteren har med krog i begge ender, fast i den javert, som amplen skulle hænge i. Jeg tror, det var en øsken af en slags, og mens han gjorde det, var hun vist ude efter noget, men hun kom tilbage et øjeblik efter og stod i altandøren. Så råbte han noget, som jeg ikke kunne høre, men jeg tænker, det var noget om, at han var klar, for hun rakte ham amplen.«

»Hun rakte ham amplen? Er du sikker på det?«

»Ja, for han stod jo stadig oppe på stolen, eller hvad det nu var. Det ville have været alt for besværligt for ham at hoppe ned og så stå op på den igen med den kæmpeampel i armene, ikke?«

Jeg nikkede. »Og hun blev stående?«

»Ja, i døren, men pludselig kunne jeg ikke se hende. Jeg tror, hun bøjede sig ned, for at samle noget op, for hun var ikke på vej ud i køkkenet, det ville jeg have set, og så blev jeg jo mere optaget af, om det lykkedes ham at få det monstrum op at hænge. Men da han fik overbalance, tænkte jeg, hvorfor gør hun ikke noget. Griber fat i ham. I hans bluse eller noget. Og jeg flyttede blikket fra ham et øjeblik, og da stod hun igen der i døren, men hun virkede helt lammet. Ligesom forstenet, ikke? Det er nok derfor, hun har fortrængt, at hun var der. Fordi hun ikke kunne gøre noget, mener jeg. Og så kom skriget.«

»Hvad gjorde hun så?«

»Det aner jeg ikke. Det var jo ham, jeg holdt øje med, og jeg så ham falde, men så heller ikke mere. Jeg kunne ikke holde ud at se mere, men da skriget holdt op, vidste jeg jo, at han ... at det var slut. Jeg havde min mobil liggende på bordet, så jeg skyndte mig at taste 000. Ja, du kigger, men jeg siger dig, jeg var så chokeret, at jeg havde glemt, det er 112 nu om dage. Og da jeg kom i tanker om det, rystede jeg sådan på hænderne, at jeg slet ikke kunne bruge mobilen. Men det var jo i virkeligheden også helt ligegyldigt, ikke? Han var død på stedet.«

Jeg rejste mig og gik hen og satte mig ved spisestuebordet. »Er det her, du plejer at sidde?«

»Ja, du kan se, at jeg kan se lige ind i lejligheden. Der er kun lige en død vinkel, hvor selve altanen spærrer udsynet, så jeg kan kun se den øverste halvdel af dem, når de er derude.«

»Gad vide, hvem der slog alarm?«

»Var det ikke hende?«

»Nej, hun siger som sagt, at hun var i køkkenet og ikke vidste, hvad der var sket, før dem ved siden af kom og fortalte hende det.«

»Nå, siger hun det? Ja, det er måske bedst at lade hende blive i troen. Mest barmhjertigt. Nogen må i hvert fald have ringet, for ambulancen og politiet kom hurtigt.«

»Var der nogen fra politiet, der snakkede med dig?«

»Næh, men det var der heller ingen grund til. Enhver kunne jo se, hvad der var sket. Hvad var det for resten du sagde om et forsikringsselskab?«

»Han var forsikret, og der var en selvmordsklausul. Vi undersøger, om det kunne være selvmord.«

»Det var det i hvert fald ikke. Det kan jeg stå inde for.«

Jeg var enig med hende. Det var ikke selvmord.

Det var mord.

To millioner havde været for stor en fristelse for Irma la Douce.

Men hvordan? Hvis Agnes huskede rigtigt, og det tvivlede jeg ikke på, så havde Irma stået mindst en meter fra ham. Hun kunne umuligt have skubbet til ham, uden at Agnes havde set det, og hun kunne vel trods alt ikke hekse. Der var heller ikke lavet fiksfakserier med taburetten, den var væltet, men fejlede ellers ikke noget. Det fremgik af politiets rapport, og de var kommet til stede få minutter efter ulykken.

Så hvordan?

Løsningen kom helt af sig selv, da jeg om aftenen sad ude på min egen minialtan, der ved gud aldrig har lignet en hængende have, selv om jeg havde de bedste intentioner, da jeg fik den. Der var nogle få vantrevne petuniaer, der hang med hovederne, det var alt, hvad det var blevet til. Jeg sad med et glas hvidvin og skrev kladden til min rapport, mens jeg i tankerne gennemgik hele forløbet. Jeg smilede lidt halvflov ad mig selv over den begejstring, jeg havde følt – og sikkert også vist – over den idiotiske elefantfod. Bare fordi min morfar havde haft en mage til. Det var ikke så sært, at Irma havde virket lidt irriteret eller nærmest ilde berørt. Jeg genkaldte mig episoden i tankerne, og lige med ét gik det op for mig, hvorfor hun ikke brød sig om min interesse for stokkene.

Stokkene! Ja, selvfølgelig. Nu vidste jeg, hvordan hun havde båret sig ad.

Nej, at jeg vidste det, er måske så meget sagt, men jeg var overbevist om, at jeg havde gættet rigtigt. Alligevel ville jeg foretage et par eksperimenter, før jeg fortalte Henrik og de andre, hvad jeg havde fundet ud af. Jeg var så opsat på at afprøve min teori, at jeg sprang svømmeturen over næste morgen. Jeg ringede på hos Rade på vej ud. »Du må godt sætte min cykel ned i kælderen igen, Rade,« sagde jeg. »Jeg skal ikke i svømmehallen i dag.«

»Du er da ikke syg, vel?« spurgte han bekymret.

Jeg lo. »Overhovedet ikke. Jeg skal i Bilka.«

»I Bilka? Nu? Er der udsalg?«

»Nej, jeg skal købe en taburet. Og når jeg kommer tilbage, skal vi lave et eksperiment. Kender du nogen, der har en stok?«

»En stok. Hvordan en stok?«

»En spadserestok.«

»Spadserestok?« gentog han. Han havde sikkert aldrig hørt ordet før. »Nå, sådan en stok.« Han tegnede en stok i luften.

»Præcis.«

»Jeg tror, Else har et par stykker. De har været hendes mands.« Else er fru Rindom.

»Spørg, om vi må låne den mest solide af dem.«

Det måtte vi. Han holdt den triumferende op som en bispestav, da jeg vendte hjem med min taburet, og jeg fortalte ham, hvad eksperimentet gik ud på og hvorfor. Vi blev enige om at foretage det i hans entre, hvor vi kunne holde fast i knagerækken. Eller rettere, Rade kunne holde sig fast, mens jeg brugte stokken. Han klavrede op på taburetten og tog fat i et par af knagerne, mens jeg stod parat med stokken.

»Har du godt fat?« spurgte jeg, idet jeg bøjede mig ned og lod stokkens håndtag gribe fat om et af taburettens ben.

»Ja.«

Jeg trak til, og der skete ikke noget som helst. Taburetten rokkede sig ikke.

»Jeg er nok for tung,« sagde Rade.

Jeg rystede på hovedet. Rade er høj, men han er bestemt ikke kraftig. Og Irma la Douce kunne umuligt have flere kræfter end mig. Tusind meter svømning hver dag giver gode armmuskler.

»Du skal måske have stokken højere op,« sagde han.

Jeg prøvede at flytte stokken højere op. Det hjalp ikke. Jeg kunne ganske enkelt ikke få taburetten til at vippe. Eksperimentet var en fiasko, og jeg måtte se i øjnene, at min teori ikke holdt i praksis.

»Lad mig prøve,« sagde Rade og støttede sig til min skulder, da han hoppede ned af taburetten. Han havde lige så lidt held med sig som jeg.

»En gang til,« sagde han. »Har du godt fat?«

»Ja.«

Så var han der med stokken, og jeg klamrede mig til knagerækken.

»Hvad pokker er det, du gør, mand!« skreg jeg, mens jeg prøvede at finde balancen igen.

Rade grinede. Han havde fanget mit ene ben med stokken og trukket til, og selvfølgelig virkede det, men jeg var overbevist om, at det ikke var sådan, hun havde båret sig ad.

»Hvorfor ikke?« spurgte Rade.

»Fordi han var ude af balance i nogle sekunder. Måske et halvt minut. På den her måde ville han være røget ud med det samme. Det må have været taburetten.«

»Du kan ikke få taburetten til at vippe, når der står en på den,« hævdede Rade. »Jeg tror ikke engang, du kan, selvom der ingen er. Tyngdepunktet er for langt nede. Hvis det havde været en stol, var det noget andet, så kunne du måske ...«

Jeg slog mig på panden. Jeg kæmpeidiot!

Irma havde løjet for mig, fra jeg kom, til jeg gik, det var jeg ikke i tvivl om.

Hun havde ikke været gravid, selvom hendes mand måske troede det.

Hun havde ikke aborteret.

Og hun havde ikke været i køkkenet.

Hvorfor i himlens navn havde jeg så troet på hende, da hun sagde, at han stod på taburetten?

Selvfølgelig gjorde han ikke det, for på den stod den store krukke med hortensiaen.

Han var stået op på en af stolene.

Hun havde sikkert oven i købet dirigeret ham. »Nej, stil den med ryggen den her vej, det er meget bedre. Ja, sådan.«

Jeg kunne se smedejernsstolene for mig. Åh ja, hun kunne få et godt greb i ryglænet og trække til, så vippede den garanteret.

Senere, mens alle, også Agnes, var optaget af det, der foregik neden for huset med ambulance og politi, havde hun sat stolen på plads, løftet krukken ned og væltet taburetten. Keine Hexerei, nur Behändigkeit.

»Rade, du er et geni!«

»Ja,« nikkede han og smilede beskedent. Hans mine sagde, at det havde han sådan set aldrig været i tvivl om. For en sikkerheds skyld gentog vi eksperimentet med en af Rades spisestuestole, og denne gang lykkedes det.

Jeg var helt opstemt, da jeg mødte på NSC og forelagde de andre min teori ved den fælles morgenkaffe, men jeg kom hurtigt ned på jorden igen, da jeg mødte deres skeptiske blikke.

»Tror I ikke på det?«

»Jo, det lyder faktisk ret sandsynligt,« sagde Mogens. »Men du har ikke noget bevis.«

»Netop,« tilføjede Henrik. »Så det eneste du kan skrive i din rapport, er, at det med 99,9 procents sikkerhed var en ulykke. Og blandt andet referere til Agnes Clausens udsagn.«

»Og så scorer Irma la Douce to millioner.«

»Yes.«

»Selv om hun myrdede ham.«

»Bea, det er ikke noget, du ved. Det er noget, du tror. At hun var på altanen, da han faldt, beviser ikke noget. Hun har husket forkert, hun har fortrængt det, eller Agnes har set forkert. Du skriver det, som Agnes fortalte dig, ordret, uden at lægge til eller trække fra. Forsikringsselskabet kan så drage deres egne konklusioner, men mit bud er, at de betaler uden mere vrøvl.«

»Men de ved ikke det med stokkene.«

»Det gør du heller ikke, Bea. Du gætter. Og som Mogens siger, det er muligt, ja, det er endda sandsynligt, at du gætter rigtigt, det kan bare ikke bruges til noget.«

»Jeg må altså ikke skrive i min rapport, hvad jeg tror, der i virkeligheden skete?«

»Nej, for himlens skyld. Og du må ikke lufte din teori uden for disse vægge. Men næste gang jeg taler med direktøren, skal jeg nok nævne din mistanke off the record. Så vil de nok lave en lille markering ved Irma la Douces navn.«

Og det var så det.

Næsten.

For jeg kunne ikke bare lade som ingenting. Jeg aflagde – off the record – den douce Irma et lille uanmeldt besøg.

Hun virkede lidt forfjamsket, da hun åbnede døren og så mig stå udenfor.

»Hvad vil du?« spurgte hun næsten fjendtligt.

»Jeg ville bare sige, at jeg har afleveret min rapport.«

»Hvem er det, Irma?« råbte en mandstemme inde fra stuen.

»Ingen. Bare en fra forsikringen.« Hun så på mig. »Ja?«

»Og jeg har konkluderet, at det var en ulykke.«

»Ja, selvfølgelig.«

»Jeg talte med den gamle dame overfor. Hun så det hele, og hun er sikker på, at din mand fik overbalance, da han stod med den tunge ampel.«

»Ja.« Nu lød hun vagtsom.

»Men hun siger, at du også var derude. At du rakte ham amplen og blev stående i altandøren.«

»Så husker hun forkert. Jeg var i køkkenet.«

»Ja, det var jo det, du sagde.«

»Det var ikke det, jeg sagde. Det var det, jeg var.«

»Ja, selvfølgelig. Nå, men det skulle altså være på plads nu.«

»Godt.« Jeg tøvede lidt, og hun så anspændt på mig.

»Var der andet?«

»Jah, det var den elefantfod.«

Nu var hun afgjort på vagt. »Hvad med den?«

»Du sagde, at jeg kunne købe den, og nu har jeg tænkt over det, og jeg tror alligevel, jeg gerne vil have den. Hvad skal du have for den?«

Hun så undersøgende på mig. Så smilede hun. Et stort smil. »Ville du? Det er bare ærgerligt, for jeg har den ikke mere. Jeg solgte den til en bekendt.«

»Det var en skam. Hvad med stokkene?«

»Han købte det hele.«

»Pokkers. Men det er der jo ikke noget at gøre ved. En stok kunne ellers somme tider være god at have. Den kan bruges til så meget, ikke?«

Hendes ansigt var fuldkommen udtryksløst. Jeg aner ikke, om den røg ind på lystavlen. Om hun vidste, at jeg vidste, og jeg var sådan set også ligeglad. Dengang. Men nu fandt jeg det alligevel værd at tjekke, hvad Irma la Douce havde gang i for tiden.

»Hallo, er De der?« råbte Ruth så højt, at det gav et sæt i mig.

»Undskyld, ja, nu er jeg her igen. Hvad sagde du?«

Jeg havde været så langt væk i mine egne tanker, at jeg ikke havde hørt et ord.

»Jeg sagde, at jeg ved bare, at vi på en eller måde må sørge for at overvåge dig døgnet rundt. Så hvad med at spise middag hos mig i aften?«

»Det kan jeg ikke, ellers tak. Jeg skal til middag hos moster Herdis. Jeg har alarmen, jeg har min mobil, jeg har min telefon, og vi har også dørtelefon. Det burde være nok.«

Mere orkede jeg ikke. Jeg havde faktisk prøvet det før. For tre år siden, da Henrik mente, at nogen var ude efter mig. Han havde haft ret, så jeg burde være taknemlig, jeg er også taknemlig – *nu,* men mens det stod på, var jeg irritabel og stresset. Jeg kan huske, at situationen mindede mig om Heinrich Bölls roman *Omsorgsfuld belejring*. Omsorg kan også være en belastning.

Ruth skænkede kaffe i vores krus. Mine små kaniner dansede stadig lystigt på blomsterengen uden at ane, hvilke farer der kunne lure på dem. Jeg ville ønske, det var mig.

Jeg fik en forsmag på, hvad der ventede, da dørtelefonen pludselig ringede.

Ruth gik ud og tog den.

»NSC,« sagde hun.

Jeg kunne høre en metallisk stemme, men ikke skelne ordene.

»Ja, hvilken blomsterhandler?«

Metalstemmen lød igen.

»Hvad er jeres telefonnummer?«

Igen et uhørligt svar.

»Fint. Kom bare op.«

Hun havde sin mobil i hånden, da hun kom tilbage, og var ved at taste et nummer.

»Hej, det er fra NSC. Har I sendt et blomsterbud herhen?«

Hun nikkede bekræftende til mig, da hun fik svaret.

»Godt! Ja, til Beatrice Jantz,« fortsatte hun. »Nej, nej, der er ingen problemer, slet ikke. Tak skal du have. Hej.«

Jeg stirrede på hende.

»Undskyld, men hvad handler det her om?«

»Blomster,« sagde Ruth. »En buket til Beatrice Jantz. Men enhver kan jo sige, han er blomsterbud, så jeg tager ingen chancer. Der er han,« fortsatte hun, da det i det samme ringede på døren. »Jeg lukker op.«

Det var en buket. Ikke langstilkede røde roser eller noget andet romantisk, men en moderne rokokobuket, selvom det lyder selvmodsigende, med ståltråd, stativ, store grønne blade, og hvad ved jeg. Den havde garanteret været dyr.

Der var et kort ved.

Kære Bea. Det må jeg godt kalde dig, ikke? Vi kom lidt skævt fra start, men jeg vil gerne mødes med dig, så du kan fortælle mig om Henrik. Vil du spise middag med mig i morgen aften, for eksempel her på mit hotel, hvis du ikke har et bedre forslag. – Venlig hilsen Hans Christian.

»Du har vel ikke tænkt dig at sige ja?« spurgte Ruth, da hun havde læst kortet.

»Hvorfor ikke?«

»Fordi han er en skiderik. Den måde, han har behandlet sin familie på, skriger til himlen.«

»Enig, men jeg er slet og ret nysgerrig, Ruth. Hvad fik ham til at gøre det? Hvis alt var så godt og så idyllisk, som Henrik lod mig forstå, så havde han aldrig gjort det. Der må være en grund, og jeg vil godt vide, hvad det er.«

»Okay da, hvis bare du lover ikke at falde for ham.«

Jeg lo. »Du kan være helt rolig. Det sker ikke. Ikke nu. Jeg ved ikke, om det er ham eller mig, der er blevet anderledes. Men du må indrømme, at han tager det pænt.«

»Tager hvad pænt?«

»At jeg på en måde har snydt ham for hans arv.«

»Hold da op, Bea! Du har ikke snydt nogen for noget. I øvrigt aner han sikkert ikke, at det er dig, der har arvet Henrik.«

»Tror du ikke, han har faet det at vide?«

»Af hvem?«

»Landsretten. Han har jo lige været til møde der, så han har vel fortalt ham det.«

»Nej, det da ved gud han ikke har! Hvorfor skulle han det? Han har bare forklaret Hans Christian om dødsformodningsdommen og om hans fars dispositioner, og selvfølgelig også at Henrik havde lavet testamente til anden side. *Landsretten* kunne ikke drømme om at fortælle ham, hvem arvingerne er. Det må han vel i øvrigt slet ikke. Og jeg vil bestemt fraråde dig at nævne det, for jeg tror ikke, han vil tage det pænt. Jeg er i hvert fald ret sikker på, at det vil spolere jeres middag.«

»Hvis jeg lover at holde mund og ikke falde for ham, er det så i orden?«

»Okay da. Men hold dig til hotellet. Og ikke noget med at gå ud i byen efter middagen. Så ender det med, at han følger dig hjem, og så ved vi jo godt, hvad der kan ske.«

»Nej, det ved jeg ikke. Hvad kan der ske? Fortæl, fortæl!«

»Selvfølgelig ved du det. Lige en enkelt drink oppe i din lejlighed og så videre og så videre.«

Jeg følte, at jeg blev lidt varm i kinderne og sendte hende et hurtigt blik. Hentydede hun til noget bestemt? Nej, det var umuligt. Nok er hun tankelæser, men alligevel, hun kunne umuligt vide noget.

»Du har en grim tankegang, Ruth,« sagde jeg let. »Og som du ved, er jeg ikke en af den slags piger.«

»Åh, hold kæft!« grinede hun.

Jeg gik fra kontoret belæsset med sagsmapper, så jeg kunne rekonstruere det forløbne år. Det var ikke et arbejde, jeg så frem til.

»Husk nu at ringe, når du går hen til Moster Herdis, og når du går derfra,« sagde Ruth, da vi skiltes. Jeg nikkede.

»Og så synes jeg, det ville være en god ide at fortælle Rade om politiets nye teori.«

»Hvad tror du, Winther vil synes om det?«

»Det kan du blæse højt og flot på. Det er dit liv, det handler om, og Rade fortæller ikke nogen noget. Det vil være betryggende at have et par ekstra øjne og ører i huset.«

»Jeg skal tænke over det,« lovede jeg, men jeg var ikke sikker på, at jeg ville gøre det. Rade ville bare blive urolig og pylre alt for meget om mig.

Jeg huskede at ringe til det specielle nummer, før jeg forlod min lejlighed ti minutter i syv. Jeg havde overvejet at cykle, men valgte til sidst at gå. Når man er klædt på til middag, er det ikke lige sagen at komme anstigende på cykel.

Moster Herdis havde dækket fint op i sit lille dukkehus og serverede en fortrinlig tre retters middag med diverse vine. Det er mig en gåde, hvordan hun bærer sig ad, når hun næsten ikke kan stavre rundt. Jeg syntes, hun var blevet endnu mindre og endnu tyndere siden sidst, men det var nok indbildning. Jeg har kun kendt hende som en lille, gammel dame, men Henrik har fortalt, at hun i sine velmagtsdage var en myndig, lidt bastant dame, en rigtig oversygeplejerske; men ikke skrap, bedyrede han altid, kun bestemt. Så jeg tænker, hun var skrap. Nu er hun derimod kun bestemt og faktisk utrolig godt selskab, selvom hun kunne være min bedstemor. Vi taler godt sammen, og vi kan både grine og græde i kor.

Det var uundgåeligt, at samtalen på et tidspunkt kom til at dreje sig om Henrik og Hans Christian. Jeg havde selvfølgelig spekuleret på, om Hans Christian havde opsøgt sin gamle moster, men det var åbenbart ikke tilfældet, så jeg var nødt til at holde tand for tunge. Jeg anede jo heller ikke, hvordan hun ville reagere, hvis hun fik at vide, at han var i live. Måske ville hun blive lige så fnysende vred som *Landsretten*. Hun var trods alt kun hans moster og ikke engang hans kødelige moster. Hans mor ville nok have tilgivet ham og taget mod ham med åbne arme. Sådan gør mødre – i hvert fald ifølge myten. Jeg hørte en historie om det, da jeg var barn. Jeg kan ikke huske detaljerne, kun handlingen i grove træk. Det er sådan en slags Faust historie om en ung mand, der møder djævlen eller en troldmand, vi kan kalde ham Mefisto, som lover ham alverdens rigdom, et stort palads, smukke kvinder og evig ungdom på én betingelse: Han skal ikke som Faust give sin sjæl, men bringe Mefisto et levende, bankende moderhjerte. Den unge mand lader sig friste, skærer hjertet ud af sin mors bryst og iler af sted med det bankende hjerte i sine hænder. I sit hastværk snubler han og falder, men holder godt fast på hjertet, og idet han rejser sig, spørger hjertet deltagende: »Slog du dig, min søn?«

Dengang syntes jeg, det var en frygtelig historie – det gør jeg faktisk endnu – men jeg tvivlede ikke et øjeblik på, at sådan var mødre. I dag kunne jeg godt forestille mig et moderhjerte, der ville sige: »Din tumpe, du kan sgu da heller aldrig gøre noget rigtigt! Du ligner akkurat din far.« Men jeg tror som sagt, at fru Gerner ville have hilst den fortabte søn velkommen.

»Det var sådan et par dejlige drenge,« sagde moster Herdis. »Og nu er de borte begge to, mens jeg gamle kone sidder her til ingen verdens nytte. Men de skulle nu aldrig have haft to. Jeg sagde til min søster, at de skulle passe på, men det mente hun jo ikke var nødvendigt.«

»Hvorfor skulle de ikke have haft to?«

»Fordi der blev gjort forskel. Alt for meget forskel. Det kunne man jo sige sig selv, ikke? Jeg kan da heller ikke sige mig fri. Henrik var min yndling, men jeg bestræbte mig på ikke at vise det.«

»Hvordan blev der gjort forskel?«

»Det er svært at komme med konkrete eksempler, men som udenforstående kunne man ikke undgå at bemærke det. Der var ingen tvivl om, hvem der var ønskebarnet. Jeg ved ikke, om drengene selv lagde mærke til det eller tænkte over det. Det håber jeg ikke, men det får vi jo aldrig at vide nu, og det er måske godt det samme.«

Jeg nikkede. Ja, det var måske godt det samme. Jeg begyndte at ane omridset til en forklaring på Hans Christians undertrykte vrede.

»Kunne man forestille sig, at Hans Christian forsvandt med vilje?«

»Hvad mener du?«

»At han bare ville gøre sig fri af alle bånd.«

»Nej, det er helt udelukket. Han elskede sin mor over alt på jorden.«

»Selv om hun gjorde forskel?«

»Eller måske netop derfor. Nej, den sorg ville han aldrig volde hende.«

Den grublede jeg lidt over. Netop derfor. Hvad mente hun med det? Var det noget med, at man slikker den hånd, der slår en? Det er der vist et gammelt ord, der siger.

»Men hvorfor diskutere det?« fortsatte moster Herdis. »Vi ved jo, at han er død.«

Jeg kunne ikke dy mig. »Men hvad nu hvis Hans Christian stadig er i live? Hvad nu hvis ...«

Hun afbrød mig. »Det er han ikke, Bea. Han er død, og det har jeg altid vidst. Jeg vidste det allerede, før vi fik meddelelsen fra udenrigsministeriet.«

Jeg stirrede vantro på hende. »Før I fik meddelelsen? Men det kan du da umuligt have gjort.«

»Jeg ved, det lyder mærkeligt, men det gjorde jeg. Det var, mens jeg endnu boede i min lille lejlighed på sygehuset. Jeg havde besøg af en meget god veninde, som jeg havde fulgtes med, lige siden vi var elever. Hun døde desværre kort efter. Kræft. Vi plejede at rejse sammen, det var lige da Tjæreborg-præsten var startet, og vi tilbragte det meste af vores fritid sammen. Vi gik i biografen næsten hver lørdag, når vi havde fri. Til eftermiddagsforestillingen. Det gjorde vi i årevis.«

Jeg smilede. Jeg kunne næsten ikke forestille mig moster Herdis som biografgænger. Eller som ung for den sags skyld.

»Hvad så I?«

»Mest cowboyfilm – man kaldte dem ikke westerns dengang – eller krigsfilm. Jeg kan stadig huske mange af titlerne. *De døde med støvlerne på, Kampen om det tunge vand,* den så vi to gange, og *Navarones kanoner,* den så vi også to gange. Men vi så selvfølgelig også alt muligt andet. *Borte med blæsten, Casablanca, Hvem ringer klokkerne for?,* men det var jo også en slags krigsfilm, og musicals. Jeg husker også en film, der hed *Sangen om Bernadette.* Den handlede om en ung katolsk pige, der havde mødt Jomfru Maria. Der sad en hel række nonner fra Karmelianer-klinikken foran os. Det er den eneste gang, jeg har set nonner i biografen. Det var meget besynderligt, men det var jo også en meget katolsk film.«

Vi var ved at komme lidt langt væk fra emnet.

»Men I sad altså i din lejlighed?«

»Ja, vi sad og spillede rommy, og jeg kan stadig huske, at jeg havde to jokere på bordet, da uret der pludselig slog ét eneste slag og gik i stå.« Moster Herdis nikkede hen mod uret, der hang på endevæggen. »Jeg får det altid renset og smurt en gang om året, og det var kun en måned siden, det havde været hos urmageren.«

»Du havde vel glemt at trække det op.«

Hun rystede på hovedet. »Det sagde min veninde også. Du har glemt at trække det op. Men det havde jeg ikke. Jeg vidste, at jeg havde trukket det op aftenen før, men jeg så alligevel efter. Det var næsten helt optrukket, og da jeg satte pendulet i gang, gik det igen, og der har aldrig siden været noget vrøvl med det. Jeg har ellers aldrig troet på varsler og den slags, men jeg vidste, at det betød, at der var sket noget med en, der stod mig nær. Jeg ringede til min søster, og der var ikke noget galt. Henrik sad og skrev stil og havde det fint, og så kunne det kun være Hans Christian. Vi var jo en lille familie. »Hans Christian er død,« sagde jeg til min veninde. Hun prøvede at slå det hen, men et par dage efter kom meddelelsen så.«

»Fortalte du det til andre?«

»Ja, til min søster. Da hun blev ved at påstå, at han var i live. Hun blev vred og nægtede at tro mig. 'Hvorfor skulle du få et varsel? Det er mig, der er hans mor.' Jeg tror, hun blev jaloux.«

Jeg skuttede mig. Hvis jeg ikke havde vidst, at Hans Christian var spillevende, ville historien have været meget overbevisende. Nu gættede jeg på, at hun havde skubbet til uret, da hun trak det op, så det var kommet til at hænge skævt eller sådan noget. En naturlig forklaring.

»Min veninde havde læst en artikel om en synsk norsk dame, så hende skrev jeg til nogen tid efter og spurgte, om hun kunne se, hvor Hans Christians lig var. Hun svarede tilbage, at hun kunne se hans lig i en underjordisk sø eller dam nær ved en høj klippe, som hun mente de lokale kaldte *Djævlens Finger.*«

»Djævlens Finger,« gentog jeg langsomt. For mange år siden havde jeg været på ferie i Mexico med min eksmand, og tæt ved en cenote, en underjordisk sø, havde vi set en sten, nærmest en stele, som de lokale kaldte *El Pito del Diablo*. Ikke djævlens *finger,* faktisk er det en helt anden legemsdel. Men det var i Yucatán, og så vidt jeg huskede, var Hans Christian forsvundet oppe nordpå, tæt ved grænsen til USA.

»Min svoger kontaktede det lokale mexicanske politi og bad dem lede der,« fortsatte moster Herdis. »De skrev tilbage, at der ikke fandtes underjordiske søer i det område, og at de aldrig havde hørt om *Djævlens Finger.*«

»Men du troede på hende den synske dame?«

Hun nikkede. »Ja, jeg troede på hende og på min egen oplevelse, og det gør jeg stadig. Så nu forstår du måske, hvorfor jeg altid har været fuldstændig overbevist om, at Hans Christian var død?«

Jeg nikkede. Det forstod jeg godt, og jeg håbede pludselig inderligt, at Hans Christian ikke havde tænkt sig at opsøge hende. Det ville ikke blive til glæde for nogen.

»Hvad troede hans mor, der var sket.«

»Åh,« nærmest vrissede moster Herdis. »Hun havde en fuldstændig barnagtig ide om, at han på en eller anden måde havde fået hukommelsestab, men at han før eller siden mirakuløst ville få hukommelsen igen og komme hjem. Det var latterligt.«

»Man tror nok det, man ønsker at tro,« sagde jeg uden at nævne, at jeg havde haft samme latterlige tanke.

»Det gør man måske, men enhver kan sige selv, at man ikke kan hutle sig igennem i et fremmed land med hukommelsestab. Der ville ikke være gået lang tid, før han var stødt på nogen, der kunne genkende det mærkelige sprog, han talte, og finde ud af, at han var dansk. Det må hun også have indset.«

Da det var ved at være på tide at bryde op, gik jeg på toilettet for at ringe til det specielle nummer. Det føltes ret idiotisk og illustrerede tydeligt, hvor ubekvem hele situationen var.

»Jeg går fra Hjælmerstald om cirka fem minutter,« sagde jeg.

Moster Herdis så spørgende på mig, da jeg kom ud. »Jeg syntes, du snakkede derude.«

Jeg smilede. »Jeg nynnede bare lidt. Det må være din gode vin!«

Da jeg gik, så jeg en politibil komme luskende henne fra hjørnet. Den fulgte mig i skridtgang hele vejen hjem. Det burde have virket beroligende, men jeg syntes snarere, det virkede foruroligende. De tog det åbenbart virkelig alvorligt. Først nu begyndte det at gå op for mig, at mit liv måske var i fare. Havde jeg været lidt for hurtig til at affærdige knægtene, der havde overfaldet Rade, som mulige gerningsmænd? Var det Irma la Douce, der var på spil? Eller var det en totalt ukendt, som af en eller anden grund, ægte eller indbildt, ønskede at komme mig til livs. Det var en tanke, som jeg ikke brød mig om at tænke til ende, så måske var det derfor, jeg sov uroligt, da jeg endelig faldt i søvn, hvis det da ikke var på grund af vinen. I hvert fald vågnede jeg efter et par timers søvn ved den samme underlige lyd, som havde vækket mig natten før, og denne gang gjorde den mig så bange, at jeg bogstaveligt talt kunne høre mit hjerte hamre, mens sveden stod ud af alle porer.

Det var midt om natten, mørket lukkede sig tæt om mig, jeg var mutters alene, og jeg vidste, at nogen stræbte mig efter livet.

Og nu var der en eller anden lige uden for min dør.

X

Lyden kom ude fra entredøren, det var jeg helt sikker på. Jeg stod op af sengen og listede derud på bare fødder, og nu kunne jeg høre den ganske tydeligt. Ethvert hus har sine egne specielle lyde, men det her var ikke en normal og fortrolig lyd. Det var en slags raspen, boren eller saven, som om nogen var ved at save eller bore et hul i døren. Et hul til hvad? Til en giftgaspatron? Til at hælde benzin ind igennem og sætte en tændstik til? Eller til at puste et dræbende hvidt pulver ind i lejligheden? Miltbrand? Alt var tænkeligt. Sidste gang havde morderen brugt en bombe, og ingen anede, hvilke andre små overraskelser han havde forberedt.

Der var bælgmørkt i lejligheden, og jeg turde ikke tænde lys, så jeg famlede mig vej i mørke. Det var nu, jeg havde brug for min overfaldsalarm, men den lå stadig i sit etui i min taske. Jeg syvfold idiot! Hvorfor havde jeg ikke taget situationen alvorligt? Hvis jeg stadig havde boet i USA, ville jeg havde fulgt de instrukser, jeg havde fået, men selv efter bomben og Henriks død var det åbenbart for svært for mig at indse, at den slags også kunne ske i Danmark. Winther ville slå mig ihjel, hvis jeg blev myrdet, tænkte jeg og var lige ved at fnise hysterisk. Jeg listede tilbage til soveværelset, skubbede døren til og fandt telefonen på væggen ved siden af min seng. Jeg kan heldigvis Rades nummer udenad. Det varede en evighed, måske et halvt minut, før han svarede.

»Rade,« hviskede jeg. »Jeg tror, der er nogen, der er ved at bryde ind i min lejlighed.«

»Jeg kommer, Bea.«

»Nej, Rade. Ring først til ...«

»Jeg er på vej.«

Han lagde røret på, før jeg kunne nå at protestere. Åh, gud! Hvad havde jeg nu rodet min gamle ven ind i? Jeg skulle selv have ringet til politiet først. Jeg havde selvfølgelig endnu ikke lært mit specielle nummer udenad, men jeg kunne bare have trykket 112. Mere idiot!

Rade troede, det bare drejede sig om at jage en ganske almindelig indbrudstyv på flugt. Jeg gik ud i mit minikøkken og tændte lyset. Nu var jeg ligeglad med, om fyren derude kunne se det og høre mig herinde. Jeg måtte finde et eller andet, jeg kunne bruge som våben, hvis han gik løs på Rade. Jeg turde ikke tage en kniv. Jeg risikerede, han tog den fra mig og brugte den imod os. Det endte med, at jeg tog min største stegepande. Støbejern. Et godt slagvåben. Jeg stillede mig ved entredøren med stegepanden hævet til slag.

Det er fantastisk, hvor mange modstridende følelser man kan rumme på én gang. Adrenalinen susede rundt i kroppen på mig og vakte alle mine aggressioner, så jeg var hidsig som en kamptyr, selvom jeg rystede af skræk, og samtidig følte jeg mig komplet latterlig over at stå der i natkjole med løftet stegepande som en rasende hustru, der hører sin forsvirede ægtemand på trappen.

Der gik igen en evighed, og jeg registrerede, at den borende, raspende lyd var holdt op. Havde fyren hørt Rade på trappen? Stod han på lur, parat til at springe på ham, når han nåede helt op. Ventetiden var uudholdelig. Jeg var fristet til bare at rive døren op og pande ham en, men måske havde han sneget sig ud på loftet. Jeg holdt vejret og lyttede og havde nær tabt panden af forskrækkelse, da dørklokken pludselig kimede.

»Bea!«

Det var Rades stemme. Jeg åbnede døren. Der var lys på trappegangen, og jeg kunne se, at Rade også havde tændt lys ude på loftet.

»Der er ingen, Bea,« sagde han, da han kom ind. »Ikke en sjæl. Jeg mødte ingen på trappen, og der er heller ingen sjæle på loftet.«

»Men der var en, Rade,« sagde jeg og kiggede på døren. Der var intet at se, ingen mærker, ingen huller. Jeg følte efter med fingerspidserne. Intet.

»Kan han have gemt sig i et af pulterkamrene?«

Der er et lille pulterkammer til hver lejlighed ude på loftet.

Rade rystede på hovedet. »Nej, jeg har set efter. De er alle sammen låst med hængelås. Og døren til bagtrappen er også låst. Med slå. Jeg ved det, jeg har selv gjort det.«

»Men der var en lyd. Som om nogen prøvede at bryde ind eller bore hul i døren.«

»Den dør?« han pegede på entredøren.

»Ja,« sagde jeg og følte mig temmelig dum. Jeg havde jo lige selv konstateret, at døren var urørt. Han så undersøgende på mig, som om han tvivlede på, at jeg var rigtig vel forvaret. Det var vist først i det øjeblik, det gik op for ham, at jeg nærmest stod i min bare særk.

»Du står og fryser,« sagde han. »Du ryster helt. Lad os komme ind. Du skal have noget varmt og beroligende. Har du lindete?«

»Nej, kun kamillete.«

»Det er også fint. Tag en trøje eller en slåbrok på, så laver jeg os en kop kamillete.«

Mit køkken er så lille, at der kun kan være én person derude, så da jeg havde taget min housecoat på, gik jeg ind og satte mig i sofaen efter først at have fundet alarmen i min taske, og et øjeblik efter kom Rade balancerende med to krus kamillete.

Han havde åbenbart haft tid til at tænke, mens han var alene i køkkenet.

»Du var meget bange, ja? Hvorfor var du så bange?«

Jeg havde også haft tid til at tænke. I værste fald kunne jeg have lokket Rade i en dødsfælde her i nat. Hvis der virkelig havde været nogen derude, kunne det være gået rivende galt, så jeg var simpelt hen nødt til at fortælle ham, hvad vi var oppe imod. Desuden kunne jeg godt opgive at narre ham. Han er følsom som en seismograf, registrerer alle éns følelser og stemninger og ved intuitivt, hvad der foregår, så jeg fortalte ham om adressesedlen og politiets nye teori.

»Du skulle have fortalt mig om det?« sagde han.

»Ja, det skulle jeg vist.«

»Hvad gør politiet?«

»Holder øje med mig,« sagde jeg. Jeg forklarede ham om det specielle nummer og viste ham alarmen.

»Hvorfor brugte du den ikke?«

»Den lå i min taske,« sagde jeg skyldbevidst.

Han rystede på hovedet ad mig. »Bea, Bea!«

»Der var jo heller ikke nogen,« sagde jeg undskyldende.

»Men det kunne du ikke vide. Og det er der måske næste gang. Du skal passe på dig selv.«

»Jeg håber ikke, der bliver en næste gang.«

»Først alarmen eller det specielle nummer og så mig, ja?«

Jeg nikkede.

Vi sad tavse lidt, og i det samme hørte jeg lyden igen.

»Hør!« udbrød jeg.

»Hva'?«

»Lyden. Den er der igen.«

Jeg gik hen og åbnede døren til entreen, og nu hørtes lyden tydeligt.

Rade lyttede lidt, så bredte et kæmpesmil sig på hans ansigt.

»Hvad er det, der er så sjovt?«

»Det var måske godt, du ikke brugte alarmen denne gang.«

»Hvorfor? Ved du, hvad det er?«

»Ja. Det er en mus.«

»En mus!« udbrød jeg vantro. »Nej, Rade, det tror jeg ikke på. Det er noget meget, meget større. En mus kan ikke lave sådan et spektakel.«

»Ok jo, sagtens.«

Jeg syntes stadig, det lød usandsynligt. Mus er småbitte dyr. De larmer ikke, og desuden hører de til på landet eller til nød i gårde og kældre.

»Jamen, en mus, Rade! Der kan da ikke være mus her midt i byen helt oppe på fjerde sal.«

»Der kan være mus i toppen af en skyskraber. Og vi har somme tider mus her i huset.«

»Hvor tror du, den er?« Jeg så mig uvilkårligt om. Jeg er ikke bange for mus, men jeg kunne ikke lide tanken om at få min lejlighed invaderet af dem.

»Den holder nok til i skunken.« Han nikkede over mod skråvæggen.

»Skunken?« Jeg så spørgende på ham. Jeg anede faktisk ikke, hvad en skunk var. Jeg troede, det var et dyr.

»Ja, rummet under skråvæggen. Mellem væggen og det nederste af taget. Hedder det ikke en skunk?«

Jeg kunne pludselig huske, at der var noget, vi kaldte skunkrummet i mormors hus.

»Jo, det er nok rigtigt. Hvad gør vi ved det?«

»Vi kigger på det i morgen. Der er en lem ind til skunken lige uden for din dør.«

Jeg vidste godt, der var en lem, men jeg havde aldrig tænkt nærmere over det. Jeg gik ud fra, at den førte ind til nogle rør eller ledninger.

»Skal vi lægge gift?«

»Nej, uha. Så dør de langsomt og ligger og rådner et eller andet sted derinde, så det kommer til at stinke i hele lejligheden i flere dage. Nej, jeg tager nogle fælder med op, så ved vi, hvor vi har dem.« Han rejste sig. »Nu går jeg ned til mig selv, Bea. Du må hellere låse efter mig, og husk så alarmen denne gang, ja?«

Mus! tænkte jeg hovedrystende, da jeg lidt efter sad på sengekanten og spændte alarmen fast om håndleddet. Det var da godt, den havde ligget i min taske. Det ville have været så pinligt, hvis politiet var kommet med blå blink og hylende sirener for at fange en mus.

Jeg tager næsten aldrig i svømmehallen i weekenden, for hvis man ikke kommer meget tidligt, er det umuligt at svømme for alle de arme og ben, der flyder rundt overalt i bassinet, så i weekenden ligger jeg og gasser mig i sengen helt til klokken otte. Så står jeg op og dasker rundt i nattøj, spiser et opulent morgenmåltid med både yoghurt, bacon og æg og læser avisen, før jeg går i bad og klæder mig på. Det er ren luksus.

Rade kender mine vaner, så klokken var blevet ti, før han ringede på døren. Jeg var trukket i en gammel sweatshirt og et par slidte cowboybukser, for jeg havde på fornemmelsen, at vores inspektion af skunken kunne vise sig at være en støvet affære. Det var det mildt sagt også. Jeg havde taget min lommelygte med, og da jeg lyste ind i skunken, fik jeg indtryk af, at alle husets lejere gennem tiderne havde brugt den som losseplads for alt muligt gammelt ragelse. Lasede gardiner, plasticposer fyldt med endnu flere plasticposer eller med kasseret tøj, gamle sko, malerbøtter og tapetruller nok til at tapetsere min lejlighed flere gange, i hvert fald hvis man medregnede dem, der på sælsom vis var blevet til enorme dynger af sammenpresset konfetti.

»Reder,« sagde Rade, da jeg pirkede til en af dyngerne.

»Er her også fugle?« spurgte jeg mystificeret. Men det ville overhovedet ikke undre mig. Når der var mus på fjerde sal, kunne der vel også være fugle. Spurve eller duer. De kan trods alt flyve.

Rade grinede. »Musereder.«

»Nåh ja,« sagde jeg og huskede musereden i *I en kælder sort som kul*.

»Se der,« fortsatte han og lyste på nogle små sorte korn. »Det er muselort.«

»Hvor lækkert!«

Han havde taget adskillige store sorte plasticsække med, som han bar ned, efterhånden som vi fyldte dem. Arbejdsfordelingen var, at jeg kravlede ind i skunken med lommelygten og langede tingene ud til ham. Nu skulle der gøres rent bord – eller ren skunk. Jeg havde en teori om, at hvis musene ikke havde noget at spise eller bygge rede af derinde, ville de være mindre fristet til at slå sig ned i min skunk.

Jeg havde troet, at der ville lugte klamt og muggent derinde, men luften virkede snarere tør og støvet og lugtede af mus og gammel mørtel. Jeg havde arbejdet mig et stykke ind i skunken, da jeg stødte på noget, der nærmest lignede en lille pakke svøbt i plastic. Den var tungere, end jeg havde ventet. Jeg kravlede ud og havde allerede smidt den i den ventende sæk, da en pludselig indskydelse fik mig til at tage den op igen for at kigge nærmere på den. Det var en eller anden hård genstand. Jeg fjernede det yderste stykke plastic, under det var genstanden omhyggeligt pakket ind i voksdug. Jeg pakkede forsigtigt voksdugen op. Jeg ved ikke, hvad jeg i grunden havde ventet at finde – en guldbarre måske. Det var det ikke – det var en pistol. Men den lignede ikke nogen pistol, jeg tidligere havde set. Måske havde den ligget der helt siden Anden Verdenskrig. Det var en temmelig stor pistol med skæfte af træ eller måske bakelit.

Jeg kunne høre, at Rade var på vej op. Jeg pakkede hurtigt pistolen ind i voksdugen igen og smuttede ind og lagde pakken under min hovedpude. Jeg ville ikke nævne pistolen, før jeg havde taget stilling til, hvad jeg skulle stille op med den. Egentlig skulle den vel afleveres til politiet, men det behøvede jo ikke at være her og nu. I første omgang ville jeg se efter, om der måske også gemte sig ammunition til den, så for mig blev den sidste del af oprydningen nærmest en slags skattejagt. »Det var det sidste,« sagde jeg lidt efter til Rade. »Jeg henter lige støvsugeren, så kan jeg støvsuge derinde, mens du går ned med det sidste.«

»Så meget behøver du nu ikke at gøre ud af det,« protesterede Rade.

»Jeg kan lige så godt gøre det ordentligt, nu jeg er i gang,« sagde jeg.

I lommelygtens svage lys havde jeg set en æske derinde, som kunne indeholde patroner, men jeg kunne ikke læse, hvad der stod på den. Så snart Rade var væk, dykkede jeg ind i skunken igen og fandt frem til æsken. Den var skuffende let. Jeg tog den med ud og åbnede den. Det var patroner. Men der var kun ni, og jeg vidste ikke engang, om de passede til pistolen, men det var da et kvalificeret gæt, så æsken endte under min hovedpude sammen med pistolen.

Jeg nåede lige at blive færdig med at støvsuge, før Rade kom tilbage.

»Så mangler vi kun fælderne,« sagde han.

Han gjorde fælderne klar og viste mig omhyggeligt, hvordan jeg skulle håndtere dem, når jeg anbragte dem inde i skunken, så jeg ikke kom til at udløse dem og klippe en finger af. Det lykkedes mig at anbringe de tre fælder på strategisk udvalgte steder med alle fingrene i behold. Bagefter delte vi den ensomme øl, jeg havde i køleskabet, for at skylle støvet ned, mens vi roste hinanden for vores fantastiske indsats.

»Men husk nu at se til fælderne to gange om dagen,« sagde Rade. »Døde mus begynder hurtigt at lugte.«

Det gør levende mus også, skulle jeg hilse og sige. Jeg kunne have sparet mig mit morgenbad, for nu trængte jeg i hvert fald til en grundig storvask. Jeg lugtede af mus, og mit tøj og mit hår var fyldt med støv og spindelvæv og sikkert også muselort. Hvis jeg blev studeret gennem et mikroskop, var det ikke godt at vide, hvilke kriblekrablende uhyrligheder man kunne finde.

Jeg proppede mit snavsede tøj i en plasticpose, en mellemstation på vej til en af de sorte sække. Nu var der en god anledning til at få det smidt væk. Jeg brusede og vaskede hår, så trak jeg i min morgenkåbe, svøbte et håndklæde om hovedet, fandt pakken og ammunitionen under min hovedpude og satte mig ind i stuen for at studere mit fund nærmere. Jeg vendte og drejede pistolen. Jeg blev mere og mere overbevist om, at den stammede fra besættelsen. Der var fire hak i træskæftet. En for hver træffer? Fire døde tyskere? Fire døde danskere? Det ville jeg aldrig få at vide. Der var ikke andre mærker. Ikke noget fabrikat. Kunne den være hjemmelavet? Mon den nogen sinde havde duet? Og mon den duede endnu?

Min dørtelefon ringede. Det var Rade.

»Hej, Bea. Jeg har lige lukket Mogens ind. Han er på vej op nu. Er det i orden?«

»Ja,« sagde jeg, selvom det bestemt ikke var i orden. Jeg styrtede ind i stuen igen, rullede hurtigt pistolen ind i voksdugen og lagde atter både den og æsken med patroner til hvile under min hovedpude.

Mogens må have taget to trin ad gangen, for han ringede på omtrent samtidig med, at jeg lukkede døren til soveværelset. Jeg kastede et hurtigt blik på bordet for at se, om der lå noget afslørende.

»Hej, Bea, det er Mogens,« råbte han.

»Kommer!« råbte jeg tilbage og pustede lidt støv væk fra bordet, før jeg gik ud og lukkede op.

Han så forbavset på mig. »Nådadada! Der er nok en, der har sovet længe i dag.«

»Ja, en gang imellem skal jeg jo have min skønhedssøvn.«

»Det har du da slet ikke brug for,« sagde han, og nu var det min tur til at blive forbavset. Normalt ville han have sagt, at så måtte jeg hellere tage et par timer mere eller noget i den retning. Vores tone plejer at være »rå, men hjertelig«.

»Faktisk har jeg været oppe siden klokken otte,« forklarede jeg lidt forfjamsket. »Men jeg var nødt til at tage et bad igen, for Rade og jeg har lige gjort rent i skunken. Fortalte han ikke det?«

»I skunken?«

»Ja, du ved det hulrum, der er mellem ...«

Han grinede. »Jeg ved sgu godt, hvad en skunk er, men hvorfor i alverden skulle den gøres ren? Det gør man da ikke.«

»Der var mus.«

»Ja, det kan du bilde mig ind. Det er museår i år.«

Museår! Det havde jeg aldrig hørt om før. Det lød ret kinesisk.

»Og der lå alt muligt gammelt ragelse derinde, som vi smed ud,« fortsatte jeg og sendte pistolen under min hovedpude en skyldbevidst tanke.

»Nå, så det er forklaringen på de sorte sække, Rade var i gang med at smide i containeren. Jeg var bange for, at han havde parteret en af lejerne.«

»Det kunne han ikke nænne. Vi er så nemme alle sammen. Vil du have en kop kaffe eller ...?«

Jeg skulle lige til at sige en øl, men kom i tanker om, at Rade og jeg lige havde drukket den eneste, jeg havde.

»Eller hvad?«

»Et glas vand.«

Han grinede.

»Jeg har også te.«

»Kaffe er fint.«

Jeg gik ud i køkkenet for at lave kaffe, og Mogens stillede sig op i døråbningen.

»Men jeg kom egentlig bare for at høre, om du havde fundet det foto, du ved.«

Han var fuld af løgn.

»Du har snakket med Ruth, ikke?«

»Jo,« indrømmede han. »Hun ringede i aftes. Men jeg havde allerede hørt det fra Winther. Jeg er bange for, at hun har ret, Bea. Er du ikke kommet i tanker om noget?«

Kaffemaskinen gurglede, da de sidste dråber løb ned. Den trængte til at blive afkalket.

Jeg rystede på hovedet. »Nej, men jeg har heller ikke haft tid til at kigge på noget endnu. Jeg var til middag hos moster Herdis i aftes.«

»Ja, det ved jeg.«

Det var lidt uhyggeligt, at jeg sådan blev kontrolleret i alle ender og kanter.

»Der er selvfølgelig Øma la Douce,« sagde jeg. »Jeg vil tjekke hende, men jeg tror ærlig talt, at vi godt kan se bort fra hende.«

Han nikkede. »Det tror jeg også. Selvom vi forudsætter, at hun allerede har myrdet én gang, så er en brevbombe nok ikke lige hende. Det er alt for indviklet. En fiks lille ulykke er sikkert mere hendes stil.«

»Yes, enkelt og nydeligt,« sagde jeg, idet jeg satte krus og kaffekande på en bakke og gik i forvejen ind i stuen.

»Mine mapper ligger der,« sagde jeg og nikkede hen mod enden af sofaen. »Det kan selvfølgelig tænkes, at der dukker noget op, når jeg får kigget i dem, men jeg tror nu ikke meget på det.«

»Hvad med det foto af pigen? Er det også der, hvis det stadig eksisterer?«

»Nej, for der blev ikke skrevet en rigtig rapport. Hvis jeg overhovedet har de fotos endnu, ligger de inde i mit skab i soveværelset.«

»Gider du kigge efter?«

»Nu?«

»Nej, nej, det behøves ikke. Jeg kan komme igen sidst på eftermiddagen.«

»Nej, lad os bare gøre det nu,« sagde jeg og rejste mig.

Jeg bruger et af overskabene i mit soveværelse til at opbevare alle mulige papirer, som jeg ikke har plads til andre steder.

Kontoudtog fra banken, PBS og diverse attester hører hjemme i reolen i stuen, mens selvangivelser, kvitteringer, gamle breve og postkort og i det hele taget alt det, jeg ikke lige har brug for, ender i overskabet.

Mogens fulgte efter mig ind i soveværelset. Jeg skævede til ham, da han så sig om derinde. Jeg havde på fornemmelsen, at han kune pistolen gennem både sengetæppe, dyne og hovedpude, og dte mig at åbne overskabet.

»Hvis det findes, findes det her,« sagde jeg og lød som en reklame for de gule sider. »Jeg henter lige en taburet.«

Jeg er høj, men ikke høj nok til at kunne se ind i overskabene. Normalt står jeg bare på tæer, rækker armene op og roder i blinde efter det, jeg skal have fat i, men jeg syntes, det ville virke for uorganiseret.

»Hvis du kan sige, hvad jeg skal se efter, kan jeg tage det til dig,« tilbød Mogens, men selv han måtte strække sig for at kigge ind i skabet.

»Jeg er næsten sikker på, at det er i en af de røde mapper. De ligger nederst.«

Jeg har et system, sådan at de papirer, jeg har brug for en gang imellem, ligger i grønne mapper, dem jeg sjældent bruger er i gule, og dem, jeg egentlig aldrig forventer at få brug for, ligger i røde. Den forsvundne pige måtte være i en af de røde – hvis jeg i det hele taget havde gemt papirerne og hendes fotos.

Mogens tog de røde mapper ud af skabet. Der var kun tre.

»Hold da kæft!« sagde han. »Har du altid sådan en orden i dine ting?«

»Ja,« sagde jeg. »Det er jeg nødt til, når jeg har så lidt plads. Det er næsten som at bo i en campingvogn.«

Mogens rystede på hovedet. »Nej, du må have et ordensgen. Jeg føler somme tider, at jeg bor i min bil, men den ser sgu ud, som om der har boet en hel familie i den i flere år.«

Jeg fandt sagen i nummer to mappe. Der var kun en udskrift af den oprindelige mail fra Henrik, en mail fra vores kontaktmand i Oslo og et par fotos. De var i farver og på rigtigt fotopapir, så de var ret gode. Om de også lignede, anede jeg ikke. Jeg havde jo aldrig set pigen i virkeligheden.

Hun så sød ud på billedet. Store blå øjne, fyldige læber, lyst hår og runde kinder. Hun lignede en kærnesund malkepige fra en dansk folkekomedie. Det var næsten umuligt at forestille sig, at hun kunne være endt som ormeføde i et hul i jorden. Jeg rakte det ene foto videre til Mogens.

»Tror du, det kan være hende?« spurgte jeg og håbede, han ville sige nej. Det gjorde han ikke.

»Højde, hårfarve og øjenfarve passer i hvert fald på vores navnløse pige.«

»Men derfor behøver det ikke at være hende.«

»Nej. Må jeg se, hvad Henrik skrev?«

»Ja, her.«

Han løb det hurtigt igennem.

»Hvad kan I bruge det til?« spurgte jeg.

»Nu har vi et navn, et foto og et signalement, så det næste bliver at henvende os til de lettiske myndigheder og høre, om hun er meldt savnet, eller om de kan give os nogle oplysninger om hende. Elena Pavlovna. Det lyder russisk, men hun er åbenbart fra Letland. Der er en masse russere i Letland. Hun er måske anden eller tredje generation. De har det ikke så nemt derovre, så hun har nok søgt lykken her, og for hende var det altså bad luck. Arme pigebarn.«

»Hvis det altså er hende. Hvad nu hvis det ikke er?«

»Fotoet og hendes navn giver os lidt flere muligheder. Også selvom det ikke er vores navnløse pige. Du ved vel ikke, hvem det var, der henvendte sig til Henrik? Det står ikke her.«

»Nej, for det havde jeg ikke brug for at vide. Henrik gav mig bare hovedpunkterne, da jeg kom hjem. Så vidt jeg forstod, var det en ung fyr, der var blevet kæreste med hende. Jeg tror faktisk, at han havde været kunde hos hende, det var vist sådan, det begyndte. Jeg har en svag ide om, at han var studerende eller sådan noget, men jeg er ikke sikker. Han havde i hvert fald ikke ret mange penge. Da han hørte, hvor meget det kostede, sagde han, at så måtte han hellere selv tage op og lede efter hende, men det frarådede Henrik. Om han så også lovede ham, at han ville se, hvad vi kunne gøre, ved jeg ikke, men det kunne ligne ham. Jeg ved heller ikke, om fyren alligevel selv tog derop. Vi hørte jo aldrig fra ham mere. Så mit gæt er, at pigen simpelt hen dukkede op igen, og at de nu lever i lykkelig tosomhed.«

»Har du et navn?«

»På ham? Nej.« Jeg rystede på hovedet. »Det er muligt, at Henrik har nævnt det, men jeg kan ikke huske det. Morten måske – eller Martin. Der stod m r i kalenderen.« Jeg behøvede ikke at forklare ens systemet med initialerne. »Men hvis I offentliggør det her foto, er det vel meget sandsynligt, at han selv henvender sig til jer, og så ved I i det mindste, om det er hende, og om hun er dukket op igen, eller om hun stadig er forsvundet.«

Mogens stod et stykke tid og studerede fotoet. »Elena,« sagde han så. »Jeg er sikker på, at Elena er vores pige. Spørg mig ikke hvorfor. Jeg kan bare fornemme det.«

Der gik en gysen igennem mig. Han lød så sikker.

Mogens lagde mapperne op på plads igen og lukkede lågen, før vi gik ud af soveværelset. »Hvorfor havde du i grunden gemt det?« spurgte han.

Jeg trak på skuldrene. »Jeg ved det ikke. Faktisk troede jeg, jeg havde smidt det ud. Hvorfor gemmer man noget og smider andet væk? Det er et rent tilfælde, at jeg havde det endnu.«

Han nikkede. »Og jeg tror på tilfældet, ved du. Jeg tror på tilfældets lov.«

Jeg så på ham. »Ved du hvad? Det gør jeg vist i virkeligheden også.«

Han åbnede entredøren. »Nå, jeg må hellere komme ned på stationen og få sat noget i gang,« sagde han. Han tøvede lidt. »Æh, jeg tænkte på, om du havde lyst til at gå med ud at spise i aften?« Og gudhjælpemig om ikke han rødmede.

»Det ville jeg utroligt gerne,« sagde jeg. »Men jeg kan ikke i aften. Jeg skal ud med en bekendt.«

»En man kender?« spurgte han henkastet.

»Nej, slet ikke.«

»Det er måske en ny kæreste?«

»Du godeste, nej,« lo jeg. »Det er det i hvert fald ikke.«

»Godt,« sagde han. Hvad han så mente med det.

»Men jeg vil gerne have den middag til gode, Mogens,« sagde jeg og følte – gudhjælpemig endnu en gang – at jeg selv rødmede. Det måtte være smitsomt.

»Fint. Så siger vi det. Og tak for det her.« Han slog sig på lommen med papirerne. »Nu tror jeg endelig, der kommer skred i det. Ciao!«

Jeg lukkede døren efter ham og gik eftertænksomt ind i stuen. Hvad fanden var der egentlig foregået her?

XI

Om aftenen var vejret så elendigt, så jeg besluttede at tage en taxa til hotellet. Da jeg havde bestilt den, ringede jeg til det specielle nummer.

»Jeg spiser middag med en bekendt på Hotel Hvide Hus i aften. Der kommer en taxa efter mig om fem minutter.«

»Forstået. Hvad er navnet på din bekendt?«

For pokker da også! Nu slap katten alligevel ud af sækken.

»Hans Christian Gerner.«

»Hans Christian Gerner. Ja, er noteret.«

Jeg trak vejret lettet. Navnet sagde ham åbenbart ikke noget.

»Jeg tager også en taxa hjem.«

»Ja, men ring, før du kører.«

»Javel,« sagde jeg lydigt.

Hans Christian ventede på mig i lobbyen. Han rejste sig, så snart han så mig, og kom hen og gav mig begge hænder. »Dejligt at se dig, Bea. Du ser fantastisk ud.« Han sendte mig et smil, som ville have gjort mig svag i knæene for 17 år siden, og jeg følte et lille stik i hjertet ved pludselig at genfinde den gamle Hans Christian, men så huskede jeg på al den hjertesorg, han havde været skyld i, og mit eget smil blev lidt forbeholdent. »Jeg må godt kalde dig Bea, ikke?« fortsatte han.

»Jo, selvfølgelig,« sagde jeg, idet jeg trak hænderne til mig. »Og tak for invitationen.«

»Det er mig, der takker. Jeg er glad for, at du kunne og ville. Jeg har bestilt bord til klokken 19, men vi kan godt tage en drink i baren først, hvis du har lyst til det?«

»Nej tak,« sagde jeg høfligt.

Tjeneren kom med spisekortet, så snart vi havde sat os. Det var jeg glad for, så kunne vi i det mindste småsnakke om menuen. Jeg endte med at vælge kammuslinger med tomat, fasanbryst med calvadossauce og panna cotta med lun bærkompot. Hans Christian valgte det samme som mig til forret og hovedret, men tog ost i stedet for dessert. Jeg kan godt lide ost, men jeg synes, det er for nemt, jeg kan jo sagtens selv købe gode oste; desuden har jeg en sød tand, så når jeg er ude, vælger jeg altid dessert. Helst en af de mere tricky, som man ikke orker selv at gå i kast med.

Jeg overlod til Hans Christian at bestille vin. Jeg mister helt lysten til vin på restaurant, hvis jeg ser priserne.

»Skål,« sagde Hans Christian, da tjeneren havde fjernet sig efter at have skænket et glas kølig hvidvin op af en dugget flaske. »Jeg er glad for, at du ville komme. Forstår du, det føles lidt, jeg ved ikke, hvordan jeg skal forklare det, lidt tomt, at jeg ikke ved spor om Henriks voksne liv. Jeg kunne faktisk vældig godt lide min lillebror.«

Det var helt mærkeligt at høre ham sige *min lillebror.* Det var, som om han først nu vedkendte sig familieskabet.

»Det kunne vi alle sammen,« sagde jeg. »For os føles det tomt, at han ikke er der.«

Jeg kunne mærke gråden stige op i halsen og skyndte mig at tage en slurk vin.

»Det var nogle mærkelige salmer, ikke?« sagde han. »Til bisættelsen mener jeg.«

»Synes du?«

»Ja. *Blomstre som en rosengård* er da ikke en begravelsessalme, er det?«

»Jeg tror ikke, man går så højt op i, om det er deciderede begravelsessalmer. Ikke mere. Henrik havde selv valgt de salmer, vi sang. Og jeg er ret sikker på, at *Blomstre som en rosengård* var en lille hilsen til din mor. Din adoptivmor,« rettede jeg hurtigt.

»Hvordan det?«

»Hun havde jo i sin tid den der vidunderlige rosenhave, ikke?«

»Nåh derfor. Ja, det kan da godt være.«

»Jeg har hørt meget om den, men jeg nåede aldrig at se den i fuldt flor.«

»Hvorfor ikke?«

»Din adoptivmor opgav den faktisk, da du var forsvundet.« Jeg følte, at jeg sankede gloende kul på hans hoved, så jeg skyndte mig at tilføje. »Og *Altid frejdig* var nok nærmest en hilsen til hans far. Jeres far mener jeg. Altså din adoptivfar.«

Det lød ret rodet, men han lod, som om han ikke bemærkede det.

»Hvorfor tror du det?«

»Fordi jeg har hørt, at han som meget ung mand, næsten kun en dreng, var med i modstandsbevægelsen og blev taget af Gestapo. Han talte aldrig selv om det, men Henrik fortalte mig, at han var en af dem, de tog under behandling på Højskolehjemmet. Ret voldsomt endda. Fingrene i skruestikker, afrevne negle og så videre. Men det ved du selvfølgelig alt om.«

»Nej, egentlig ikke. Som du selv siger, var det ikke noget, han talte om. Og han interesserer mig ikke, jeg vil hellere snakke om Henrik. Hvad har han gået og lavet i alle de år?«

»Han søgte ind til militæret efter studentereksamen, kom på officersskole og blev officer af reserven samme år, som han blev gift.«

»Hold da kæft, har han været gift?« Han grinede lidt. »Det virker helt skørt, for jeg ser ham jo for mig som en knægt på 17.«

»Han var faktisk også meget ung, kun 22 år, da han blev gift med en pige fra vores gymnasieklasse, men det holdt ikke ret længe. De var *for* unge. Efter militæret søgte han ind til politiet, men efter nogle års forløb fandt han ud af, at det alligevel ikke var ham og flyttede tilbage hertil og købte sig ind i NSC. Ruth, som du har mødt, ejede det dengang, og hun er stadig medejer. Hun og hendes mand havde startet bureauet nogle år tidligere, og hun var lige blevet enke. Dengang hed det Nordjysk Detektivbureau.« Jeg smilede skævt. Jeg havde altid syntes, det var et lidt komisk navn, og Nordjysk Security Consult var om muligt endnu værre.

»Hvordan var han, min bror? Officer og politimand. Det lyder ret krigerisk. Sådan husker jeg ham ikke.«

Det undrede mig, for allerede i 1.g havde Henrik fortalt, at han

havde drømt at blive officer. Måske havde de to brødres for-
kke været helt så tæt, som Henrik havde givet udtryk for.

Jeg smilede. »Det var han bestemt heller ikke. Det var efterretningstjenesten, han var interesseret i, og det ligger jo ikke så langt fra det, han kom til at beskæftige sig med, vel? Jeg tror ikke, du ville have syntes, at han havde forandret sig særlig meget. Vi gik, som du ved, i samme klasse i gymnasiet, ja, vi var faktisk kærester i næsten et år dengang, og da jeg traf ham igen for fire år siden, syntes jeg egentlig, han lignede sig selv. Han var blevet ældre, selvfølgelig, men ellers var han den samme.«

»Jeg troede, at I stadig var kærester. Jeg mener, da han ... da det skete.«

Gad vide, hvor han havde den ide fra?

»Nej,« sagde jeg. »Det var vi ikke.« Jeg fandt ingen grund til at fortælle ham, at vi faktisk havde været det indtil for nogle måneder siden. »Men Henrik tilbød mig et job hos NSC, da vi mødtes igen.«

»Hvordan går det i øvrigt med opklaringen. Har politiet fundet ud af noget?«

»Ikke så vidt jeg ved.«

»Tror du, det kan have noget med hans arbejde at gøre?«

Jeg rystede på hovedet. »Det er meget usandsynligt. Det er jo ikke den slags sager, vi har med at gøre.«

»Næh, det er det vel ikke. Du sagde, at Henrik tilbød dig et job, da I mødtes igen. Vil det sige, at du ikke har boet her i byen hele tiden?«

Jeg lo. »Næh, jeg havde det åbenbart som dig. Jeg ville se lidt af verden først, så jeg tog til USA som au pair og endte med at blive derovre i 12 år.«

»Aha, må jeg gætte? Det var en mand.«

»Ja, utrolig banalt, ikke? Vi blev gift, da jeg var 20, og skilt, da jeg var 27.«

»Hvor boede du?«

»Philadelphia. Kender du den?«

»Jeg har kun været der på forretningsrejse et par gange. Dødkedelig by.«

»Det synes jeg nu ikke. Jeg kunne godt lide den.«

»Det er nok noget andet at bo der,« sagde han forsonligt. »Børn?«

»Nej, heldigvis.« Jeg havde ikke lyst til at fortælle om mit miserable ægteskab og min endnu mere miserable skilsmisse. »Hvad med dig? Er du gift?«

»Har været. Vi var kun gift i to år, så døde hun, og du behøver ikke at kondolere, det er ti år siden. Og vi havde heller ingen børn. Men du rejste altså hjem til Danmark igen, da du blev skilt?«

»Nej, jeg blev i Philadelphia. Jeg åbnede en lille butik, du ved, med brugskunst, skandinavisk design, sammen med en svensk veninde, og det gik fint. Jeg rejste hjem, fordi min søster Allie blev syg. Hun fik brystkræft for anden gang, og hun havde tre små børn. De to yngste er tvillinger. Det blev opdaget kort efter deres fødsel. Så jeg tog hjem for at være hos hende. Bare til hun blev rask, forestillede jeg mig; men det blev hun ikke. Hun døde, og jeg vidste ikke rigtigt, hvad jeg ville, så da Henrik tilbød mig et job, blev jeg altså hængende.«

»Og det har du aldrig fortrudt?«

»Jo, masser af gange. Faktisk så sent som nu her, da Henrik døde. Men også før. Det var sværere, end jeg havde troet at falde til igen. Danmark svarede ikke helt til de forestillinger, jeg havde. Man idylliserer nok sit hjemland lidt, når man er i udlandet. Selv sproget føltes fremmed for mig. Det havde forandret sig meget i de 12 år, jeg var væk, det må du også have lagt mærke til. Jeg færdes stadig ikke helt hjemmevant i det danske. Allies ældste datter, hun er 11 år nu, siger tit, at jeg taler »sjovt«. Gammeldags, mener hun. Det er lidt, som når man finder en ældgammel kjole i skabet og tror, den er moderne igen, men når man prøver den, kan man godt se, at den virker lidt off key, ikke?«

Han smilede. »Aner det ikke. Jeg går så sjældent i kjole. Hed din søster virkelig Allie?«

»Nej, det var et kælenavn. Hun hed Aleta. Ligesom hende i Prins Valiant, tegneserien, du ved. Dronningen af Tågeøerne, Prins Valiants kone.«

Han rystede på hovedet. »Jeg aner ikke, hvad du taler om. Jeg har aldrig læst tegneserier.«

Jeg var efterhånden blevet vant til, at folk ikke anede, hvem Prins Valiant og Aleta var. Engang troede jeg, det var noget, alle vidste. Det var min fars yndlingsserie.

Vi var blevet færdige med forretten, tjeneren fjernede vores tallerkener og kom med en flaske rødvin. Han og Hans Christian gennemgik det sædvanlige ritual. Kigge, lugte, smage og nikke anerkendende. Vi havde kun fået et enkelt glas hver af hvidvinen, men Hans Christian kunne vel tage resten med op på værelset.

»Undskyld, jeg siger det,« sagde han, da vi igen var alene. »Men jeg synes ærlig talt ikke, det var særlig smart af dig at rejse hjem.«

Jeg så forbavset på ham. Forstod han det virkelig ikke?

»Min søster var syg, så det handlede ikke om at være smart eller ikke smart, det handlede om at være der. Jeg elskede hende. Hun var min søster, men hun havde næsten været som en mor for mig, selv om hun kun var seks år ældre.«

»Og så opgav du bare din forretning. Det er sgu da dybt godnat.«

»Nej, selvfølgelig gjorde jeg ikke. Ikke i første omgang i hvert fald. Min veninde passede den.«

»Du er godt tosset, hun kunne snyde dig, så vandet drev.«

»Det ville hun aldrig gøre.«

Han sendte mig et skeptisk blik. »Aldrig?«

»Aldrig! Vi havde arbejdet sammen. Vi vidste, vi kunne stole på hinanden.«

»Man skal sgu aldrig stole på nogen, når der er penge med i spillet. Det er for naivt.«

»Så er jeg naiv,« sagde jeg lidt irriteret. »Hellere det end ikke turde stole på nogen. Og jeg blev ikke snydt.«

»Good for you. Men jeg ville aldrig have gjort det, hvis jeg var i dit sted,« sagde han.

»Det var min søster,« gentog jeg. »Min eneste familie.«

»Den hellige almindelige familie,« sagde han sarkastisk. »Det er kvalmende sentimentalt.«

»Henrik ville have gjort det samme for dig.«

»Det tvivler jeg meget på.«

»Jeg er til gengæld helt overbevist om det. Ved du, at du var Henriks *hellige gral?*«

Han så uforstående på mig. »Hans hellige gral. Hvad fanden betyder det?«

»Det kaldte han det,« sagde jeg. »Du var hans livs opgave. Han ville bruge sit liv på at finde dig – død eller levende.« Det lød lidt for dramatisk. Jeg gjorde en lille pause. »Og jeg tror, han havde fundet ud af, at du var i live.«

Det rystede ham åbenbart. Han satte sit glas så hårdt ned på bordet, at et par dråber sprøjtede ovenud.

»Hvad mener du med det?«

Nu havde han igen glas i øjnene, og stemmen var hård. Det var ikke helt den reaktion, jeg havde ventet, men på en måde forstod jeg ham godt.

»Det jeg siger. Jeg tror, han havde fundet ud af, at du var i live. Måske vidste han endda, hvor du var. Jeg kan godt forstå, at det ryster dig og tilmed gør dig vred. Det må være frustrerende at få at vide, at hvis ikke en eller anden idiot havde slået ham ihjel, ville I måske have mødt hinanden.«

Han duppede vinstænkene væk med sin serviet og lod til at samle sig lidt, da tjeneren kom med vores hovedretter og afleverede det obligatoriske gourmetforedrag. Fasanbrystet så lækkert ud, så jeg besluttede at nyde måltidet.

»Undskyld, men det kom lidt bag på mig,« sagde Hans Christian, da tjeneren igen havde trukket sig tilbage. »Jeg anede ikke, at han ligefrem ledte efter mig.«

»Er det så mærkeligt? I var jo så nært knyttet til hinanden og havde haft sådan en dejlig barndom sammen, ikke?«

»Hvem siger det?«

»Henrik selvfølgelig. Han snakkede altid om sit pragtfulde barndomshjem. Jeg var faktisk lidt misundelig på jer. Mine egne forældre boede i udlandet det meste af min barndom, så det var noget helt andet. I var den ideelle familie.«

»In his dreams!« vrængede Hans Christian.

»Hvad mener du? Var I da ikke det?«

»Det syntes han måske, men det var ikke ligefrem sådan, jeg opfattede det.«

»Hvorfor ikke?«

»Det kan vel ikke være så svært at forstå. Jeg var adopteret, som du ved, og jeg blev sikkert forkælet de første tre-fire år, men så fik de Henrik. Deres eget hjemmelavede biologiske barn, og så kan du nok gætte dig til resten.«

»Nej,« sagde jeg. Jeg ville have ham til at fortælle, hvordan han havde oplevet det.

»Pludselig drejede alt sig om ham.«

»Ja, det er klart. Men det har da ikke noget at gøre med, at du var adopteret. Han var spæd og krævede sin mors fulde opmærksomhed. Han skulle ammes og pusles og alt det der, men det oplever alle børn, der får en lillebror eller søster, og mange af dem bliver jaloux.«

»Åh, gider du lige! Han blev jo ikke ved med at være spæd, vel? Men der blev stadig gjort forskel. Det var tydeligt, hvem der var ønskebarnet, ikke?«

Det var præcis de samme ord, moster Herdis havde brugt.

»Din moster nævnte det godt nok,« sagde jeg.

»Min moster?«

»Ja, moster Herdis.«

»Nåh ja. Hende glemmer jeg hele tiden. Men der ser du. Og det blev værre og værre, jo ældre vi blev. Det var Henrik mig her og Henrik mig der. Jeg følte mig som en outsider, en gøgeunge. Jeg skulle bare være taknemlig for, at de engang havde adopteret mig og givet mig et godt hjem. Vorherre bevares!«

»Var du jaloux på Henrik?«

»Det var jeg vel, især da vi var børn, men vi kom ellers godt ud af det sammen. Jeg kunne som sagt godt lide ham, han var en flink bror, og det var jo ikke hans skyld, at mine adoptivforældre foretrak ham.«

»Han holdt meget af dig. Du var hans fantastiske storebror, der kunne alt. Han så virkelig op til dig. Du var hans idol.«

»Det havde han åbenbart glemt, da han skrev testamente. Jeg var jo til møde hos ham den gamle grib i går, og der var ikke en krone. Henrik havde sgu skrevet testamente og testamenteret alt til anden side.«

»Ja, selvfølgelig havde han skrevet testamente. Ellers havde moster Herdis arvet det hele, og hvis hun døde før ham, hvad der var mest sandsynligt, ville staten lægge sin klamme hånd på det. Husk på, at han troede, du var død.«

»Det var nu heller ikke, fordi jeg regnede med noget som helst. Jeg vidste, at min adoptivfar på en eller anden måde ville sørge for, at jeg ikke fik noget.«

»Nu er du sgu urimelig,« udbrød jeg irriteret. Fyren havde selv ønsket at blive en libero, og nu sad han der og følte sig uretfærdigt behandlet. »*Han* troede, *de* troede, *alle* troede, du var død. Det havde du selv ladet dem tro.«

»Gu' havde jeg da ej.«

»Så ved jeg ikke, hvad du kalder det? Du forsvinder og bliver væk i 17 år uden at give det mindste livstegn. Selv uden din kammerats forklaring ville de selvfølgelig have troet, du var død. Og jeg må indrømme, at jeg simpelt hen ikke fatter, du kunne gøre det. Mod dine adoptivforældre, mod din bror. Moster Herdis siger, at du tilbad din mor. Hvordan ...«

Han afbrød mig. »Sludder! Jeg tilbad ikke nogen af dem. Moster Herdis er en senil gammel kone. Hun fattede ikke en skid.«

»Hun er ikke senil nu, og hun var det slet ikke for 17 år siden,« indvendte jeg.

»Så siger vi det, men hun lod sig narre. Det gjorde de alle tre. Fred være med dem. Jeg gider ikke diskutere det med dig. Du forstår det alligevel ikke.«

»Hvad forstår jeg ikke?«

»At når et barn er udsat for svigt eller oplever uretfærdighed, så fylder det så utrolig meget. Voksne kan bare ryste det af sig og komme videre, det kan et barn ikke. Det er for stort, og derfor bliver det siddende resten af livet. Men det forstår andre ikke. Det forstår du ikke.«

»Nej,« indrømmede jeg. »Det gør jeg ikke. Har du i øvrigt tænkt dig at opsøge moster Herdis?«

Han rystede på hovedet. »Nej, i hvert fald ikke. For hende er jeg død, og det har jeg det fint med.«

Det havde hun sikkert også, tænkte jeg lettet.

Fasanbrystet levede helt op til forventningerne, men jeg havde mistet appetitten og fortrød, at jeg havde bestilt dessert.

»Hvordan ved du, at Henrik havde fundet ud af, at jeg ikke var død? Fortalte han dig det?«

»Nej, jeg sagde jo, at jeg *tror,* han havde fundet ud af det. Han virkede på en eller anden måde lidt opstemt, lettet, glad. Det er svært at forklare. Som man har det, når noget er lykkedes for én. Nu bagefter kan jeg se, at han samtidig var lidt hemmelighedsfuld. Da en af de andre i firmaet kommenterede det, sagde han, at det var, fordi han »havde fundet sin hellige gral«. Men det hørte jeg først efter ... efter at han var død. Og jeg havde nok aldrig gættet, hvad han mente med det, hvis du ikke var dukket op. Så kom jeg i tanker om, at han engang havde sagt, at det at finde dig var hans hellige gral.«

»Du har slet ingen ide om, hvad han havde fundet ud af, eller hvad der bragte ham på sporet?«

»Nej, overhovedet ikke. Jeg anede intet om det, så det var ikke så sært, at jeg blev overrasket, da du pludselig stod lyslevende foran mig. Jeg troede fuldt og fast, at du var død.« Jeg smilede skævt. »Ligesom moster Herdis. Hun tror, dit lig ligger i en kløft eller sø ved en klippe, der hedder El Pito del Diablo.«

»Hva'?« Han stirrede rystet på mig.

Ups! Jeg havde helt glemt, at han selvfølgelig kunne spansk. Jeg rødmede. Der jokkede jeg vist i spinaten, men hvem kunne vide, at han var så bornert.

»Undskyld,« sagde jeg. »Det var a slip of the tongue. Moster Herdis kaldte den faktisk *Djævlens Finger,* og jeg ville have sagt El dedo del Diablo, men jeg var engang i Mexico med min eksmand, i Yucatán, og der så vi en høj klippe, nærmest en stele, som de lokale kaldte ... ja, altså det jeg lige sagde.«

Jeg vovede ikke at gentage det famøse ord og var lettet, da tjeneren i det samme kom efter vores tallerkener. Under resten af måltidet talte vi mest om Henrik, og ellers blev det kun til almindelig smalltalk, men Hans Christian virkede adspredt, og stemningen føltes pludselig tvungen, så efterhånden ønskede jeg bare, at aftenen snart var forbi.

»Kaffe?« spurgte Hans Christian, da vi var færdige med desserten.

»Nej tak,« sagde jeg. »Så kan jeg bare ikke sove, og jeg skal tidligt op i morgen. Jeg har lovet at tage mig af min søsters børn. Vi skal på skøjtebanen og bagefter på juleudstilling.«

»Det lyder som en større udflugt, hvordan kommer I rundt?«

»I bil.«

»Har du selv bil?«

»Ja, en lille bil. Peugeot. Men jeg går meget.«

»Er du i bil i aften?«

»Nej, det er for besværligt,« sagde jeg og forklarede om mit parkeringsproblem. »Så jeg tog en taxa.«

»Hvad så med en drink på falderebet?«

»Uha, nej, jeg har vist allerede fået rigeligt.« Jeg kastede et blik på mit ur. »Ih, er den så mange! Så tror jeg også, det er på tide, jeg kommer hjem.«

»Skal jeg ikke køre dig hjem? Jeg har en udlejningsbil stående her.«

»Bestemt ikke. Jeg tager en taxa. Jeg vil ikke være skyld i, at du bliver taget for promillekørsel.«

Han fulgte mig ud i lobbyen.

»Du fortryder ikke det med den drink?« spurgte han.

Jeg tog det som et stikord. »Nej, tværtimod, jeg har mere brug for lige at smutte derud.« Jeg viftede med hånden i retning af dametoilettet. Jeg turde slet ikke sige ordet *toilet*. »Gider du få receptionen til at bestille en taxa imens?«

På toilettet kontrollerede jeg først, om jeg var alene derude, før jeg tastede det specielle nummer. »Jeg tager fra hotellet om nogle minutter. Så snart jeg kan få en taxa.«

»Alene?«

»Ja, alene.«

Hans Christian stod klar med mit overtøj, da jeg kom tilbage.

»Taxaen er her om fem minutter.«

»Fint.«

»Jeg tænkte på ...« begyndte han tøvende.

»At?«

»At jeg egentlig godt kunne tænke mig at se mit barndomshjem igen. Kan det lade sig gøre, tror du?«

Og det var ham, der lige havde snakket om kvalmende sentimentalitet.

»Skal du ikke tilbage til London?«

»Foreløbig har jeg kunnet klare tingene pr. e-mail og telefon, og jeg kan sikkert trække den et par dage mere, så hvis det kunne blive mandag eller tirsdag.«

»Jeg skal se, hvad jeg kan finde ud af,« sagde jeg, idet jeg valgte mine ord med omhu for ikke at røbe ejerskabet. Jeg er nødt til at tale med *Landsretten* først, men det er sikkert kun en formssag. Skal vi sige, at jeg ringer til dig mandag formiddag?«

»Så må du hellere få mit mobilnummer, det er ikke sikkert, jeg er her.« Han skrev nummeret på et af hotellets kort. »Her. Og tak, fordi du gad komme i aften. Det betød meget for mig. Det gik op for mig, at jeg trods alt også har nogle gode minder. I hvert fald om Henrik. Det havde jeg glemt.«

Eller fortrængt, tænkte jeg, idet jeg stak kortet ned i min taske.

Der var ingen politibil i farvandet, da jeg satte mig ind i taxaen, men da jeg nåede hjem i min egen gade, så jeg, at der holdt en et par numre længere nede ad gaden. Jeg havde lyst til at vinke til den, da jeg smuttede ind ad gadedøren, men lod klogeligt være.

Jeg faldt i staver foran spejlet i badeværelset, da jeg var ved at gøre mig i stand. Der var et eller andet ved aftenen, der foruroligede eller i hvert fald generede mig, uden at jeg kunne sætte fingeren på noget bestemt.

Det var ikke kun det, at jeg havde chokeret ham ved at bruge et ord, som han åbenbart fandt enormt anstødeligt, det var i virkeligheden, som om hele aftenen på en eller anden måde havde haft en falsk tone, men måske skyldtes det bare, at selv om vi havde talt dansk sammen, var ingen af os længere »rigtige« danskere. Jeg kunne ikke forestille mig en rigtig dansker blive forarget over, at jeg kaldte en klippe i Mexico for *Djævlens Pik*. I det mindste ikke de danskere jeg kendte. På den anden side var jeg også selv blevet lidt forbløffet over pæne almindelige danskeres brug af amerikanske fourletter words, som jeg aldrig ville have vovet at bruge offentligt i Philadelphia. I det hele taget har jeg haft lidt problemer med mit sprog, efter jeg kom hjem. Jeg havde trods alt boet i USA i 12 år, så det faldt mig naturligt at bruge amerikanske udtryk, men jeg undgik det af skræk for at virke krukket, indtil jeg opdagede, at alle andre ganske ugenert slog om sig med amerikanske gloser.

Men hvad det end var, der havde fået aftenen til at virke forkert, havde jeg altså mere eller mindre lovet at tage med Hans Christian ud at se hans barndomshjem. Jeg havde nærmest følt mig forpligtet efter den fine middag, han havde inviteret mig på. Jamen altså, hvor dum kan man være? Der er åbenbart ingen grænser.

Telefonen ringede klokken otte søndag morgen. Det var Beth Winther, og hun var bestemt ikke fornøjet.

»Sig mig, hvad pokker er det, du og Ruth har gang i, Bea?«

Hun råbte meget højt, så jeg holdt røret lidt væk fra øret.

»Hvad mener du?«

»Jeg mener Hans Christian Gerner! Henriks forsvundne bror. Men han er altså ikke mere forsvundet, end at du var til middag med ham i aftes. Helt ærligt, synes I ikke, det havde været rimeligt, hvis I havde fortalt mig, at han var dukket op?«

»Vi lovede ham ikke at fortælle nogen om det. Der var jo en masse presseomtale, dengang han forsvandt, og man kunne sige sig selv, at det ville blive endnu værre i forbindelse med Henriks død, så vi syntes, det var rimeligt at holde det for os selv.«

»Jeg fatter det ikke! Jeg fatter det simpelt hen ikke!« råbte hun, og jeg flyttede røret lidt længere væk. »Hvad tænkte I på? Nej, du behøver ikke at sige det, I tænkte slet ikke. Det her er en mordsag, og Henriks bror og nærmeste arving, som har været forsvundet i næsten 20 år, dukker pludselig op. Synes I ikke, det var en oplysning, politiet burde have haft? Han har da om nogen et motiv.«

»Han er ikke arving, det ved du godt.«

»Men det vidste han ikke, vel?«

»Nej, men han var her slet ikke, da Henrik blev dræbt. Han var i London og så det helt tilfældigt i en dansk avis. Han kom først hertil til bisættelsen.«

»Hvor ved du det fra?«

»Det ...« begyndte jeg, og så blev jeg meget tavs.

»Er du der, Bea?«

»Ja.«

»Okay, hvor vidste I det fra?«

»Det fortalte han os,« indrømmede jeg spagt.

»Han fortalte det, og I tog det uden videre for gode varer.«

»Ja, selvfølgelig,« sagde jeg forsvarsberedt. »Hvad ellers? Han bor i USA. Han har været væk i 17 år, så hvorfor skulle han pludselig få den sindssyge ide at rejse til Danmark og myrde sin bror for at få en måske ikkeeksisterende arv? Henrik kunne jo teoretisk have siddet i gæld til op over ørerne. Så jeg har ærlig talt svært ved at se hans motiv.«

»Godt.« Hun lød lidt mere afdæmpet nu. »Jeg kan fortælle dig, at vi har tjekket ham, og det er korrekt, at han rejste ind i landet dagen før bisættelsen, men jeg tror nu alligevel, vi vil tage en snak med ham.«

»Hvorfor? Det er spild af tid. Han har ikke haft noget med Henrik eller NSC at gøre. Og i forgårs mente I jo, at det var mig, morderen er ude efter.«

»Det mener vi stadig. Men vi mener også stadig, at vi skal have alle, simpelt hen alle, oplysninger, uanset hvor ...«

»... ubetydelige, de forekommer os,« messede jeg.

»Nemlig. Er det forstået?«

»Ja, klart.«

»Så hvis der er andet, du har glemt at fortælle, vil jeg gerne høre om det.«

»Det er der altså ikke. Men jeg har ikke været alle papirerne igennem endnu.«

»Måske finder du noget der. Hvem ved? Vi ses på mandag.«

»Ja. Der var for resten noget, jeg ville have spurgt dig om i fredags.«

»Ja?«

»Det var ikke noget særligt, jeg ville bare høre, hvornår vi kan få de ting, I tog med fra Henriks hus. Især hans familiebilleder og hans notebook.«

»Notebook? Hvad mener du?«

»Det er sådan en mini-pc ...«

»Ja, jeg ved godt, hvad en notebook er, men der var ingen notebook i huset. Vi fandt ingen, og så var der ingen. Vi er ret effektive.«

»Hvad med billederne?«

»Jeg aner ikke, hvad du taler om.«

»De indrammede fotos, der stod på hans skrivebord. Familiebilleder. Af hans forældre og af de to drenge. Hans Christian som student blandt andet. Der var en fire-fem stykker.«

»Der var ikke noget af den slags. Er du sikker på, de var der?«

»De plejede at være der.«

»Hvornår har du sidst set dem?«

Jeg tænkte mig om. Jeg havde været ude hos Henrik sammen med de fleste af kollegerne en aften lige efter, at han var kommet hjem fra England, og da ved jeg, de var der, for Mogens havde stået med sølvbryllupsbilledet i hånden og sagt til Henrik, at han kom til at ligne sin far mere og mere. Jeg havde også været der alene et par gange senere. Vi sås stadig tit, spiste middag og gik til koncerter og i teater sammen, selvom vi ikke længere var kærester, men vi mødtes som regel i min lejlighed. Var billederne der, sidst jeg var derude? Ville jeg have bemærket det, hvis de var væk? Sikkert ikke.

»Det er nok et par uger siden, måske tre.«

Var det virkelig kun tre uger? Det føltes som en evighed.

»Så har han nok anbragt dem et andet sted. Måske i en skuffe. Man kan godt blive træt af at glo på hele den pukkelryggede familie hver eneste dag. Du finder dem nok. Vi har dem i hvert fald ikke. Og hvis vi stadig var interesseret i Henrik, ville jeg sikkert finde hans notebook mere interessant. Plejede han at have den hjemme?«

»For det meste.«

»For hvis han havde den med på kontoret, kan den være sprængt til atomer.«

»Ja.«

Selvfølgelig kunne den ikke det. Den kunne være brændt, den kunne være beskadiget, men når de havde kunnet finde en stump adresseseddel og tyde skriften BEA JA, så ville de også have fundet resterne af en notebook og vidst, hvad det var. Så hvor i alverden havde han gjort af den?

Jeg var gået ud fra som givet, at politiet havde den, derfor havde jeg ikke spekuleret på den før nu. Hvis der havde stået noget vigtigt i den, ville politiet have fundet det, havde jeg tænkt. Men nu blev den pludselig betydningsfuld. Inderst inde håbede jeg stadig at finde et eller andet, som viste, at det var Henrik og ikke mig, bomben var tiltænkt. Og jeg må indrømme, at det ikke kun var på grund af min skyldfølelse over for ham, men mindst lige så meget, fordi jeg så ville være off the hook. Men selv om jeg fandt hans notebook, var chancerne for at slippe af krogen reelt meget små. Så vidt jeg vidste, brugte Henrik den sjældent i forbindelse med sit arbejde. Den var mere en slags personlig elektronisk dagbog, som han også brugte til sine private mails.

Jeg var næsten sikker på, at den ikke var i huset. Jeg havde været det hele igennem sammen med en mand fra et firma, der havde specialiseret sig i opkøb af dødsboer, og efter at have fjernet nogle få personlige ting, papirer, breve og fotoalbums, havde jeg solgt hele indboet, møbler, malerier og så videre, rub og stub, til ham. Om det så var sølvbestikket til tolv personer, *Rosenholm*, var det gået med i købet. Jeg kan højst have fem gæster i min minilejlighed, så hvad skulle jeg med sølvbestik til tolv? Jeg havde et øjeblik overvejet at forære det til Hans Christian, det stammede trods alt fra hans barndomshjem, men jeg indså i tide, at det ville give mig et forklaringsproblem, så den ide droppede jeg. Han ville sikkert også betakke sig for at skulle slæbe flere kilo sølvtøj med hjem til USA.

»Lod du ham også købe sølvtøjet?« sagde Ruth, da jeg fortalte hende om min handel. »Tror du ikke, du kunne have fået mere for det hos en guldsmed?«

»A we'et intj, å A couldn't care less.«

»Hva'?«

»Det ved jeg ikke, og jeg er også ligeglad.«

»Hvad i alverden var det for et sprog?«

Jeg grinede. »Vendglish. Halvt vendelbomål, halvt engelsk. Husk, jeg er født på den rigtige side af fjorden.«

»Ha!«

»Nå, men jeg tror, jeg fik en rimelig pris, og det vigtigste er, at de rydder det hele. Det er med i handlen. Også kælderen. Ryddet og fejet. Det er alle pengene værd!«

»Var den så slem?«

»Nok ikke værre end andre, men stor og med mange rum fyldt med alt muligt ragelse. Gamle kufferter, cykelvrag, sportsudstyr, ketsjere uden strenge, sylte- og henkogningsglas nok til at starte egen fabrikation, flere hundrede årgange af *Det Bedste*, gamle aviser og så selvfølgelig *Hans Christians Værelse.*«

»Hans Christians værelse?«

»Ja, hans værelse stod urørt, indtil Henrik overtog huset. Så samlede han det hele sammen, bøger, legetøj og så videre, lagde det i kasser og bar det ned i kælderen. Plus møblerne. Der er faktisk et rum dernede, han kaldte *Hans Christians Værelse.*«

»Hvorfor smed han det ikke bare ud?«

»Det spurgte jeg også om, men han slog det hen og sagde bare, at han jo havde plads til det. Men for mig er det endnu et bevis på, at han ikke havde opgivet tanken om at se sin bror igen.«

Og nu skulle Hans Christian altså ud og se sit barndomshjem. Jeg gjorde et mentalt notat om at ringe til dødsbomanden og bede ham vente med at rydde huset til om onsdagen, hvis han ikke allerede havde gjort det. Selvom jeg havde forberedt Hans Christian på, at huset var forandret og måske tømt for møbler, ville det nok være for trist en oplevelse for ham at vandre rundt i et tomt hus.

Men her og nu havde jeg ikke tid til at tænke mere på hverken notebook eller hus. Det var på tide at komme over og hente ungerne. Jeg ringede til det specielle nummer og gjorde rede for dagens program.

»Er noteret, men ring alligevel, hver gang du skifter opholdssted.«

»Okay.«

Det blev en dejlig dag med pigerne, selvom Sofie påstår, at jeg skøjter »gammeldags«. Jeg taler gammeldags, og jeg skøjter altså også gammeldags. Jeg synes ellers selv, jeg er ret god til det, og jeg nyder at skøjte, men hun synes vist, jeg burde fare af sted med 100 kilometer i timen, som om jeg skulle slå en eller anden verdensrekord.

Sofie er min yndling. Det er svært ikke at have yndlinge, men som Moster Herdis bestræber jeg mig på ikke at gøre forskel. Hun er Allies udtrykte billede. Det er som at se Allie, da hun var på den alder, så det giver et lille stik i hjertet, hver gang vi mødes. Hun er fortryllende, og jeg håber og tror, hun også får Allies sind. Allerede nu kan jeg se, at hun viser samme omsorg for sine små søskende, som Allie altid viste mig, og det gælder både tvillingerne, Amalie og Cecilie på seks, og hendes lille halvbror Tobias på to. Hun må have arvet et særligt,omsorgsgen fra sin mor. Tvillingerne har træk fra både Allie og René. De er søde og kønne, men så heller ikke mere. Heldigvis. De er enæggede og ligner hinanden som to dråber vand, og det ville nok blive for meget af det gode med to identiske skønheder.

»Er du ked af det endnu, moster Bea?« spurgte Amalie, da vi sad og slappede af i cafeteriet efter en lang og anstrengende formiddag på isen.

Jeg nikkede. »Ja, men mest når jeg er alene. Når jeg er sammen med jer, bliver jeg glad igen.«

»Savner du onkel Henrik meget?«

»Ja, rigtig meget. Hver eneste dag.«

»Vi savner ham også,« sagde Cecilie. »Og vi er kede af det, men også lidt glade.«

»Hvorfor er I også lidt glade?«

Sofie smilede lidt genert til mig. »Fordi jeg har sagt, at det er dejligt for mor, at der nu er en mere oppe i himlen, som hun kender.«

»Selv om hun allerede havde både sin mor og far, og sin mormor og morfar,« sagde Amalie.

»Men hun har ingen farfar og farmor. Har du heller ikke det?« spurgte Cecilie.

»Nej, Cecilie. Din mor og jeg er jo søstre, så jeg har heller ikke haft en farfar og farmor.«

»Hvorfor havde I ikke det?«

»Fordi vores far ingen forældre havde.«

»Måske fandt han dem i himlen,« sagde Amalie.

»Ja, måske.«

Min far var børnehjemsbarn, og jeg aner intet om hans forældre. Han fortalte ikke noget, og vi spurgte ikke.

»Men selv om mor i forvejen kendte så mange, er det alligevel dejligt for hende, at Henrik også er kommet,« sagde Cecilie. »En på hendes egen alder,« tilføjede hun. »Man kan bedre snakke med dem på ens egen alder.«

»Ja,« sagde jeg og sendte Sofie et lille hemmeligt smil. Jeg kunne høre, at det var hendes tekst, de udlagde. Hun havde vist dem et lille lys i mørket. Og hun havde jo ret. Every cloud has a silver lining, og Allie var helt sikkert glad for, at hun nu havde Henrik at snakke med.

Jeg savnede også en på min egen alder. Min omgangskreds var lille, og de fleste var meget ældre end jeg. Ruth, Rade og Moster Herdis. Men jeg havde selvfølgelig også kollegerne fra NSC og ikke mindst René og Ulla. Henrik og jeg plejede at være sammen med dem mindst en gang om ugen, og vi fejrede alle højtider sammen, da jeg først havde affundet mig med tanken om, at Ulla havde overtaget Allies plads. Hun og jeg er næsten jævnaldrende, og hun er utroligt sød, så vi er efterhånden blevet en slags veninder eller familie, nærmest som om vi er svigerinder. Jamen, hvad beklager jeg mig så over?

Og så er der jo ungerne. Jeg knuselsker de tre unger, og havde det ikke været for dem, var jeg nok ikke blevet i Danmark, men jeg vidste, at forbindelsen sandsynligvis ville glide ud, hvis jeg rejste tilbage til USA, og det var næsten ikke til at bære.

Om eftermiddagen så vi lysene blive tændt på det store træ på Nytorv og nisseparaden bagefter, og da det var overstået, var vi inde at se samtlige de juleudstillinger der var i byen – og det var mange! Men pigerne var utrættelige, så vi sluttede dagen med at gå på McDonald's og spise usundt og drikke cola. En rigtig moster Bea-dag!

René så lidt klatøjet ud, da han lukkede op for os. Han og Ulla havde været til julefrokost aftenen før. Ullas mor havde været babysitter og tog Tobias med sig hjem om morgenen, det var derfor, jeg havde tilbudt at tage mig af pigerne fra morgenstunden og resten af dagen.

Jeg kom til at tænke på noget.

»René, du gik da i skole med Hans Christian Gerner engang?«

»Ja, men kun et par år og ikke i samme klasse. Han var to-tre år yngre.«

»Men du kendte ham?«

»Lidt. Mest fra tennisklubben.«

René har dyrket næsten alle former for sport bortset fra dem, der har med vand at gøre.

»Hvordan var han?«

»Go' nok.«

Min svoger er ikke en mand af mange ord. Til gengæld er han heller ikke nysgerrig.

»Hvordan go' nok, René? Kom nu.«

»Flink fyr. Fair. God taber, men han tabte nu ikke ret tit. Skidegod tennisspiller. God til alt, faktisk.«

»Hvordan var han i skolen?«

»Det ved jeg ikke så meget om. Populær. Han blev ikke mobbet eller noget. Det blev Henrik, men det satte Hans Christian en stopper for. Han tog altid sin lillebror i forsvar. Hjalp ham.«

»Hvorfor blev Henrik mobbet?«

Han så lidt forbavset på mig, som om jeg spurgte om noget indlysende. »Fordi hans far var skoleinspektør selvfølgelig.«

»Det var Hans Christians jo også, for pokker. De havde samme far. Hvorfor blev han så ikke mobbet?«

»Hans Christian var ikke en, man mobbede. Han var bare populær. Alle steder.«

Undtagen hjemme, tænkte jeg.

Ulla kom til og inviterede mig indenfor, men jeg afslog med tanke på mapperne, der lå derhjemme og ventede på at blive både *set* igennem og *tænkt* igennem inden næste dag. Jeg havde nydt min fridag med ungerne, men nu trængte jeg til at komme hjem, få et bad og sidde i sofaen med benene oppe og høre lidt stilfærdig musik, mens jeg gjorde mit hjemmearbejde.

Jeg ringede til det specielle nummer, så snart jeg havde sat mig ind i bilen. Jeg var ret stolt af, at jeg havde husket det hver eneste gang, men det var vel egentlig bare et tegn på, at det nu var blevet rutine.

Der er parkering forbudt i vores gade, men Rade har skaffet mig en – næsten – fast parkeringsplads i en sidegade et par gader fra vores egen. Det er foran en port, der kun bliver brugt et par gange om måneden. Rade kender ham, der råder og regerer over porten, og lavede aftalen med ham, og han har en ekstranøgle til bilen, så han kan flytte den, hvis det bliver nødvendigt. Jeg giver 600 sorte kroner om året og gav gerne det dobbelte, selv om det somme tider kan være træls at have bilen stående flere gader væk. Men jeg bilder mig ind, at den står rimeligt sikkert der. Min største skræk er, at den en skønne dag – eller snarere nat – bliver hugget. Hvad der er bag »min« port, aner jeg ikke. Det kunne for den sags skyld være en hælercentral, men jeg har ikke forsket nærmere i det, for hvis det er noget kriminelt, ville jeg være nødt til at melde det med risiko for at miste min parkeringsplads. Det er sket et par gange, at en eller anden mindre lovlydig person har snuppet pladsen, hvis jeg er kommet sent hjem, og det gør mig stiktosset at være nødt til at flakke rundt i alle sidegaderne og forsøge at finde et hul til min lille bil. I dag var pladsen tom, til gengæld kørte en patruljevogn op på siden af mig, netop som jeg havde parkeret, og den ene betjent stod ud og kom hen til mig.

»Beatrice Jantz?« spurgte han.

Mit hjerte hoppede helt op i halsen; jeg var sikker på, der var sket et eller andet rædselsfuldt. Mine nerver måtte være mere tyndslidte, end jeg hidtil havde erkendt.

»Ja,« kvækkede jeg.

»Du holder lige foran en port.«

Jeg stirrede på porten, som om jeg aldrig havde set den før, men så tog jeg mig sammen.

»Ja, det ved jeg godt,« sagde jeg. »Det er i orden. Jeg har en aftale med ham, der ejer porten.«

Det lød komplet åndssvagt, man ejer da ikke en port. Betjenten gloede også på mig, som om han troede, jeg var enten fuld eller gal, men han valgte at lade det passere.

»Okay. Går du lige hjem herfra?«

»Ja.«

Han satte sig ind i patruljevognen igen, og den fulgte mig hjem som en gammel trofast hund. Da jeg kiggede ned fra min altan, så jeg den forsvinde for enden af gaden. Den måtte have ventet nedenfor, indtil der blev lys i min lejlighed.

Jeg lavede en kop te og gik i gang med mapperne fra kontoret. Navne, steder, sager. Efterhånden som jeg læste, dukkede ansigter og små episoder op i min hukommelse, men efter et par timers forløb skubbede jeg mapperne til side. Der var intet her, absolut intet, som kunne forklare, hvorfor nogen skulle være ude efter mig. Lige bortset fra Irma la Douce. Jeg var nødt til at fortælle Winther om hende.

For en sikkerheds skyld hentede jeg også Elenas mappe i soveværelset og læste de få notater, jeg havde lavet. Jeg rystede på hovedet og blev siddende lidt og så på billedet. Ung, køn og storsmilende, tilsyneladende uden en eneste bekymring i verden. Var det hende, der var blevet mishandlet på det grusomste og endt som lig i en lille fredelig stump skov nogle få kilometer herfra? Var det kommet som et lyn fra en klar himmel, eller havde hun fået en advarsel, som hun ignorerede eller ikke tog alvorligt?

Jeg strakte mig i stolen, masserede skuldrene og gabte inderligt. Så bar jeg min tekop ud i køkkenet, åbnede en flaske rødvin og tog den og et glas med ind i stuen. Jeg skulle lige til at sætte mig igen, men fortrød og tog i stedet Elenas mappe og gik ind og lagde den på plads, før jeg fandt voksdugspakken og æsken med patroner frem. Begge dele havde skiftet plads fra min seng til skuffen med undertøj. Det er efter sigende kvinders foretrukne gemmested, og derfor det første sted en professionel tyv – eller politiet – vil lede. Jeg ved ikke, hvorfor det er sådan. Måske en reminiscens fra gamle dage. Min mor fortalte, at da hun var barn, gemte pigerne alt muligt i deres underbukser. Penge, slik, lommetørklæder, nøgler. Det var før trussernes tid, dengang man havde bukseben med elastik. Buksebenet var et helle. Selv den frækkeste slambert eller stærkeste dreng vovede ikke at nærme sig dette gemmested.

Jeg satte mig ved bordet og åbnede pakken. Jeg sad lidt og vendte og drejede pistolen, før jeg åbnede æsken, tog en enkelt patron ud og ladede pistolen. Jeg havde faktisk haft en pistol, da jeg boede i Philadelphia, og jeg havde gået til pistolskydning. Jeg blev aldrig særlig god til det, vores instruktør drillede mig evig og altid. »Vær forsigtigt med den pistol, Bea. I din hånd er den livsfarlig!«

Jeg rejste mig med pistolen i hånden, strakte armen ud og støttede håndleddet med den anden hånd, mens jeg sigtede på en imaginær fjende. Min finger krummede sig om aftrækkeren, og jeg huskede en anden af instruktørens bemærkninger. »Pas på, I ikke bliver trigger-happy!«

Advarslen var berettiget. Når man står med fingeren på aftrækkeren, får man lyst, nærmest trang, til at trykke af – ligesom man kan få lyst til at hoppe ud i det tomme intet, når man står højt oppe i et tårn eller bare ved et åbent vindue. Man føler suget, man drages, men springer ikke. Ville jeg i det hele taget kunne affyre pistolen mod et menneske, hvis jeg følte mig truet? Selv om jeg stod med fingeren på aftrækkeren? Hvis det var ham eller mig?

Jeg anede det ikke. Jeg vidste i øvrigt heller ikke, om pistolen overhovedet duede. Jeg besluttede at bruge en eller to patroner til en prøveskydning en af de allerførste dage. Jeg kunne køre ud til stranden og skyde til måls efter et par tomme dåser.

Nej, for pokker! Det kunne jeg jo ikke. Jeg skulle i hvert fald først sikre mig, at mine skytsengle ikke var så nær ved mig, at de kunne se, hvad jeg foretog mig. Politiet ville sikkert ikke se med milde øjne på, at jeg begyndte at lave private skydeøvelser, uanset hvor truet jeg følte mig.

Kirkeuret slog 11, og det havde været en lang dag, så nu var det sengetid. Jeg gik ud og tjekkede, om jeg havde låst, og satte sikkerhedskæden for. Rade havde installeret både et spionøje og en sikkerhedskæde lørdag aften, mens jeg var ude at spise med høj kniv og gaffel. Den mand tænker på alt.

Mine tanker gled ind i den efterhånden gammelkendte skure, da jeg var kommet i seng.

Hvem var ude efter mig?

Irma la Douce?

Knægtene?

Eller en skingrende sindssyg person?

Måske en jeg mødte hver eneste dag. På gaden, i kiosken, i supermarkedet eller i svømmehallen. Hvor som helst. En, som så fuldstændig normal og almindelig ud, en, som måske smilede til mig, mens tankerne kun kredsede om dette ene: At myrde mig.

Men selv angsten kan blive en vane, så lidt efter faldt jeg i en drømmeløs søvn.

XII

For første gang i lang tid var vi næsten fuldtallige til morgenkaffen mandag morgen. Selv Mogens havde taget en pause fra de navnløse damer og mødte op klokken ni som de andre. Ruth og jeg har lavet om på vores morgenrutiner. Efter næsten stiltiende overenskomst møder Ruth nu klokken halv ni efter at have hentet posten, og jeg står et kvarter tidligere op, så jeg kan møde kvart i ni. Det giver os et kvarter til lige at veksle et par bemærkninger og lave en slags dagsorden, mens vi laver kaffe. Mandagsposten er altid en mager omgang, så Ruth sad fordybet i morgenavisen, da jeg kom.

»Noget interessant?« spurgte jeg, da jeg havde fået overtøjet af og gik i gang med at lave kaffe. »Eller er det bare de samme gamle nyheder?«

Mandagsavisen er akkurat som mandagsposten også en mager omgang, medmindre man er sportsfanatiker. Det er kun i ældgamle sort/hvide film, at journalister knokler som gale døgnet rundt og ugen ud.

»Næh, der er skam sket ting og sager,« sagde hun. »Lokalt. Politiet har lavet razzia i en stribe bordeller og massageklinikker her i byen.«

»Her i byen! Hvornår?«

»Lørdag aften. De slog i øvrigt også til i en tre-fire andre byer.«

»Lørdag aften. Var det ikke et mærkeligt tidspunkt?«

»Afgjort.«

Så vidt vi er informeret, er lørdag aften den mest stille i den branche. Da sidder alle familiefædrene derhjemme og holder hyggeaften med familien og fjernsynet.

»Politiet har tilbageholdt en hel del østeuropæiske piger, hvis forhold nu skal undersøges nærmere,« citerede Ruth og så sigende på mig.

»Aha!« udbrød jeg.

Jeg havde fortalt Ruth alt om Elena, og vi gættede begge to, at Mogens på en eller måde havde lod og del i weekendens razzia.

»Gud ved, om han får noget ud af det?« sagde Ruth.

Jeg trak på skuldrene. »Det vil jo vise sig.«

»Har du i øvrigt læst aviser i weekenden?«

»Overhovedet ikke. Jeg havde ikke tid. Hvorfor det?«

»De har fundet overdelen.«

»Overdelen?« Jeg så tomt på hende. »Overdelen til hvad?«

Jeg så for mig et billede af en smart bikini eller noget i den retning, men det var næppe endt i avisen.

»Ham den topløse. Strandvaskeren. Overkroppen dukkede op i lørdags næsten samme sted. Synes du ikke, det er mærkeligt, at de to halvdele ikke driver i land samtidig?«

»Næh, det kan der sikkert være mange forklaringer på. Men nu må det da være meget nemmere at finde ud af, hvem han var.«

»Mon?«

»Jada. Nu har de jo hovedet med tænder og alting. Og fingrene.«

»Måske. Hvor meget tror du, der er tilbage efter et par måneder i havet? Kan du huske det der hestehoved i *Bliktrommen?«*

»Ja, mon ikke! Med ålene der snoede sig ud ad de tomme øjenhuler. Bvadr!«

»Og det var bare efter nogle få dage. De skal i hvert fald ikke regne med fingeraftryk, og desuden er der vist også noget med, at havvand ødelægger dna-materialet.«

»Jeg sagde ikke, det blev nemt, jeg sagde bare, at det blev nemmere. Er der slet ingen gode nyheder?«

Ruth smilede. »Gode nyheder sælger ikke aviser. Men jeg kan fortælle dig, at der kun er tre uger til jul.«

»Det er ikke en god nyhed. Jeg gruer for julen i år, det bliver den første jul her i Danmark uden Henrik. Heldigvis skal jeg holde juleaften hos René og Ulla som sædvanligt, så forhåbentlig kan ungerne muntre mig lidt op.«

Hvis jeg altså lever så længe, var jeg lige ved at tilføje, men bed det hurtigt i mig. Ingen grund til at blive morbid, men det lå alligevel hele tiden i baghovedet.

Ruths tanker havde åbenbart fulgt de samme baner. »Fik du kigget dine rapporter igennem?«

»Ja, jeg nærlæste hver eneste sætning søndag aften, og resultatet var nul, nil, zero. Der er intet, absolut intet, der. Hvis vi ser bort fra Irma la Douce.«

»Så er spørgsmålet altså, om vi kan se bort fra hende.«

»Ja. Eller om det alligevel er de knægte, der overfaldt Rade, men ...« Jeg rystede skeptisk på hovedet. »Det er endnu mere usandsynligt. Det rimer overhovedet ikke.«

»Og der er ikke andre?«

»Nej, siger jeg jo.«

»Så må det være Irma.«

Jeg sukkede. »Det vil jeg næsten håbe.«

Det kommenterede hun ikke. Det var ikke nødvendigt. Vi vidste begge to, at hvis det ikke var Irma – eller knægtene – stod både vi og politiet på bar bund. Vi vidste, der var en trussel, men havde ikke den mindste anelse om, hvorfra den kom, og hvordan den ville vise sig.

I næste øjeblik lød der trin på trappen.

»Så er freden forbi,« stønnede Ruth overdrevent uden at kunne skjule sin glæde over at tage fat på en ny uge. Hun elsker i virkeligheden mandage.

Lidt efter sad vi alle omkring bordet. Ruth for den ene bordende, jeg for den anden. Der var ikke længere nogen, der satte spørgsmålstegn ved min placering. I det mindste ikke højt.

Karin havde varme rundstykker med. Det er hendes særlige mission om mandagen, for da har hendes bager åbent, og vores sædvanlige bager holder mandagslukket.

Da alle havde forsynet sig med kaffe og rundstykker, tog Ruth ordet:

»Som I alle sammen ved, mener politiet nu, at den bombe, der dræbte Henrik, i virkeligheden var tiltænkt Bea.«

Som I alle sammen ved! Nånå, nånå! Der havde åbenbart været rigtig gang i jungletrommerne hele weekenden.

»Bea har kigget på alle sine gamle sager, og hun hævder, at der ikke er noget at komme efter der, bortset fra Øma la Douce. Så hende skal vi have tjekket.«

»Er gjort,« sagde Jakob. »Hende kan I godt glemme. Jeg har tjekket.«

»Hva'!« udbrød jeg forbløffet.

»Ja, hun var den første, der faldt mig ind, da Ruth ringede fredag aften, og hvad fanden, noget skulle jeg jo lave i weekenden, så jeg gik i gang lørdag morgen.«

Vi så spændt på ham. »Og hvad så?« spurgte Karin.

»Øma la Douce er ude af billedet. Også i den grad!«

»Hvordan det?« spurgte Ruth.

»Hun er død og begravet!«

»Hva'!« lød det næsten i kor.

»Det er da løgn!« tilføjede Mogens vantro.

»Den rene skære sandhed.«

»Mener du død? Sådan rigtig død?« spurgte Inge. »Eller er det bare en metafor?«

»Jeg mener fandeme rigtig død. Gået bort. Stillet træskoene.«

»Jamen, det er da umuligt,« indvendte jeg. »Hun var kun sidst i 20'erne. Hvad døde hun af? Og hvornår?«

»Bilulykke,« svarede Jakob lakonisk. »Og hvis jeg nu siger 11. september, så tror I, jeg er fuld af løgn, og det er jeg også, men det er sgu så tæt på, som det kan komme. Det var natten mellem den 11. og 12. september. Hun og hendes nye kæreste – hun havde jo været hurtig på aftrækkeren – var flyttet til Århus, og hun havde brugt nogle af de mange rare forsikringspenge på en rigtig muskelbil. Og så kørte de galt. Øma sad ved rattet og mistede herredømmet over bilen, der smadrede ind i en lysmast. Hun var dræbt på stedet, kæresten slap næsten uskadt.«

Vi stirrede på Jakob og på hinanden med noget, der næsten lignede ærefrygt.

Guds mølle maler – og denne gang havde den eddermame malet hurtigt!

Kald det bare overtro, men hvis jeg nogen sinde havde tvivlet på, at Irma havde myrdet sin mand, så var den tvivl bortvejret nu.

Men det var enhver tanke om, at Irma var min potentielle morder altså også.

Alligevel sendte jeg Jakob et taknemligt smil, og han smilede lidt forlegent tilbage.

Han bliver aldrig min livret, men jeg har altid sagt, at man kan stole på ham, selv om jeg må indrømme, at jeg på et tidspunkt var meget i tvivl.

Men hvor stod vi så nu?

Så vidt jeg kunne se med fødderne solidt plantet i den blå luft uden noget som helst at støtte os til.

»Der må være noget, du har overset, Bea,« insisterede Mogens. »Måske skulle en af os gennemgå de rapporter med dig. To øjne ser mere end et.«

Jeg kom til at grine. »Jeg har faktisk to øjne.«

»To par mener jeg, for pokker!«

»Ja, det ved jeg godt, og jeg skal faktisk gennemgå dem med Winther her i eftermiddag, men jeg tror ikke, vi finder noget. Så hvis det i det hele taget har noget med NSC at gøre, kan det være, at vi skal gennemgå alle rapporter fra i år.«

»Eller gå længere tilbage,« foreslog Ruth.

Jakob så på sit ur og rejste sig.

»Inge, du må hellere se at få fingeren ud og get going. Jeg har aftalt, vi er der klokken ti.« Han vendte sig om mod mig. »Lige meget hvad I beslutter, så er vi med, ikke? Vi ses i morgen.«

De to skulle sammen rådgive en større lokal virksomhed om sikkerhedsforanstaltninger af enhver art. Jakob har altid sagt, at danske virksomheder »har en svag sikkerhedskultur«, men det er helt klart ved at ændre sig. Vi har i hvert fald fået betydeligt flere af den slags opgaver efter 11. september. I den forbindelse er det gået op for mig, at ligesom et firma har sine nøglepersoner, har ethvert land, enhver landsdel og enhver by adskillige nøglevirksomheder, som jeg ikke har tænkt mig at nævne; der er jo ingen grund til at give nogen gode ideer, men jeg kan sige så meget, at flere af dem har henvendt sig til os, og det er først og fremmest her, vi virkelig har nytte af vores engelske samarbejdspartner, som har meget større ekspertise på det område. Desværre må jeg også erkende, at det nok ikke er verdens bedste reklame for os, at vi ikke var i stand til at sikre os selv.

Mogens rejste sig et øjeblik efter. »Jeg må også hellere se at komme op i omdrejninger.«

»Har du i det hele taget sovet?« spurgte jeg. »Du ser ikke sådan ud.«

»Tre timer i nat. Ingen i lørdags.«

Jeg fulgte med ham ud i gangen.

»Har det så givet pote? Razziaen, mener jeg.«

»Både ja og nej. To af pigerne begyndte at græde, da vi viste dem fotoet af Elena. Der er ingen tvivl om, at de kendte hende. Så nu ved vi, hvor hun hørte til. Og da vi viste dem billederne fra mordstedet, blev de helt ude af sig selv. Den ene af dem besvimede faktisk. Meget dramatisk. Jeg er overbevist om, at de kendte begge kvinderne og måske tilmed har en formodning om, hvem der står bag, men de vil ikke sige et ord.«

»Vil ikke eller tør ikke?«

»Tør ikke. De er rystende angst. Vi må på en eller anden måde garantere dem, at vi beskytter dem.«

»Kan I det?«

»Garantere det?«

»Nej, beskytte dem? De bliver vel udvist, og hvem venter så på dem derhjemme? Der må jo være nogle bagmænd. Og vil pigerne tro på jeres garantier? Det ville jeg ikke.«

»Lad nu være at tage modet fra mig, Bea. Selvfølgelig bliver de ikke udvist. Ikke hvis de er vidner. Det er en mordsag, ikke? Så vi kan sørge for vidnebeskyttelse. Hvis vi bare kan vinde deres tillid, skal de nok få munden på gled – før eller siden. Jeg har virkelig fået brug for mit russiske, selv om det er blevet lidt rustent. De piger er helt syge efter at snakke, det kan jeg mærke. De trænger til at læsse af, men hold kæft hvor er de bange!«

»Er det så underligt?«

»Nej, slet ikke. Nå, men inden jeg smutter, hvad så med dig? Er du kommet i tanker om, hvad Elenas fyr hedder?«

Jeg rystede på hovedet. »Jeg har været igennem alle de M-navne, jeg kan komme på, og endnu er der ingen klokke, der har ringet.

Jeg har prøvet alle de mest almindelige. Mikael, Mikkel, Mads, Morten og så videre. Jeg tror ikke, det er et modenavn.«

»Hvad med Mogens?«

»Det ville jeg have kunnet huske,« sagde jeg, og minsandten om ikke jeg rødmede! Det var ved at blive en dårlig vane. »Jeg kommer hele tiden til at tænke på Max,« fortsatte jeg hurtigt. »Jeg ved ikke hvorfor, for det var ikke Max, det er jeg sikker på.«

»Bliv ved at prøve, ikke? Hvis han var Elenas kæreste, og det går jeg ud fra, så må han vide noget.«

»Hvorfor har han så ikke henvendt sig til jer, da de blev fundet? Han var jo ellers ivrig nok.«

»Han er måske også bange.«

»Ja, hvis ikke det er ham, der har myrdet dem.«

Han så nærmest rystet på mig. »Det mener du ikke, vel?«

»Jo, hvorfor ikke? Elena har måske lovet ham evig troskab, eller hvad ved jeg, men hun snyder ham og stikker af. Formodentlig til Norge. Det var måske ikke bekymring, der fik ham til at henvende sig til Henrik, men hævntørst.«

»Og hvad så?«

»Så fortryder hun og kommer tilbage, men han er blevet så rasende, at han myrder hende.«

»Hvad så med den anden kvinde?«

»Hun kan afsløre ham, så han er nødt til også at dræbe hende. Og nu kan han ikke hoppe af toget, vel? Så han er også nødt til at dræbe Henrik, som kender forbindelsen mellem ham og Elena.«

Mogens så inkvisitorisk på mig. »Tror du selv på det?«

»Det ved jeg ikke. Det kunne da være gået sådan til, kunne det ikke?«

Mogens rystede på hovedet. »Nej, Bea. Jeg indrømmer, at jeg ikke havde tænkt på ham som en mulighed, men den holder heller ikke vand. For det første står hun ikke i selskabets passagerlister.«

»Hun kan være rejst under et andet navn.«

»Så skulle hun også have et falsk pas.«

»Det havde hun måske.«

»Jeg tvivler. Hun havde ikke engang sit eget. Det blev taget fra dem, så snart de kom hertil; og for det andet blev kvinden og spædbarnet dræbt *før* Elena.«

»Okay, det havde jeg glemt.«

»Og som jeg vist allerede har sagt til dig, har jeg en teori.«

»Den du ikke ville fortælle mig?«

»Ja. I hvert fald ikke dengang.«

»Jeg vil gerne høre den. Jeg kan godt tåle det.«

»Du skal nok få den, bare ikke lige nu. Jeg er sent på den. Men prøv at komme i tanker om det navn, ikke?«

»Jeg prøver alt det, jeg kan, men ...« Jeg trak på skuldrene.

Han åbnede døren. »For resten, hvad med den middag, du har til gode?« spurgte han på vej ud. »Har du fundet ud af noget?«

»Har du i det hele taget tid?«

»Til dig? Ja, dig skal jeg have tid til.« Han rømmede sig forlegent. Gudfader bevares! Man skulle tro, vi var et par teenagere.

»Hvad så med i morgen aften?« sagde jeg hurtigt. »I aften skal jeg ud til Ruth.«

»Fint. I morgen så. Jeg henter dig klokken 19 – plus minus et kvarter. Og så skal du nok høre min teori.«

Midt i det hele følte jeg mig på en mærkelig måde opstemt, da jeg gik tilbage til frokoststuen. Ruth sendte mig et hurtigt blik, da jeg trådte ind, men kom ikke med kommentarer. Karin rejste sig, tog sit eget krus og de tre andres og gik hen og skyllede dem af, før hun satte dem i opvaskemaskinen.

»Hvad med vores julefrokost?« spurgte hun med ryggen til.

»Vores julefrokost?« gentog jeg forbløffet. »Hvad mener du?«

»Skal vi ikke have julefrokost i år?« sagde hun uden at vende sig.

Jeg så på Ruth og derfra hen på Karin. Det lyder måske sært, men somme tider kan man aflæse et menneskes stemning af dets ryg. Karins ryg så ganske afgjort stædig ud. Nærmest stridbar.

»Jeg ved snart ikke,« sagde jeg tøvende. »Synes du ikke, vi skal droppe det i år?«

Hun vendte sig om og lagde armene overkors på brystet.

»Nej, det synes jeg bestemt ikke. Vi har mere brug for den julefrokost end nogen sinde, hvis ikke det hele skal falde fra hinanden. Du og Ruth har tilbragt en masse tid sammen og fået talt om tingene, det trænger vi andre også til. Min mand er forstående, men han er ikke selv en del af NSC, og han orker snart ikke at høre på mig mere. Det samme gælder Inge og sikkert også Bente. Og I hørte selv Jakob lige før. 'Hvad fanden skal jeg ellers lave i weekenden?' Og vi ved godt, hvad han ellers laver, ikke? Enten sidder han alene og grubler, eller også går han på druk. Mogens har travlt med sine navnløse damer, men når han kommer hjem, har han heller ingen at snakke med. Og så er der vores faste freelancere, de har heller ikke haft det for sjovt. Okay, vi ses selvfølgelig her, men det er langt fra hver dag, og det bliver kun til smalltalk under morgenkaffen, før vi er ude af døren igen. Det hele har rent ud sagt været ad helvede til, så jeg synes altså, vi skal holde vores julefrokost som sædvanlig. Afgjort!«

Ruth så hurtigt på mig, så nikkede hun. »Du har ret, Karin. Som sædvanlig. Vi har forsømt jer, men der har været så meget at tage stilling til.«

Karin sænkede paraderne og kom hen og satte sig igen. »Det forstår jeg godt, og det var heller ikke ment som en bebrejdelse.«

»Selvfølgelig holder vi julefrokost,« sagde jeg og tænkte på, at vi i grunden var en mærkelig flok. Jeg ved ikke, om man kan tale om *en flok* ensomme ulve, men ensomme ulve var jo det, de fleste af os var, og det var nok ikke kun arbejdets skyld, men lige så meget af tilbøjelighed. Arbejdet var bare vores dårlige undskyldning for ikke at have en kæmpe omgangskreds.

»I har vel ikke afbestilt vores bord?«

Vi plejer at holde vores julefrokost et lille listigt sted, hvor vi har et lille lokale for os selv. Vi bestiller det fra år til år.

»Nej,« sagde Ruth. »Jeg havde ærlig talt glemt alt om julefrokost, men for en ordens skyld må jeg hellere ringe og bekræfte, at det er same procedure as last year.«

Selvom jeg umiddelbart stejlede, da Karin nævnede ordet julefrokost, havde hendes lille tale fået mig til at indse, at det eneste rigtige var at holde den. Det ville Henrik også have ment. Jeg *var* jo for pokker fucking boss, derfor var det min forbandede pligt også at tænke på vores personale.

»Okay,« sagde Karin. »Det er jeg glad for. Rigtig glad.« Hun rejste sig igen. »Jeg må nok også hellere se at komme af sted.«

Jeg misundte hende ikke. Hun skulle arbejde i K&L, stormagasinet. Normalt arbejder vi ikke som butiksdetektiver, men i julemåneden har de brug for ekstra mandskab, så da træder vi til, og vi forsøger at fordele tjansen så retfærdigt som muligt imellem os uden persons anseelse. Selv Henrik og de andre hanner har altid taget deres tørn, og vi hader det alle sammen inderligt. På en skala fra et til ti over ulidelige jobs scorer K&L i december måned et enormt tital.

I år var Mogens lovligt undskyldt, og Ruth og jeg diskuterede stadig, om det var for risikabelt at lade mig tage tørnen et par dage. Jeg mente nej, mens Ruth var mere tvivlende.

»Nå,« sagde jeg, da Karin var gået. »Vi kan vel heller ikke trække den længere. Jeg skal jo møde hos Winther klokken to, så jeg må hellere se at få noget fra hånden inden da.«

»Hvordan gik jeres middag i lørdags?«

Jeg grinede. »Jeg troede aldrig, du ville spørge, selv om jeg kunne se, du var ved at sprænges af nysgerrighed, men maden var i hvert fald god. Du skal nok få et fyldigt referat i aften. Ups, for resten, jeg skal have ringet til ham dødsbomanden.«

»Om hvad?«

»Hans Christian vil gerne se sit barndomshjem, og jeg lovede at prøve at arrangere det, så jeg vil bede dem vente med at tømme huset.«

»Vil han se sit *barndomshjem?*«

»Ja, det undrede også mig, men ...«

»Han ved da vel ikke, at det er dit hus nu?«

»Nej. Jeg fulgte dit råd, så hvad det angår, var min mund lukket med syv segl. Det var derfor, jeg sagde, at jeg ville prøve at arrangere det. Jeg skal for resten også huske at ringe besked til ham.«

Jeg ringede først til dødsbomanden, som nærmest lød lettet over min opringning. Det passede ham udmærket at vente til sidst på ugen, for de havde et akut pladsproblem, så vi aftalte, at de skulle komme fredag. Bagefter ringede jeg til Hans Christian og sagde, at jeg godt kunne tage med ham ud til huset tirsdag efter arbejdstid.

»Skal jeg hente dig ved hotellet?« spurgte jeg.

»Nej, lad os bare mødes derude.«

»Er du sikker på, du kan finde det? Der er kommet et helt nyt kvarter derude.«

»Selvfølgelig kan jeg finde det.«

»Okay, skal vi sige kvart over fire?«

»Ja, fint nok.«

Så var det ude af verden, og jeg kunne omsider sætte mig ved min computer og tjekke min mail.

Ligesom med posten og aviserne plejer det at være hurtigt gjort mandag morgen, men for en gangs skyld var der en mandagsmail, der fik mig til at spærre øjnene op.

»Ruth! Der er en mail fra Tony.«

»Fra Tony?«

»Ja, han skriver, at han ikke ved, om det har nogen betydning, men en af hans medarbejdere er netop kommet hjem fra Hongkong – gud ved, hvad han lavede der? – Han blev selvfølgelig chokeret over at høre om Henrik, men det interessante er, at han fortalte Tony, at han havde hjulpet Henrik med at finde frem til en person i England, da han var derovre. Vores engelske kollega, må vi vel kalde ham, mener, at Henrik havde i sinde at opsøge denne person i sin ferie. Tony giver os både navn, adresse og telefonnummer på vedkommende og sender så i øvrigt os begge sine hjerteligste hilsener.«

»Ja, og?« sagde Ruth. »Tror du, det betyder noget?«

»Det er jeg sikker på. For han tilføjer et p.s., hvor han skriver, at hans medarbejder hævder, at Henrik sagde, det havde noget at gøre med den hellige gral!!! Han slutter med tre udråbstegn, så det er tydeligt, at han mener, det lyder helt skørt.«

Ruth havde spærret øjnene op. »Men vi ved bedre, ikke, Bea? Vi ved bedre.«

»Det gør vi i hvert fald.«

Jeg printede Tonys mail ud. Andrew Healy hed den person, Henrik havde ledt efter. Hvorfor? Hvem var Andrew Healy? Og hvor passede han ind i puslespillet om Henriks hellige gral?

Jeg rakte beslutsomt ud efter telefonen. »Jeg ringer til ham med det samme,« sagde jeg.

»God ide,« nikkede Ruth bifaldende.

»Kan du huske kaldenummeret?«

Selvfølgelig kunne hun det. »0044.«

Ideen var desværre ikke så god, da det kom til stykket. Jeg lod telefonen ringe et uendeligt antal gange, indtil jeg omsider fik en automatisk telefonsvarer. Jeg anede ikke, hvad jeg skulle sige, så da signalet lød, lagde jeg bare på.

»Ingen hjemme?« spurgte Ruth.

»Nej, og det kunne jeg næsten have sagt mig selv. Folk er vel på arbejde på den her tid, så jeg prøver igen i eftermiddag.«

Alligevel følte jeg mig nærmest barnligt skuffet, som når man får en snydepakke. Det var fuldstændig latterligt, for måske var Andrew Healy bare en blindgyde.

Men jeg var ikke engang kommet over skuffelsen, før telefonen ringede. Et kort optimistisk øjeblik håbede jeg, at det var Healy, der havde set nummeret på sin nummerviser og ringede tilbage.

Det var det ikke, men det var mindst lige så godt.

»Hej, det er Aksel,« lød det.

Et øjeblik var mit hoved helt tomt. Navnet sagde mig intet.

»Aksel?« sagde jeg spørgende.

»Ja, for helvede! Knast-Aksel.«

Det kunne han bare have sagt med det samme.

»Undskyld, jeg kunne ikke lige kende din stemme. Men hej, Aksel. Hvad så?«

Aksel er automekaniker og handler med brugte biler. Han er også en gammel klassekammerat fra folkeskolen. Han var egentlig en rigtig pæn fyr, men han fik så utroligt mange bumser, da han kom i puberteten, og det blev han selvfølgelig mobbet for. Han blev kaldt Tusindogenknast, Knast-Aksel og Bodega-Aksel. Jo, for på en bodega kommer der også så mange bumser. Han lod sig ikke gå på af noget af det, men tog drillerierne med en knusende ro, så øgenavnene blev nærmest til kælenavne. Han var noget af en rod dengang. Kørte på udborede knallerter, da han var 13, rapsede i butikker, da han var 14 og huggede biler, da han var 16. Men han kom aldrig alvorligt i klemme, så vidt jeg ved. Han blev uddannet automekaniker, og da han var 30, sad han med en blomstrende forretning og et ry som den mest hæderlige brugtvognsforhandler både nord og syd for Alperne. Henrik anbefalede mig ham, da jeg første gang tænkte på at købe bil, og jeg har aldrig fortrudt, at jeg fulgte hans råd. Det er muligt, man bliver snydt, men det er altid inden for rimelighedens grænser. Aksels filosofi er, at begge parter i en handel skal føle, de har vundet. Jeg synes, det siger alt om hans format og hans humoristiske sans, at han simpelt hen har kaldt sin forretning Knast-Aksel. En lille hilsen til alle mobberne, hver gang de ser hans reklamer og hans kæmpeskilte. KNAST-AKSEL. Take that!

Han havde hentet Henriks BMW for en uge siden, så jeg regnede med, det var den, det drejede sig om, og det var det på en måde også. »Vi har en køber til BMW'en,« sagde han. »Så vi har været ved at klargøre den her til morgen.«

»Ja?« sagde jeg lidt forbeholdent. »Er der noget galt med den?«

»Nej, for helvede, ikke og en skid, vi har jo altid passet den godt. Det er med biler som med kvinder, bare man forkæler dem, spinder de som små missekatte. Næh, men vi fandt noget under det højre forsæde. Du ved på den lille hylde under sædet, hvor instruktionsbogen plejer at ligge.«

Det vidste jeg ikke, men det var nok rigtigt, når han sagde det.

»Ja, hvad fandt I?«

»Jeg ved ikke, hvad fanden de kaldes, sådan en mellemting mellem en mobiltelefon og en bærbar.«

»Aksel!« næsten jublede jeg, så han må have troet, jeg var blevet komplet skør. »Du er en engel! Simpelt hen en engel! Det er Henriks notebook. Det hedder en notebook. Jeg har faktisk ledt efter den. Lå den i bilen? Det var dog utroligt.«

»Jeg vidste ikke rigtigt, om jeg bare skulle sende den til dig, eller ...«

»Nej, for guds skyld, jeg kommer selv og henter den. Sidst på eftermiddagen. Hvornår lukker I?«

»Klokken fem, men jeg er her altid til godt seks. Så bare, bare, bare tag det roligt, du når det nok.« Den sidste sætning sang han, og jeg grinede stadig, da jeg havde lagt røret på.

Jeg begyndte ligefrem at forstå Ruths forkærlighed for mandage.

Indtil videre havde denne her i hvert fald været fantastisk, syntes jeg. Jeg kan ikke forklare hvorfor, for egentlig var der ikke nogen særlig grund til optimisme. Jeg havde stadig en mordtrussel hængende over hovedet, og det mest sandsynlige var, at hverken Andrew Healy eller Henriks notebook kunne ændre på tingenes triste tilstand. Det var nok bare det, at der nu endelig skete noget, som fik mig til at tro, at der var ved at gå hul på bylden. Og om ikke andet så det da ud til, at vi nu kunne få løst gåden om Henriks hellige gral. Havde han virkelig fundet den?

Seancen hos Winther varede ikke engang en time, selv om vi gennemgik hver eneste sag, og jeg satte navne og noter på undervejs. Nu hvor Irma la Douce var ude af billedet, behøvede jeg ikke at spilde så meget som et sekund på hende. Til sidst måtte Winther modstræbende indrømme, at der ikke var fugls føde på det ben.

»Så er der kun knægtene,« sagde jeg. »Dem der overfaldt Rade, og den køber jeg altså ikke.«

»Nej,« sagde hun og havde åbenbart heller ikke lyst til at prøve at sælge den.

Hun lænede sig tilbage i stolen og sad et øjeblik tavs og så eftertænksomt ned i papirerne, og jeg var så småt ved at indstille mig på, at samtalen var forbi, men Winther havde en overraskelse i baghånden.

»Den russiske pige,« sagde hun. »Hende fra Estland, Elena. Hvor kommer hun ind i billedet? Der står ikke et ord om hende her.«

Det måtte være Mogens, den sladrehank! Han fik noget at forklare, når vi sås tirsdag aften.

Jeg må åbenbart have set temmelig morderisk ud, for Winther så på mig og smilede skævt. »Lad nu være at rive hovedet af ham, Bea. Mogens var jo nødt til at fortælle, hvor han havde navnet og billederne fra. Jeg vil gerne vide, hvorfor hun ikke er nævnt her i dine rapporter.«

»Har Mogens ikke fortalt dig det?« svarede jeg lidt spidst. »Jeg har ellers forklaret ham det. Det var ikke en rigtig sag, og jeg var stadig på ferie i USA, da den dukkede op. Jeg skulle være rejst hjem den 11. september!«

Winther spærrede øjnene op. »11. september?«

Jeg nikkede. »Ja, om aftenen.« Jeg skuttede mig lidt. »Nå, men du ved jo, hvad der skete, alt var fuldstændig kaotisk i de følgende dage. Henrik mailede flere gange dagligt, jeg tror, han var mindst ligeså chokeret som jeg. Flytrafikken kom omsider i gang igen, og det lykkedes mig at få en billet, så jeg kunne komme hjem. Eller i det mindste til Europa. Det mailede jeg selvfølgelig til ham, og da han fik at vide, at jeg var nødt til at flyve over Oslo, mailede han Elenas foto til mig og bad mig søge efter hende sammen med vores norske kontakt, som allerede havde gjort det meste af benarbejdet. Tjekket bordeller og alt det der. Desuden bad han mig tage færgen fra Oslo og spørge efter hende der. Der stod kun et par linjer om baggrunden, men jeg parerede selvfølgelig ordre.«

»Selvfølgelig,« indskød Winther med kun en antydning af ironi.

»Vi tog bare en runde til de mest indlysende steder,« fortsatte jeg uanfægtet. »Så efter hende og spurgte efter hende, viste hendes billede frem og så videre. Jeg gjorde det samme på båden hjem, men der var ikke bid nogen steder. Hverken i Oslo eller på færgen.«

»Hvilken færge?«

»Oslo-Frederikshavn. Jeg talte med både restaurations- og kahytspersonalet, men der var ingen, der havde set hende.«

»Hvorfor lige Oslo-Frederikshavn?«

»Så vidt jeg husker, fordi hun havde aftalt med sin kæreste, at han skulle køre hende til færgen i Frederikshavn, men det kiksede af en eller anden grund. Hun dukkede ikke op på det aftalte mødested, og han så hende aldrig mere. Hørte heller ikke fra hende, og så blev han urolig og henvendte sig til os, det vil sige Henrik. Og det er stort set alt, hvad jeg ved om den sag. Og så at han ikke havde penge til at hyre os, da det kom til stykket. Jeg mener, at Henrik havde sagt til ham, at han ville se, hvad vi kunne gøre, men han hørte aldrig fra fyren igen, så vi droppede bare sagen og var enige om ikke at spilde tid på at skrive rapport. Det var et rent tilfælde, at jeg stadig havde hendes navn og billederne, og fyren har jeg aldrig truffet.«

»Fortalte du de personer, du udspurgte, hvor du kom fra?«

»Mener du NSC? Nej, selvfølgelig ikke. Jeg sagde, jeg var hendes veninde. Jeg brugte ikke engang mit eget navn.«

»Bad du dem kontakte dig, hvis de kom i tanker om noget eller løb på hende?«

»Ja, de fik mit telefonnummer, men ikke mit private. Vi har et mobilnummer til det samme. Og det udskiftes jævnligt.«

»Okay.«

»Hvorfor det?« spurgte jeg, selv om jeg gættede svaret.

»Fordi der er nogle grimme fyre derude et sted, og hvis de tror, du ved noget, så ...«

»De aner ikke, hvem jeg er. Hvor skulle de vide det fra?«

Hun slog opgivende ud med armene. »Nej, hvor skulle de vide det fra? Ved du hvad, Bea, somme tider har jeg en følelse af, at der et eller andet sted derude i det virkelige liv findes et kæmpestort øre, en slags radiomodtager, der fanger alle de oplysninger, der flyder rundt overalt i æteren, eller hvor de nu flyder rundt, og alle de der små bitte stumper og stykker ender i en kæmpecomputer, hvor de bliver analyseret, og bingo, så er der nogen, der ved noget, som de ikke burde vide.«

Jeg sendte hende et overbærende smil. »Beth Winther, det er ikke bare en følelse, du har. Der findes sådan et kæmpeøre og sådan en kæmpecomputer i virkeligheden. Vi andre kalder det politiet.«

Hun var ikke amused, men rystede opgivende på hovedet. »Det vidste jeg, du ville sige. Hvad kaldte du dig for resten?«

»Linda. De fik kun fornavnet.«

»Og på passagerlisten?«

»Også Linda. Linda S. Pedersen.«

»Hvad står s'et for?«

Jeg trak på skuldrene. »Ikke noget. Jeg synes bare, det ser mere overbevisende ud med et ekstra bogstav.«

Hun grinede. »Du er sgu skør!« Så blev hun alvorlig. »Har du følt dig skygget eller iagttaget?«

Jeg rystede på hovedet. »Overhovedet ikke.«

»Mærkelige telefonopringninger?«

»Heller ikke.«

»Hm.«

»Så måske er det blind alarm,« prøvede jeg forhåbningsfuldt.

»Bea, en brevbombe er ikke blind alarm.«

Nej, det måtte jeg nok erkende.

»Tager du tilbage til kontoret herfra?«

Jeg tænkte mig om. Det var nok smartest at tage ud til Knast-Aksel nu, hvor jeg alligevel var i bil.

»Nej, jeg kører lige ud om Knast-Aksel. Jeg har sat Henriks BMW til salg hos ham, og der er nogle papirer, jeg skal skrive under på. Derfra kører jeg ned og parkerer på min sædvanlige plads, og så går jeg tilbage til kontoret.«

Jeg fortalte hende ikke, at Henriks notebook var dukket op. Jeg ville først se, hvad jeg selv kunne få ud af den.

»Okay, jeg skal nok give dem besked. Pas på dig selv.«

Hun så virkelig bekymret ud, og det gjorde selvfølgelig også mig bekymret.

Da jeg kørte ud fra gæsteparkeringen, dukkede en civil politibil op bag mig. Den fulgte efter mig ud til Knast-Aksel, men gled langsomt forbi, da jeg kørte ind gennem porten. Knast-Aksel gav mig en knuser. Jeg har efterhånden vænnet mig til, at alle giver hinanden knusere. Det gjorde man ikke, da jeg i sin tid rejste fra Danmark. I hvert fald ikke i Jylland.

»Kondolerer, Bea,« sagde han. »Du må undskylde, at jeg ikke kom til begravelsen, men jeg kunne ikke få tid.« Han tøvede lidt. »Nej, det er løgn, det kan jeg lige så godt indrømme. Selvfølgelig kunne jeg få nogen til at passe bulen, men for at sige det, som det er, så kan jeg ikke klare begravelser. Ikke når det er nogen, jeg kan lide, og jeg kunne skidegodt lide Henrik. Det er ikke bare det, at jeg græder, du ved sådan med rigtige tårer. De plasker ned ad mig, siger jeg dig, men det er ikke det værste. Nej, jeg brøler fandeme! Som en kronhjort. Det lyder ad helvede til! Min kone blev sgu helt gal på mig til min svigerfars begravelse, så det ...«

»Det er i orden, Aksel. Og det var en utrolig flot krans.«

»Den var sgu også dyr. Men hvad fanden ... selvom jeg hellere ville have delt en flaske dyr whisky med ham. Hold kæft, hvor vi kunne have haft det skægt. Nå, men det var den notebook.«

Da jeg kørte ud ad porten, dukkede politibilen op igen, allerede før jeg havde tastet det specielle nummer. Den kørte lige bag ved mig ind til byen og helt hen til min private parkeringsplads foran porten, og derefter fulgte den mig i skridtgang hen til kontoret. Go' vovse! Så hvad var der i grunden at være bekymret for?

Klokken var næsten fire, før jeg var tilbage på NSC fra min ekspedition, men Ruth sad selvfølgelig stadig på sin pind.

»Nå, hvad fik I så ud af det?«

»Ingenting,« sagde jeg. »Hun er bekymret.«

»Det bør hun sandelig også være.«

»Og så lavede hun en underlig kobling til hende den estiske pige, du ved, Elena.«

Ruth var som altid helt fremme i skoene. »Det er der ikke noget underligt i, jeg har faktisk selv tænkt på hende. Men du brugte ikke dit eget navn, vel? Eller NSC's?«

»Nej, er du gal. Jeg kørte strikt efter reglerne.«

»Hvad med passagerlisten?«

Jeg smilede. »Det spurgte Winther også om. Men jeg brugte selvfølgelig det samme navn. No problem, jeg skulle jo ikke vise pas.«

»Godt. Det tog ellers lang tid.«

»Jeg tog ud til Knast-Aksel efter Henriks notebook. Vi kan kigge på den i aften.«

»Alt tyder på, at vi får en meget lang aften,« konstaterede Ruth. »Så hvad med at komme allerede klokken halv seks, hvis du kan blive færdig til det? Du kan få lov at hjælpe med maden, mens vi får en lille en.«

»Det lyder helt fint.« Jeg satte mig ved skrivebordet, og der lå udskriften af Tonys mail.

»Jeg tror, jeg prøver at ringe til ham Healy igen,« sagde jeg og viftede med papiret.

Jeg tastede nummeret, og denne gang blev telefonen taget allerede efter et par ring. Det var en kvinde, der svarede, og det kom lidt bag på mig, men hvorfor skulle Healy ikke have en kone eller kæreste?

Hun sagde ikke sit navn, bare et langtrukkent »Yeees?«

»Du taler med Bea Jantz. Mon jeg træffer Andrew Healy?«

»Jeg er Andrews kone, Janet. Andrew er desværre ikke til stede.«

»Hvornår venter du ham hjem?«

»Ikke før i morgen eftermiddag.«

»Åh, det var ærgerligt. Jeg ville meget gerne tale med ham.«

»Han ringer sikkert til mig her til aften. Er der en besked, jeg kan give? Hvad drejer det sig om?«

»Det drejer sig om en af mine venner, Henrik Gerner. Jeg har grund til at tro, at han traf din mand engang i oktober måned.«

»Henrik! Den charmerende dansker. Ja, han var her. En vældig tiltalende fyr. Hvordan har han det?«

Jeg tøvede et øjeblik. »Han ... ja, det er blandt andet derfor, jeg ringer. Forstår du, Henrik er død.«

»Hva'!« udbrød hun chokeret. »Jamen hvordan? En ulykke eller ...«

»Nej, desværre. Henrik blev myrdet.« Der lød et forfærdet gisp. »Og politiet har endnu ikke opklaret sagen. Så det er yderst vigtigt for mig at tale med din mand og høre, hvorfor Henrik opsøgte ham, og hvad de talte om.«

»Undskyld, men jeg er helt forvirret. Det var en chokerende nyhed. Men de talte faktisk kun om Mexico og om Henriks bror. Forstår du, min mand var sammen med Henriks bror i Mexico i sine unge dage. De talte i hvert fald ikke om noget, der kan have med mordet på ham at gøre. Men nu skal du høre, min mand ringer til mig klokken seks, og så kan jeg give ham dit nummer. Hvor ringer du fra?«

»Danmark.«

»Danmark! Jeg troede, du var amerikaner. Du lød sådan. Det var dog et mærkeligt træf! Min mand er faktisk i Danmark til konference. I København. De slutter med en middag i aften, men han har som sagt lovet at ringe inden. Jeg skal få ham til at ringe til dig, før han går til middagen. Jeg tror, den er klokken syv. Bare giv mig et nummer, han kan ringe til.«

Jeg gav hende Ruths nummer. Jeg overvejede også at give hende mit mobilnummer, for hvis han ikke nåede at ringe til mig før middagen, ville han ganske givet ringe bagefter, men jeg kunne jo bare blive hos Ruth, indtil jeg havde fået talt med ham. Jeg var sikker på, at hans kone ikke ville glemme at give ham min besked. Hun ville garanteret sidde som på nåle, indtil hendes mand ringede, så hun kunne fortælle ham om Henrik.

Nå, så Andrew Healy havde været sammen med Hans Christian i Mexico, og nu var han til konference i København. Jeg tænkte på fotoet af de tre unge fyre uden for en bar i Mexico, de lignede bestemt ikke nogen, der tog til konferencer, men 17 år er jo også lang tid. Hvor gammel var han nu? Sidst i 30'erne, 40 måske. Han kunne være politiker, forsker, økonom, alt muligt.

Havde han vist Henrik vejen til hans hellige gral?

Før jeg tog ud til Ruth, gik jeg ind på nettet og fandt alle flyafgange til København den følgende dag. Jeg var fast besluttet på at møde Andrew Healy ansigt til ansigt, hvis det på nogen måde lod sig gøre.

Han ringede allerede tyve minutter over seks. Han kondolerede og fortalte, hvor rystet han var over nyheden om Henrik, og sagde i næsten samme åndedrag, at han desværre ikke havde ret meget tid, for han skulle klædes om inden middagen.

»Men det er en særdeles foruroligende sag, og jeg ville meget gerne tale med dig.«

»Hvornår flyver du hjem i morgen?« spurgte jeg.

»Til middag, men jeg skal checke ind senest en time før afgang.«

»Fint,« sagde jeg. »Jeg har et forslag. Vi mødes i lufthavnen. Hvis du kommer klokken 10.30, har vi cirka en time til rådighed. Kan du klare det?«

»Sagtens.«

Vi aftalte de nærmere detaljer, og jeg lagde på.

»Tror du, du kan få en flybillet?« spurgte Ruth.

»Jeg har allerede bestilt. Den eneste ledige afgang før middag var klokken 7.15, så den tog jeg. Det var jeg jo nødt til.«

»Du fortalte ham ikke, at Hans Christian er opstået fra de døde,« sagde Ruth.

Jeg rystede på hovedet. »Nej, jeg vil se, hvordan han reagerer på den oplysning. Jeg har på fornemmelsen, at det var ham, der var sammen med Hans Christian og senere henvendte sig til det mexicanske politi. Hvis det med bortførelsen da ikke var en historie, de fandt på sammen?«

Ruth så forbavset på mig. »Tror du, det kunne være det?«

»Jeg vil i hvert fald ikke udelukke det. Der er et eller andet ved den historie, der klinger falsk. Men hvis nu Hans Christian, allerede før han rejste, havde besluttet sig til at blive en fri mand, en libero, så ville det smarteste være at få alle til at tro, at han var død. At han var i livsfare, sidst han blev set. Hvis han bare forsvandt, ville familien blive ved med at lede efter ham, ikke? Så jeg kan godt forestille mig, at han har indviet Andrew Healy i sin plan og fået ham til at hjælpe med at føre den ud i livet.«

»Jah, det kunne måske tænkes,« indrømmede Ruth tøvende og tilføjede lidt mere overbevist. »Det passer jo sådan set også med, at Henrik sagde til Mogens, at han havde fundet sin hellige gral. Vi ved, han opsøgte Healy, og det er meget muligt, at Healy, som nu er voksen og følsom, fortalte ham sandheden om Hans Christians forsvinden. Hvis din teori altså er sandheden.«

»Det får vi at vide i morgen, når jeg taler med Healy, eller måske allerede i aften, hvis Henrik har skrevet noget om det i sin notebook.«

»Har du ikke kigget i den endnu?«

»Nej, jeg har ikke haft tid. Vi kan gå i krig med den, når vi har spist.«

Ruth havde sammensat en nem og hurtig menu. Laksetatar til forret, en stor oksebøf, der var så mør, at man kunne tygge den med øjenvipperne, og ost som afslutning. Min køkkentjans havde stort set kun bestået i at skære grøntsager til salaten, trække to flasker vin op, en hvid og en rød, og skænke et glas hvidvin til os hver, mens Ruth lavede tataren og dressingen til salaten.

Vi var blevet enige om, at det var mest praktisk at spise i køkkenet, for så kunne vi snakke sammen uden afbrydelser under hele måltidet.

»Men hvad får dig til at tro, at han havde besluttet sig til at blive »en fri mand« allerede, før han rejste?« spurgte Ruth, da vi havde sat os til bords. »Var det noget, han sagde i går aftes?«

»Både og. Jeg har hele tiden siden syntes, det lød mærkeligt, at han uden videre greb chancen, da den viste sig. Jeg tror simpelthen ikke på, at man gør sådan noget efter en pludselig indskydelse. Og *gennemfører* det vel at mærke. Henrik fortalte, at Hans Christian havde sendt masser af breve, sjove, underholdende og kærlige breve til både ham og forældrene, mens han var væk; han havde også husket deres fødselsdage, begge hans forældre havde fødselsdag i november, og endelig sendte han et langt julebrev med et foto af sig selv og et par kammerater. Hvorfor gjorde han det, hvis han havde så meget imod dem, at han kun ønskede at blive fri for dem?«

»Og hvad er dit svar?«

»At han blev ved at spille rollen som den gode søn, for at de ikke skulle ane uråd. I virkeligheden hadede han dem. Nej, nu overdriver jeg vist, hadede er nok for stærkt et ord, men han kunne i hvert fald ikke lide dem; jeg fik nærmest indtryk af, at han foragtede dem og på en måde også sig selv, fordi han spillede med på deres komedie.«

»Hvilken komedie? Jeg forstår ikke helt, hvad du mener, men det lyder ikke akkurat, som om jeres middag var en succes.«

»Næh, det kan man vist ikke sige. Det var i hvert fald en meget mærkelig aften. Jeg følte mig helt skizofren, da jeg tog derfra. Det var, som om jeg havde været i selskab med to forskellige personer. Det ene øjeblik kunne han være charmerende og underholdende, sådan som jeg husker – eller tror, jeg husker – ham, og det næste øjeblik var han sarkastisk og ubehagelig, og det var mest, når talen faldt hans på familie. På et tidspunkt spurgte jeg for eksempel, om han stadig spillede tennis, og han sagde lidt irriteret, at han havde haft nok at gøre med at tjene til livets ophold.

'Men du ser da ud til at have gjort det meget godt,' sagde jeg. 'Så det kunne da være, du havde taget det op igen. Du var jo så god til det.'

Og så nærmest vrængede han: 'Ja, ja, den hvide sport. Gentlemansporten. Det skulle altid være så fisefornemt. Klaverspil og spejder og tennis, og hvad har vi. Rigtig overklasse med hus og bil og to pæne sønner. Og hvad var de så? Skolelærere! Hvem fanden troede de, de var?'«

Ruth så undrende på mig. »Sagde han virkelig det?«

»Ja. Jeg blev helt forskrækket, da han sådan tændte af. Jeg syntes, det var et ret uskyldigt spørgsmål. Jeg mener, han var dansk juniormester i tennis, da han gik i gymnasiet, så det var da naturligt at spørge. Han må også selv have kunnet lide det dengang, og desuden var tennis ikke forbeholdt overklassen, vel? Vi taler jo for pokker ikke om 50'erne eller 60'erne, men om 70'erne og 80'erne. Han er ikke engang 40 år, så det virkede lidt absurd at høre ham tale som en proletarroman, fra jeg ved ikke hvornår. Jeg turde slet ikke spørge, om han stadig dyrkede musik, så var han bare gået helt op i en spids, men jeg forstod alligevel på ham, at det også var helt slut. I øvrigt var det vist mest guitaren, han dyrkede i gymnasiet.«

»Var det kun, når I talte om hans familie?«

»Nej, men da var det mest udpræget. Måske var det også lidt min skyld. Han sagde, at jeg ikke forstod ham, og det havde han ret i. Jeg forstår ham ikke, men derfor havde jeg ikke behøvet at sidde og være så selvretfærdig, for jeg kender godt de følelser, han gav udtryk for. Jeg har da også været jaloux på min søster, da vi var børn.«

»På Allie?« udbrød Ruth forundret. »Det er aldrig faldet mig ind. Hvorfor?«

Jeg smilede. »Fordi hun var den foretrukne, selvfølgelig. Hun var mormors pige, og det forstår jeg godt. Allie var køn, sød og stilfærdig. Hun elskede at sy dukketøj eller lege med perler, og hun kunne sidde musestille og tegne i timevis, mens jeg var et uroligt barn, der ikke kunne sidde stille i to minutter, men støjede og legede vilde lege. Og da jeg kom i førpuberteten, var jeg virkelig rædselsfuld. Jeg kan huske engang, hvor mormor bad mig luge et nyspiret blomsterbed. Det var kun et par rækker *Stolte kavalerer,* men jeg havde aftalt med en veninde, at vi skulle i friluftsbadet, så jeg prøvede at slippe. Det lykkedes ikke, så jeg blev skidesur, og som hævn trak jeg alle blomsterne op. Jeg sagde, at jeg ikke kunne se forskel på blomster og ukrudt, men jeg fik forfærdelig dårlig samvittighed, da jeg så mormors ansigtsudtryk, og jeg bliver stadig ked af det, når jeg tænker på det. Der havde min mormor, den gamle dame, gravet og revet og sået og vandet med stort besvær, og så ødelagde jeg det hele på et kvarter. For at gøre det godt igen brugte jeg alle mine lommepenge på at købe nogle sommerblomster, som jeg egenhændigt plantede en tidlig morgen, før de andre var stået op. Mormor blev næsten rørt til tårer, og jeg var i grunden aldrig i tvivl om, at hun inderst inde holdt af mig, men jeg har altid haft et noget ambivalent forhold til hende.«

»Hvad med dine forældre?«

Jeg rystede lidt på hovedet. »Der var jeg selvfølgelig også misundelig på Allie, fordi hun havde haft dem, til hun var 12 år, mens jeg kun var seks, da de flyttede til Sydfrankrig. Og der var aldrig nogen, der fortalte mig, at det var på grund af mors helbred. Hun var hårdt angrebet af ledegigt og havde det meget bedre i syden, men da jeg var lille, troede jeg, det var, fordi jeg var så uartig. Mormor har sikkert antydet det engang, hvor jeg har lavet et eller andet.«

»Men dine forældre gjorde ikke forskel?«

»Nej, eller rettere hvis de gjorde, var det nok snarere mig, der blev lidt forkælet. Især af min far. Allie var nok næsten for stilfærdig og for artig til hans temperament. Han syntes, jeg var en sjov unge. Han kaldte mig *Little Uglyface* eller *Gespenstet,* og jeg elskede det.«

»Ja, lidt skør har du altid været.«

»Overhovedet ikke. Men det jeg prøver at sige er, at det er én ting at blive svigtet eller føle sig uretfærdigt behandlet af sin mormor, det er sikkert noget helt andet at føle, at ens forældre ganske tydeligt foretrækker ens lillebror – især hvis man er adopteret. Så jeg burde have været mere forstående eller i det mindste have prøvet at forstå ham.«

»Hvorfor bliver han hængende her?«

»Jeg aner det ikke, det er, som om han venter på noget – eller søger efter noget. Måske sin tabte barndom.« Jeg trak på skuldrene. »Jeg tror, han i virkeligheden er en meget ensom mand. Og han stoler ikke på nogen. Han blev nærmest forarget over, at jeg havde været så »naiv« at lade min veninde køre forretningen, så jeg kunne tage hjem og hjælpe Allie. Efter hans mening er alle kun ude på at snyde, hvem de kan, hvor de kan.«

»Tyv tror, hver mand stjæler,« sagde Ruth eftertænksomt.

»Ja, noget i den retning. Okay, han har jo nok lært det the hard way, men alligevel. Det har også noget med éns natur at gøre. Han er simpelt hen så forskellig fra Henrik, som tænkes kan. Henrik var hverken naiv eller tossegod, men han stolede i det mindste på sine venner og i øvrigt på folk i almindelighed, indtil det modsatte var bevist. Det er utroligt, at et par brødre kan falde så forskelligt ud.«

»Nu var de jo strengt taget ikke brødre,« indvendte Ruth, idet hun rejste sig for at fjerne vores tallerkener.

»Næh, så det kunne måske være et indlæg i den evige diskussion om arv eller miljø,« fortsatte jeg og fulgte efter hende for at blande salaten, mens hun stegte bøfferne. »Det lød, som om han altid har følt sig fremmed i det miljø, han voksede op i, og det er da mærkeligt. Men det siger måske også noget om, hvorfor han er blevet sådan. Det er jo der, han første gang føler sig snydt. Han er selvfølgelig blevet snotforkælet de første tre-fire år, han var kongen, og så dukker der pludselig en lille møgunge op og tager hans plads. Som jeg opfatter ham, er han sygeligt jaloux, og han har sikkert været dødmisundelig på sin forkælede lillebror.«

»Mener du, at hans fall from grace har såret ham så dybt, at han i virkeligheden hadede Henrik? Måske endda nok til at ønske ham død?«

Jeg rystede på hovedet. »Nej, dog ikke. Jeg synes ganske vist, det virker sygt, men ikke så sygt. Og hvis det var ham, havde han nok ikke skrevet mit navn på pakken, vel? Nej, jeg mener, at han inderst inde hader og misunder alle, som bare ved fødselsret har fået mere end han. Jeg tror ikke, han opgav både sin tennis og sin musik, fordi han skulle tjene til dagen og vejen, men fordi han ville tjene penge, rigtig mange penge, og blive så rig, at han ad den vej kunne få adkomst til den foragtede overklasse, hvis du kan følge mig.«

Ruth nikkede. »Skal din være rød eller medium?«

»Medium,« sagde jeg og gav mig til at blande salaten. »Det sørgelige og paradoksale er, at lige netop det, det, han kasserede, *var* hans fødselsret. Han var et født tennistalent, og han var født hamrende musikalsk. Enhver kan tjene penge, hvis det er deres eneste interesse, men det er sgu ikke alle, der kan blive tennisstjerner eller fremragende musikere. Jeg er sikker på, at han var blevet et lykkeligere og betydeligt mere charmerende menneske, hvis han havde satset på det, han havde, i stedet for at stirre sig blind på det, han mente, han var blevet snydt for.«

Ruth smilede. »Hans Christian ifølge Bea. Det kunne jo også tænkes, at han fandt ud af, at hverken det ene eller det andet talent rakte til at blive verdensstjerne, og at han derfor satsede på pengene. Men det lyder, som om du havde en interessant aften.«

Jeg grinede. »Ja, det kan man selvfølgelig godt kalde den. Desværre kom jeg i den grad til at jokke i spinaten, at den sluttede om muligt endnu værre.«

»Kom du til at bøvse midt i desserten?«

»Nej, jeg kom til at sige et frækt ord. Pik. Og jeg sagde det ikke engang på dansk eller engelsk, men på spansk. Jeg lover dig, han gloede på mig, som en rettroende muslim ville have gjort, hvis jeg havde spyttet på Koranen!«

Ruth brast i latter. »Åh, gud, hvor det ligner dig, Bea! Hvordan i himlens navn kan en pæn ung dame, der sidder på en dyr restaurant med en næsten ukendt og næsten nobel herre »komme til« at sige et frækt ord – og så på spansk?« Hun lo igen. »Det kræver en forklaring.«

Den fik hun over bøffen.

»Han må være fra bibelbæltet,« grinede hun, da hun havde hørt den.

»Jeg ved faktisk ikke, hvor i USA han bor. Han fortalte i det hele taget ikke ret meget om sig selv. Jeg ved, han har været gift, og at hans kone døde, og det var så det. Jeg fiskede selvfølgelig lidt, men han gled af eller stillede et modspørgsmål. En meget privat person. Lukket som en østers.«

»Teflon,« sagde Ruth.

»Præcis.«

Vi forlod emnet Hans Christian og snakkede om alt muligt andet under resten af middagen. Så interessant var han trods alt heller ikke.

»Kaffe?« spurgte Ruth, da vi var færdige med middagen og havde ryddet op i køkkenet.

»Nej tak, så kan jeg bare ikke sove. Lad os nu få kigget på Henriks notebook.«

»Skal vi blive her eller sætte os ind i stuen?«

»Jeg synes, vi skal blive her. Jeg skal alligevel snart gå. Husk, jeg skal op, før fanden får sko på. Vi skal bare lige se, hvilke interessante ting den her lille skid kan fortælle os.«

Jeg tog notebooken op af tasken og åbnede den. Vi var så spændte som to børn juleaften.

»Nu håber jeg ikke, batteriet er fladt,« sagde Ruth.

»Sig det ikke,« sagde jeg og trykkede på knappen. »Nu!«

Batteriet virkede, og det lille skærmbillede tonede frem.

Det var godt, Hans Christian ikke hørte os. Det ville have rystet ham.

»Fuck!« udbrød Ruth.

»Oh, shit! Sig, det er løgn!« skreg jeg.

For på skærmen stod – sort på hvidt i hver sit felt – BRUGERNAVN ADGANGSKODE.

»Brugernavnet er henrikgerner i et ord,« sagde jeg. »Det er jeg sikker på. Jeg tror, han har fortalt mig det engang, men adgangskoden?! Det kan jo være alt!«

Den næste time prøvede vi så alt – bortset fra det rigtige.

Henriks fødselsdag, hans mors, hans fars og hans brors navne og fødselsdage i alle mulige variationer, derfra gik vi til Hellig Gral, Bea og Beatrice, sågar Dante og så videre og så videre.

»Vi kan lige så godt opgive,« sagde jeg, da jeg med et blik på uret konstaterede, at vi havde makket med den skide notebook i langt over en time.

Vi havde godt nok fået vores julegave, men den var en skuffelse. Vi kunne ikke få den ud af emballagen.

»Det kunne også være navnet på en hund eller kat,« foreslog Ruth. »Har han nogen sinde haft en hund eller et andet yndlingsdyr?«

»Det tror jeg ikke.«

»Yndlingsmusik?«

»Mahler. Og hvis det ikke er det, holder vi altså for i aften. Måske hjælper det at sove på det.«

Vi forsøgte både Mahler og Wagner, og som ved alle de andre forslag, endte der med at stå:

ACCESS DENIED – FORKERT KODEORD

XIII

Jeg syntes dårligt nok, jeg havde lukket øjnene, før vækkeuret duttede frenetisk. Jeg afbrød dutteriet, men turde ikke blive liggende så meget som et minut længere, for jeg var sikker på, at jeg så ville falde søvn igen og misse min date med Andrew Healy. Klokken var fem, og jeg skulle være i lufthavnen kvart over seks, så der var kun tid til et lynhurtigt morgentoilette. Jeg havde både bestilt taxa aftenen før og ringet til det specielle nummer for at meddele, at jeg skulle med fly til København om morgenen, og at jeg tog en taxa til lufthavnen klokken halv seks. Tre kvarter til lufthavnen burde være mere end rigeligt, men det er umuligt at forudse føret på den her tid af året, så jeg turde ikke beregne det for snært. Jeg var klar fem minutter i halv og brugte et par minutter på at skrive en besked til Rade, så han ikke skulle tro, at jeg var blevet bortført i nattens løb. Jeg smed sedlen ind ad brevsprækken, da jeg gik forbi hans dør på vej ned til taxaen, som kom på klokkeslæt. Det lovede godt for resten af turen, og ganske rigtigt, jeg checkede ind klokken seks og havde en hel time til først at spise et solidt morgenmåltid og derefter gå ud på toilettet for at pynte lidt på mit morgenansigt med øjenmakeup og læbestift. I forening med morgenmaden fik det mig straks til at føle mig lidt mere vågen og betydeligt bedre tilpas. Nu lignede jeg næsten et menneske.

Det første jeg gjorde, da vi var landet i Kastrup, var at sikre mig en plads til hjemrejsen. Jeg satsede på, at jeg med lidt held kunne nå flyet klokken 13 efter mit møde med Healy. Derefter tog jeg bussen over til udenrigsgården, hvor jeg havde et par timer at slå ihjel. Jeg kunne umuligt spise noget efter mit opulente morgenmåltid, så jeg købte et par aviser og en flaske vand og slog mig ned i nærheden af vores aftalte mødested. Jeg pløjede den ene avis igennem fra a til z, indenrigs- og udenrigsstof, lederne, kronikken, læserbrevene, fødselsdage, jubilæer og dødsannoncer, hvor jeg heldigvis ikke selv figurerede. Jeg sluttede med kurslisterne, som jeg ikke forstår et levende suk af, og var halvvejs gennem avis nummer to, hvor jeg blev så opslugt af en besynderlig historie, at det gav et spjæt i mig, da jeg anede en skygge ved siden af mig og hørte en stemme sige: »Ms. Bea Jantz, I presume!«

Helt vågen var jeg åbenbart ikke, for jeg udbrød forfjamsket: »Ja, og du må være mr. Stanley. Nej, undskyld, mr. Healy selvfølgelig.«

Han lo, og jeg smilede beroliget tilbage. Han havde en behagelig latter og svarede i meget højere grad til mit billede af en englænder, end Tony havde gjort. Høj, slank, nærmest mager, mellemblondt hår, langt markeret ansigt, lang næse, lidt for store ører og smalle læber, men fantastisk flotte tænder. Jeg har et eller andet med tænder, men det er nok for plat at sige, at jeg tænder på dem. Han var iført en olivengrøn rullekravesweater og en lækker tweedjakke og havde en cottoncoat over armen. Han manglede kun paraplyen for at være *true to type* – eller rettere, som *jeg* forestiller mig en typisk englænder.

Tandpastasmilet var det eneste, jeg kunne genkende fra fotoet af tre unge fyre foran en bar i Mexico. De havde alle tre siddet der med solbleget hår og et smil så hvidt og så bredt i deres mørke ansigter, at det næsten fyldte hele billedet. Det var, som tidligere nævnt, et elendigt foto, så han kunne i virkeligheden være hvem som helst af de tre.

»Ikke mr. Healy, vel? Kald mig Andrew, men for guds skyld ikke Andy, det hader jeg. Hedder du virkelig Bea?«

»Nej, Beatrice. Jeg er kaldt op efter Dantes Beatrice, og jeg har ikke det fjerneste imod blot at blive kaldt Bea.«

»Okay, Bea. Lad os finde et sted, hvor vi kan tale nogenlunde uforstyrret sammen,« sagde han og førte mig hen til en overfyldt bar, hvor støjniveauet var som i en børnehave. Men det lykkedes os mirakuløst at kapre et tomandsbord, der netop blev ledigt, og manden havde jo ret; i den her larm ville ingen bortset fra os selv kunne høre et ord af, hvad vi sagde.

»Kaffe?« spurgte han, og jeg nikkede, selv om jeg allerede havde drukket kaffe to gange i dag, dels til morgenmaden, dels i flyet, men hvad betyder en koffeinforgiftning i en god sags tjeneste, og man snakker nu engang bedre, når man samtidig er beskæftiget med noget andet. Ellers går der let for meget skriftestol i det.

Jeg lod ham spille ud, da han havde hentet vores kaffe, og vi sad med hver sin kop foran os. »Jeg må endnu en gang sige, at jeg blev dybt chokeret over at høre, at Henrik er blevet myrdet. Faktisk lige så chokeret, som da Henrik fortalte os, at HC var forsvundet og sandsynligvis myrdet af banditter kun et par uger efter, at vi havde været sammen.«

Jeg så forbløffet på ham. »Ja, men var det ikke dig, der var sammen med ham og meldte det til politiet?«

»Nej, nej, på det tidspunkt var jeg rejst hjem til England.«

Hvis det var sandt, og hvorfor skulle manden sidde og lyve, kuldkastede det alle vores teorier. I hvert fald hvad angik Andrew Healy, for Hans Christian kunne jo have fundet en anden hjælper til sit forsvindingsnummer.

»Men hvorfor opsøgte Henrik så *dig?* Du kunne jo umuligt kaste lys over hans brors forsvinden.«

»Nej, men det troede han, for det var mit navn, han havde fået opgivet af politiet, og han vidste fra HC's breve, at vi havde været sammen i flere uger. Han havde gjort adskillige forsøg på at finde mig i de forløbne år, men det lykkedes altså først her i efteråret.«

»HC?« Jeg så spørgende på ham. »Kaldte Hans Christian sig HC?«

»Nej, det gjorde jeg. Han havde lige så meget imod at blive kaldt Hans eller Chris, som jeg har mod at blive kaldt Andy, og så måtte han affinde sig med HC.« Han smilede. »Hans Christian er bare for meget.«

Jeg sad lidt tavs og lod hans ord sive ind, så rystede jeg på hovedet.

»Jeg forstår det stadigvæk ikke. Hvordan i alverden kunne det være dit navn, Henrik fik opgivet af politiet, når du slet ikke var der? Og hvad mente du i går, da du sagde, at det var en foruroligende historie?«

»Jeg fandt den temmelig foruroligende allerede, da Henrik fortalte mig, hvad der var sket med HC, og at han havde fået opgivet mit navn af politiet. Det sidste mente jeg nemlig, at jeg kunne forklare, og det var nok det, der foruroligede mig mest. Jeg finder det ikke mindre foruroligende, at Henrik også er blevet myrdet, og at der tilsyneladende ikke er noget motiv. Jeg aner selvfølgelig ikke, om der er en forbindelse, det kan være rent hjernespind, men jeg synes, det er tankevækkende.«

»Du siger, du kunne forklare det med navnet. Hvordan?«

»Vi har jo ikke meget tid til rådighed, så du får den korte version. HC og jeg stødte helt bogstaveligt på hinanden i Mexico City, da vi løb efter den samme bus. Det er ikke altid lige let at styre sine bevægelser, når man løber med hele sin oppakning på ryggen. Jeg faldt som et træ, HC standsede for at hjælpe mig op, og imens kørte bussen. Vi faldt i snak og fandt ud af, at vi var på vej til samme logi, som vi hver især havde fået anbefalet af andre backpackers, vi havde mødt. Han kom nordfra, fra USA, hvor han havde rejst rundt i nogle måneder, og jeg kom sydfra på vej til USA efter at have turet rundt i det meste af Sydamerika. Vi syntes godt om hinanden trods sammenstødet, så det endte med, at vi rejste sammen de næste tre-fire uger, hvor vi først tilbragte nogle dage i Mexico City. Derfra tog vi et lille smut nordligere til Leon og Guanajuato. Jeg ved ikke, om du har hørt om Guanajuato, det er en forholdsvis stor og ret interessant by, men det der tiltrak os var, at den kun ligger 15 kilometer fra Mexicos geografiske hjerte. Det påstås i det mindste, at det er det nøjagtige centrum, og du ved, hvordan unge mennesker har det med den slags. Det kunne vi ikke gå glip af. Centrum markeres af en kæmpestor Kristusfigur af bronze på toppen af et bjerg. Selve statuen er 20 meter høj, så den er ret imponerende. Da vi havde fotograferet hinanden foran Christo Rey, som den hedder, tog vi på stop tilbage til Mexico City og videre ned til Acapulco, hvor vi bare dasede på stranden i næsten en uge og fyrede den af sammen med en masse andre unge mennesker. Det var helt fantastisk.«

Han smilede ved tanken.

»Meningen var, at jeg skulle holde jul hos nogle af mine forældres venner i Houston,« fortsatte han. »Men jeg ville ikke forlade Mexico uden at have set Chichen Itza, mayaernes gamle hovedstad, som jeg havde læst og hørt så meget om.«

»På Yucatàn-halvøen,« indskød jeg. »Der har jeg været. Det er faktisk det eneste område i Mexico, jeg kender lidt til.«

»Det er også det bedste efter min mening. Det har alt. Vi var så heldige at få et lift på omkring 800 kilometer med en flink mexicansk forretningsmand, der kørte som en brækket arm, men vi nåede helskindede til en by, der hedder Ciudad del Carmen, og derfra er der kun godt 300 kilometer til Mérida.«

Jeg nikkede. Nu begyndte der at dukke navne op, som jeg genkendte.

»Vi blev kun i Mérida en enkelt dag, selv om det er en meget charmerende by, så tog vi på stop de sidste godt 100 kilometer til Chichen Itza, og det var virkelig umagen værd. Fantastisk. Men det ved du jo.«

Jeg nikkede igen. Måske en anelse utålmodigt. Tiden gik, og vi var stadig ikke nået til forklaringen.

Han må have kunnet mærke det. »Men for at gøre en allerede lang historie lidt kortere,« fortsatte han. »Så må det have været enten i Mérida eller ved Chichen Itza eller måske allerede i Acapulco, at katastrofen var sket. Men det gik først op for mig dagen efter, at vi havde besøgt Chichen Itza og var kommet til Valladolid. Jeg var løbet tør for penge og ville hæve en rejsecheck, og så opdagede jeg til min rædsel, at både mit pas med visum til USA og min flybillet fra Cancun til Houston var væk. Hugget simpelt hen – fra en »hemmelig« lomme i min rygsæk. Det var virkelig en forbandet situation. Uden pas kunne jeg ikke hæve penge, og uden penge kunne jeg hverken det ene eller det andet. Først senere opdagede jeg, at der vist også manglede en rejsecheck, men det var mindre vigtigt, og jeg var desuden ikke helt sikker på det. Jeg har aldrig været god til at holde styr på mine pengesager, og vi havde unægteligt været lidt skæve indimellem.«

»Hvad gjorde du så?«

»Der var ikke meget, jeg kunne gøre. Ud over at tage tilbage til

Mexico City og henvende mig på ambassaden for at få et nyt pas. Men jeg kunne jo ikke uden videre få et nyt visum til USA. Så det måtte jeg opgive. Og jeg var ærlig talt blevet så led og ked af det hele, at jeg besluttede at vende næsen hjem. Flybilletten til England havde jeg heldigvis ikke mistet. Det var ærgerligt, men USA kunne jeg jo altid komme til, tænkte jeg. Hvis sandheden skal frem, led jeg også lidt af hjemve. HC forstrakte mig med kontanter til en flybillet til Mexico City plus lidt ekstra, så jeg kunne klare mig nogle dage der. Sådan var han jo. Alt i alt var det cirka 300 dollars, og det var mange penge for os dengang. De var selvfølgelig tænkt som et lån, men han fik dem jo aldrig igen.«

»Hvorfor ikke?«

»Jeg havde ikke hans adresse. Han fik min og sagde, at han ville kontakte mig, hvis han fik brug for pengene, men jeg hørte aldrig fra ham. Jeg tænkte, at han havde glemt både mig og pengene, og det var jeg lidt skuffet over. For mig havde mødet med ham været det bedste på turen, men for ham havde jeg åbenbart været én blandt mange. Nu ved jeg jo, at der var en helt anden forklaring.«

»300 dollars var da en slags penge. Havde han altid så mange kontanter på sig?«

»Mange flere. Han brugte selvfølgelig også rejsechecks indimellem, men han foretrak at have kontanter. Vi andre vekslede kun lidt ad gangen, men han gik altid med et pengebælte med et par tusind dollars eller mere, og jeg vil tro, han havde noget tilsvarende i rejsechecks. Hans forældre både havde betalt flybilletten og givet ham et pænt tilskud, og sommeren før han rejste, havde han tjent styrtende mange penge, i hvert fald set med vores øjne. Han spillede jo i et band, men det ved du vel. Han var afgjort den mest velhavende af os.«

Han tav og blev fjern i blikket. Hans tanker var sikkert i Mexico dengang for længe siden.

»Af os, siger du. Hvem er *os?*«

Han smilede. »Mange forskellige. Alle de andre backpackers. Vi var næsten altid sammen med nogen. Man mødte et par stykker og fulgtes ad et par dage eller mere og skiltes igen. Når jeg tænker tilbage, er det lidt pudsigt. Vi rejste alle sammen ud for at opleve verden og møde nye mennesker og nye skikke, men vi var næsten aldrig sammen med de lokale. Til gengæld traf vi så unge fra hele Europa, Canada og USA, så det var okay, men der har selvfølgelig også været nogle af dem, som ikke var Vorherres bedste børn.«

»Så du tror, det var en af jeres kammerater, der havde hugget dit pas og billetten.«

»Det er jeg helt overbevist om.«

»Hvorfor? Jeg mener, hvorfor stjæle dit pas?«

»Et pas er altid penge værd. Ikke mindst med et indrejsevisum til USA. Det kan jo forfalskes. Vedkommende kunne enten bruge det selv eller sælge det. Og det samme gælder flybilletten. Jeg ved af gode grunde ikke, hvad der skete, men da Henrik fortalte mig den version af historien om sin brors forsvinden, som du også kender, gik det op for mig, at det enten var den fyr, der havde stjålet mit pas, eller den, som han eventuelt havde solgt det til, der var gået til politiet, og nu forstår du vel, hvorfor jeg syntes, det lød foruroligende.«

Jeg nikkede. »Ja, det tror jeg. Du forestillede dig, at vedkommende, hvem det så end var, enten stod i ledtog med banditterne eller ...«

»Ja, eller selv havde myrdet HC. Det var ikke nogen hemmelighed, at han havde det forbandede pengebælte, og hele den historie med banditterne lød usandsynlig. Den stank! Alene det sted, hvor det skulle være sket. Oppe i det nordlige Mexico, tæt ved grænsen til USA. Hvorfor i alverden skulle HC være taget nordpå igen?«

»Sagde du det til Henrik?«

»Ja, måske ikke helt så brutalt, men jo, jeg sagde det faktisk.«

»Hvordan reagerede han på det?«

»Han spurgte, hvordan jeg så ville forklare, at min »dobbeltgænger« løb den risiko at gå til politiet. Han kunne bare være stukket af. Han måtte jo have vidst, at der var meget lidt sandsynlighed for, at HC's lig og hans ejendele nogen sinde ville blive fundet.«

»Hvad sagde du til det?«

»At risikoen ikke var særlig stor. Han kommer ind på politistationen i sørgelig forfatning uden bagage, uden penge, men dog med »sit« pas, så han kan legitimere sig, læg lige mærke til det! Han fortæller sin historie, hvorpå han forsvinder ud i den blå luft. Det fremgår af rapporterne. Han kan have gemt både sin rygsæk og pengebæltet et eller andet sted og enten være taget direkte til USA eller på stop sydpå igen, måske til Cancun, og være fløjet derfra til Houston på min billet. Nu havde han jo hele tre pas at gøre godt med.«

»Tre?«

»Ja, han må jo også have haft et selv. Jeg gætter på, at han var englænder, siden politiet godtog ham som sådan. Mærkeligt nok gjorde mine indvendinger ikke meget indtryk på Henrik. Jeg havde på fornemmelsen, at han havde fået en eller anden ide. Men jeg tror stadig væk ikke på den bandithistorie.«

»Den var heller ikke sand,« sagde jeg langsomt.

Det gav et lille ryk i ham, og han løftede spørgende øjenbrynene. »Hvad mener du? Hvordan ved du det?«

Jeg trak vejret dybt.

»Jeg beklager, Andrew, men du må forberede dig på endnu et chok. Hans Christian er ikke død.«

»Hva'!« Han stirrede på mig. »Er du sikker på det?«

»Absolut.«

»Det var pokkers! Så fandt Henrik ham alligevel.«

Jeg rystede på hovedet. »Nej, desværre. Da Hans Christian, HC, pludselig dukkede op i levende live, var Henrik allerede død. Jeg så ham første gang til bisættelsen.«

Jeg gav Andrew et kort resume af de sidste ugers begivenheder. Brevbomben, Hans Christians opdukken i kirken og hans senere besøg på kontoret. Jeg undlod at fortælle, at politiet nu mente, at bomben var tiltænkt mig. Det kom i virkeligheden ikke den her sag ved, så det så jeg ingen grund til at bruge tid på.

Han fulgte intenst med i min beretning, og da jeg sluttede, sad han længe tavs med bøjet hoved og rynkede bryn. Jeg kunne ligefrem *se* hans hjerne arbejde. Jeg var spændt på, hvilken konklusion han nåede frem til. Endelig løftede han hovedet og så på mig. Han rystede lidt opgivende, næsten trist, på hovedet.

»Han valgte altså helt bevidst at forsvinde?«

Jeg nikkede.

»Jeg tror stadig væk ikke på den bandithistorie, selv om du har den fra hestens egen mund, så at sige. Og så kan jeg kun se en rationel forklaring, skønt jeg må indrømme, at den virker næsten lige så usandsynlig. Jeg hader at sige det, fordi det slet ikke svarer til det billede, jeg altid har haft af ham, men det må have været Hans Christian, der huggede mit pas. Ikke for at sælge det eller for at genere mig, men for at bruge det til at få sin forsvinden til at virke mere overbevisende.«

Jeg nikkede. »Ja, det er også det, jeg var nået frem til. Ganske vist med den forskel, at jeg troede, du var indviet i hans planer, og at det virkelig var dig, der havde været hos politiet. Men det var altså ham selv.«

»Ja, selvfølgelig. Han kunne nemt gå for at være mig. Du ved, hvordan pasfotos er. At hans hår var lysere kunne forklares med solen. Alder, øjenfarve, højde og drøjde var nogenlunde ens, selv om hans øjne var meget mere blå end mine. I passet er de bare blå. Jeg er to år yngre, men hvem kan se forskel på en 18-årig og en 20-årig? Vi sad faktisk engang en lille flok og sammenlignede pas og blev enige om, at i hvert fald halvdelen af os nemt kunne rejse på hinandens pas. Måske var det dengang, han fik ideen.«

»Kunne han også gå for at være englænder?«

»Sagtens. Husk på, han havde rejst i engelsktalende lande i halvandet år. Eller lande hvor han var nødt til at bruge engelsk for at kommunikere med folk. Og han var eminent til sprog. Han kunne tale indisk/engelsk, tysk/engelsk, amerikansk/engelsk og selvfølgelig engelsk/engelsk. Det var et af hans store numre. Og det var jo ikke englændere, han skulle overbevise, men mexicanske politifolk. For dem er en gringo nok en gringo.«

»Sikkert.«

Han sukkede let. »Nej, jeg var sandelig ikke indviet i noget, men nu ser jeg pludselig helt anderledes på de 300 dollars, han så villigt lånte mig. De var en slags bod eller erstatning for alle de udgifter og alt det besvær, han påførte mig.«

»Ja, det var da for pokker også det mindste, han kunne gøre!«

»Jeg er overbevist om, at det er forklaringen, men det er som sagt så milevidt fra mit billede af ham, at jeg alligevel har svært ved at acceptere det. Hvorfor gjorde han det?«

»Fordi han ville være en *libero,«* sagde jeg. »Det er det udtryk, han selv brugte.«

»En libero? Hvad i alverden mente han med det?«

Jeg refererede kort, hvad Hans Christian selv havde sagt om grunden til sit forsvindingsnummer. Han rystede på hovedet. »Jeg forstår det ikke. Nu er jeg ganske vist ikke psykolog, men ...«

»Hvad er du i grunden?«

Han smilede let. »Kæbekirurg. Jeg uddannede mig først til tandlæge, så læste jeg til læge og specialiserede mig i kæbekirurgi. Så psykolog er jeg altså ikke, men efter min mening må HC have en eller anden karakterbrist eller psykisk defekt. Hvorfor spille det spil? Morede det ham at narre alt og alle?«

Jeg trak på skuldrene. »Måske. Hvad var dit indtryk af ham dengang?«

»At han var en vinder. Helt afgjort en vinder. På alle måder. En åben, glad og ligetil fyr. Alle kunne lide ham. Han havde i allerhøjeste grad sit udseende med sig, og han var superintelligent, charmerende og festlig. Han kunne alt og kunne klare sig overalt. Jeg vover endda at bruge udtrykket karismatisk om ham. Lige meget hvor vi kom, blev han hurtigt midtpunkt i en gruppe, der voksede og voksede. Han havde sin guitar med, og så snart han begyndte at klimpre lidt på den, tiltrak han alle de andre backpackers. Ligesom *Rottefængeren fra Hameln.* Og så gik det ellers derudad. Rock, soul, pop, han havde et kæmpe repertoire, og folk klappede, sang og dansede. Det var ret vildt. Og så vidste han altid præcis, hvornår han skulle slutte, så ingen nåede at tænke: »Holder han da aldrig op!« Han sluttede, mens legen var god. Og når det var slut, var det slut. For mig var det en fantastisk chance at rejse sammen med ham, så længe det varede. Det bedste der var sket i mit liv. Jeg var ikke selv særligt udfarende, nærmest lidt genert, så jeg nød godt af hans popularitet. Og jeg stolede blindt på ham. At *han* kunne have hugget mit pas var en tanke, som end ikke strejfede mig. Jeg ville til hver en tid have hævdet, at han var ærligheden selv. Og selv nu forstår jeg det ikke. Han tog ellers altid hensyn til andre, så hvordan kunne han være så hensynsløs både over for mig og ikke mindst over for sin familie. Det er ufatteligt. Jeg troede, han var åben og ligetil, og nu er han pludselig en stor gåde.«

»På mig virker det, som om han var – og er – jaloux på alt og alle.«

»Jaloux!« Han lo en vantro latter. »HC? Du gode gud, han havde jo fået alt i vuggegave!«

»Undtagen kærlighed måske. Sine forældres kærlighed. Eller rettere han fik den, men mistede den igen, og det var næsten værre. Jeg tror, det er grunden.«

»Man kan jo ikke se folk længere end til tænderne, men mig forekommer det ufatteligt. Især når jeg tænker på, med hvilken hengivenhed han altid omtalte både sine forældre og sin bror. Han kunne jo bare have holdt sin mund. Hvad skulle det komediespil til for?«

»At lægge et røgslør over hans planer om at forsvinde. For det var afgjort ikke en pludselig indskydelse.«

»Utroligt!« Han så på sit ur. »Uha, jeg må vist til at tænke på det.« Vi rejste os. »Men der er lige en lille sløjfe på historien, som du må have med.«

»Ja?«

»Dengang sagde jeg som nævnt til mig selv, at jeg altid kunne komme til USA, men der gik faktisk flere år, før jeg kom derover. Syv år for at være præcis. Da fik jeg et scholarship til et universitet derovre, og det var selvfølgelig herligt. Visum var kun en formssag, troede jeg, så stor var min overraskelse, da jeg fik afslag på min ansøgning.«

»Afslag? Jamen hvorfor?«

»Ja, det spurgte jeg selvfølgelig også om. Jeg var helt uforstående. Det viste sig, at jeg to år tidligere ifølge papirerne var blevet udvist af USA. Efter en dom eller anklage for et eller andet, som jeg aldrig fandt ud af, hvad var. Jeg gættede straks, at det måtte have noget at gøre med mit stjålne pas, men jeg havde et vældigt besvær med at bevise, at jeg aldrig havde været i USA. Jeg måtte sende beedigede erklæringer fra gud og hvermand, Tandlægehøjskolen, universitetet og vores ambassade i Mexico.«

»Kan du huske, hvor det var foregået? Altså anklagen mod den falske Andrew Healy.«

»Jeg går ud fra, at det må have været i Santa Ana i Californien. Det var i hvert fald dertil, alle papirerne skulle sendes. Plus mine fingeraftryk. For jeg fik tilmed taget mine fingeraftryk hos det engelske politi, så de helt officielt kunne blive sendt derover.«

Jeg spidsede ører. »Dine fingeraftryk?«

»Ja, de havde selvfølgelig min dobbeltgængers fingeraftryk, så det var bare at sammenligne.«

»Og derefter var det a piece of cake?«

»Det er måske så meget sagt, men jo, det lykkedes mig i hvert fald at få mit visum.«

»Fortalte du Henrik om det?«

»Ja, selvfølgelig. Det dukkede op på et ret tidligt tidspunkt i vores samtale.«

»Det synes jeg er interessant,« sagde jeg. »Meget interessant.«

Han så spørgende på mig, men kun et øjeblik, så fattede han det og nikkede. »Ja, det har du vist ret i. Måske var det, hvad Henrik havde i tankerne, da jeg syntes, han blev lidt fjern.«

Vi var standset ved trappen for at udveksle de sidste bemærkninger, nu kastede han endnu et blik på sit ur.

»Der står 'Go to gate',« sagde jeg. »De har ikke startet boarding endnu, så du når det nok. Tak, fordi du tog dig tid til at mødes med mig.«

»Historien interesserer mig, og hvis jeg overhovedet kunne hjælpe ...«

»Det kunne du. Du har været til stor hjælp,« bedyrede jeg. Men til hvad vidste jeg egentlig ikke. Var jeg blevet klogere på HC? Nej. Men måske vidste jeg nu, hvordan Henrik havde fundet sin hellige gral. Hvis han da havde fundet den.

»Det kunne have været morsomt at træffe HC igen.«

Jeg rystede på hovedet. »Det tror jeg ærlig talt ikke. Du ville garanteret være blevet skuffet.«

Han skar en grimasse. »Det er jeg allerede. Måske havde han kunnet få mig til at forstå *hvorfor.*«

Det tvivlede jeg nu meget på. Selv forstod jeg i hvert fald mindre og mindre.

En gang imellem har man lov til at være heldig, så jeg nåede 13-flyet – dog ikke med flyvende faner og klingende spil, men snarere med flagrende lokker og forpustede gisp. Det betød ikke noget, det vigtigste var jo, at jeg nåede det, så jeg allerede klokken halv tre kunne sidde på mit kontor med dagens x'te kop kaffe og aflægge beretning for Ruth om mit møde med Andrew Healy.

»For pokker da, så var historien om bortførelsen altså virkelig det rene løgn og digt,« sagde Ruth hovedrystende, da jeg sluttede.

»Ja, hvis Healy er den, han siger, han er.«

»Det er han. Jeg har tjekket ham, mens du var væk, og han er god nok. Han *er* kæbekirurg, og han *var* til kongres. Hvordan var han ellers?«

»Sympatisk og rystet,« sagde jeg. »Jeg ved snart ikke, hvad der rystede ham mest. At Henrik var blevet myrdet, eller at Hans Christian *ikke* var blevet myrdet? Men en ting er helt sikker. Han var dybt skuffet. Det var ligefrem hjerteskærende. Jeg tror, han idoliserede Hans Christian næsten lige så meget, som Henrik gjorde. I Andrews øjne var han ufejlbarlig, og så viser han sig at være både svindler, løgner og tyv.«

»Gad vidst, om Henrik allerede, da han besøgte Andrew, fik en anelse om, at Hans Christians forsvinden var et nummer,« sagde Ruth tankefuldt. »Og at det var ham, der havde stjålet Andrews pas?«

»Det tror jeg. Måske har han inderst inde altid vidst, at Hans Christian havde en karakterbrist, men jeg er sikker på, at han havde tusind undskyldninger parat for ham. Hvis bare han var i live, ville Henrik have tilgivet ham alt.«

»Der ville også have været meget at tilgive. For eksempel hvorfor han blev udvist. Der må jo have været en grund.«

»Det behøver nu ikke at have været noget særligt. Bare en overtrædelse af færdselsloven kunne være nok til, at han blev arresteret. Husk på, han opholdt sig illegalt i landet. Det må han jo have gjort.«

»Og du mener, at Henrik kunne have fundet frem til ham?«

»Mit gæt er, at Henrik i hvert fald troede, han kunne. At han mente, fingeraftrykkene på en eller anden måde kunne være en ledetråd. Jeg fatter ikke helt hvordan, men Hans Christian bor jo stadig i USA bare under sit eget navn. Det har politiet jo tjekket.

Hvorfor han brugte Healys pas, da han blev arresteret, eller hvad der nu skete, er mig en gåde.«

»Måske var det slet ikke ham. Han kan have solgt passet.«

»Jah, det kunne han selvfølgelig.« Jeg lød ikke overbevist.

»Eller han kan have givet dem det forkerte pas ved et uheld.«

»Fem år efter at have hugget det. Det tror jeg ikke på. Hvorfor skulle han have det på sig?«

»Okay, så har han givet dem Healys pas med vilje. Han har beholdt det og altid haft det på sig til brug i netop den slags situationer. På den måde var det Healy og ikke Hans Christian Gerner, der var blevet udvist og nu var uønsket i USA.«

»Det tror jeg straks mere på. Jeg ville give meget for at vide, hvad Henrik nåede at finde ud af. Det er da også forbandet ærgerligt, at vi ikke kan komme ind i hans notebook, måske ligger løsningen der.«

»Hvis det ikke lykkes dig at gætte kodeordet, så overlad den til Mogens. Politiet har eksperter, der kan hacke sig ind.«

»Ja, det var måske en ide. Jeg skal for resten til middag hos ham i aften.«

»Ja, det ved jeg godt. Vi har styr på dig, kan du høre.«

»Vidunderligt! Alle elsker opmærksomhed.«

»En ting er i hvert fald givet nu,« sagde Ruth. »Mordet på Henrik har ikke mindste forbindelse med »mordet« på Hans Christian.«

»Nej, overhovedet ikke, så det har i virkeligheden været spild af tid, at vi har beskæftiget os så meget med ham. Og nu skal jeg snart spilde en time mere, hvad jeg overhovedet ikke har lyst til. Jeg er enig med Andrew i, at fyren må have en karakterbrist. Jeg ved ikke, hvordan en psykolog ville karakterisere ham, men han mangler åbenbart totalt empati. Det eneste menneske her i verden, han virkelig er interesseret i, er Hans Christian Gerner.«

»Kan du ikke bare ringe afbud?«

»Tre kvarter før? Nej, det kan jeg ikke få mig selv til.«

Så klokken 16.05 sad pæne, pligtopfyldende Bea Jantz i sin lille Peugeot på vej ud til Henriks – og Hans Christians – barndomshjem efter at have ringet til det specielle nummer og fortalt, hvor jeg skulle hen. Betjenten, der tog mod beskeden, spurgte ikke om noget, så jeg nævnte ikke Hans Christian Gerners navn.

Der holdt ikke nogen bil foran huset, så Hans Christian var åbenbart ikke kommet endnu, men et blik på uret sagde også, at der stadig var et par minutter til det aftalte mødetidspunkt. Jeg kørte op over fortovet og parkerede foran garagen. Jeg låste bilen, før jeg med hovedet bøjet mod vind og slud gik hen ad fliserne til hoveddøren.

Mørket var ved at falde på, men alligevel anede jeg en bevægelse i udkanten af mit synsfelt og satte farten ned. I næste øjeblik stod mit hjerte helt stille, for dernæst at galoppere afsindigt, da en stor sort skikkelse trådte ud af skyggen ved døren og bevægede sig hen imod mig.

Jeg stivnede, mens min ene hånd famlede febrilsk i lommen efter min mobil.

»Hej, Bea, forskrækkede jeg dig?«

»Ja, for h … søren!« udbrød jeg. »Det må du aldrig gøre mere. Jeg havde nær fået et hjerteslag.« Jeg lød nok lidt arrig, for han så angergivent på mig. »Det må du undskylde. Jeg vidste ikke, du var så let at skræmme.«

Jeg kunne ikke fortælle ham, hvorfor jeg netop nu var så let at skræmme.

»Det er jeg normalt heller ikke, men alt det med Henrik har gjort mig lidt jumpy. Der holdt ingen bil, så jeg troede ikke, du var kommet, og jeg kunne ikke kende dig i den mundering.«

Jeg havde været forberedt på at møde kamelulden igen, men Hans Christian var iført en mørk dunjakke, der fik ham til at se dobbelt så stor ud som ellers, og en sort baseballkasket trukket godt ned i panden.

Han grinede. »Næh, men jeg er glad for den. Jeg tog en taxa, da det kom til stykket, og jeg kom et kvarter for tidligt, så jeg har trasket lidt rundt her i mit gamle revir og prøvet at huske, hvordan det var. Det kom der ikke meget ud af, og jeg ville være død af kulde, hvis ikke jeg havde anskaffet jakken her.«

»Besejret af det danske vejr,« lo jeg, mens jeg låste døren op. Jeg var lidt overstadig af bare lettelse. »Havde du glemt, hvordan det er? Eller er du vant til et varmere klima? Hvor i USA bor du? Det har jeg vist ikke fået at vide.«

»Florida,« sagde han, så jeg havde åbenbart gjort skarn uret. Han var ikke solariebrun, men ægte solbrændt.

»Så er det ikke så sært, du fryser her,« sagde jeg og åbnede døren. »Nu håber jeg, lyset virker.«

Det vidste jeg, det ville gøre, og det gjorde det. »Kom indenfor.«

Jeg gik foran ham gennem vindfanget ind i den store entre. Henriks overtøj hang stadig på nogle af knagene, og der stod et par sko under dem. Det generede mig mærkeligt nok ikke længere.

Han tog kasketten af, næsten som om han var trådt ind i en kirke, og stod lidt og så sig om.

»Vil du ikke have jakken af?« spurgte jeg. »Jeg tror, der stadig er varme på.«

»Nej, det er ikke nødvendigt, vi er her nok ikke ret længe.«

Jeg trak på skuldrene. Hvis han havde lyst til at gå og svede i sin dunjakke, så ham om det.

»Kan du kende det?« spurgte jeg, idet jeg selv tog frakken af og hængte den op på knagerækken.

Han rystede på hovedet. »Ikke rigtigt. Men entreen så nok også anderledes ud dengang. Jeg husker entreen her som altid fyldt med tøj og skoletasker og sko, men jo, jeg kan alligevel godt kende det. Der har vi døren ind til stuen. Han åbnede døren til den store stue og trådte ind.

»Nådada!« udbrød han. »Her er vist lavet meget om. Min lillebror gjorde nok i moderne møbler.«

»Ja, din æh ... adoptivfar tog selvfølgelig en del af møblerne med, da han flyttede i lejlighed, og resten fik Lions Club til deres loppemarked. Henrik skiftede det hele ud.«

Han nikkede. »Ja, det kan jeg se. Jeg havde nok ventet, at alt stadig stod som dengang. Det her siger mig ikke rigtigt noget, og det er jeg faktisk glad for.« Han gik hen og åbnede døren i den modsatte endevæg. »Og her har vi så hr. Gerners kontor,« fortsatte han. »En rigtig hule.«

Han tilføjede noget, som jeg ikke hørte, jeg stod bare stille lige inden for døren og stirrede på Henriks skrivebord, for der, midt på den støvede bordplade, stod de forsvundne fotos. Sølvbryllupsbilledet, Hans Christian som student og fotoet af tre unge mænd foran en bar i Mexico.

Hans Christian fulgte mit blik. »Henrik lignede sin far meget allerede dengang,« sagde han og så på sølvbryllupsbilledet. »Han var en rigtig Gerner.«

Det sidste kom med den sædvanlige vrængen, og jeg sukkede indvendigt. Jeg orkede ikke at høre mere af den skuffe, og jeg havde pludselig fået andet at spekulere på. Hvor pokker kom de fotos fra? Hvem havde taget dem og returneret dem igen? Jeg følte mig pludselig utryg. Der havde været nogen i huset. Hvem, hvornår og hvordan? Men det var igen noget, jeg ikke kunne tale med Hans Christian om.

»Det var nu mest det der, jeg så på,« sagde jeg afledende og nikkede mod fotoet af de tre unge fyre. »Hvem er i grunden hvem? Det er ikke til at se.«

Han lo. »Næh, vi ser lidt sorte ud. Alt for meget lys. Jeg har næsten det samme billede, men kun med mig og en englænder, vi traf.«

Jeg havde Andrew Healys navn på tungen, men tog mig i det. »Ham der meldte overfaldet?«

»Nej, det var faktisk ham, der tog billedet. Og han slap noget bedre fra det end tjeneren på baren, der tog det andet. Jeg har det her i lommen i lille udgave, vil du se det?«

»Ja, det vil jeg gerne.«

Han tog sin tegnebog frem, trak forsigtigt fotoet ud og rakte mig det.

»Hvorfor i alverden sendte du ikke din familie det her foto?« udbrød jeg, da jeg havde kastet et blik på det. »Det er meget bedre end det andet. Her kan man tydeligt se, at det er dig.«

Jeg studerede det lidt nøjere. Samme bar, samme bord, samme store, hvide smil. De havde nok skiftedes til at fotografere hinanden. Healy havde sikkert næsten det samme foto – bare med sig selv og en af de andre. De kunne såmænd have nøjedes med ét billede, for også i den forbedrede udgave lignede de stadig hinanden utroligt. Den ukendte englænder kunne lige så godt have været Healy som ung.

»Jeg syntes nok ikke, det var så vigtigt,« sagde Hans Christian. »Det her kunne jeg godt lide, så det beholdt jeg selv. Du må gerne få det. Jeg fik lavet nogle ekstra kopier for nogle år siden. Jeg går altid med det foto i min tegnebog, og når det er blevet for slidt, skifter jeg det ud med et nyt.«

»Hvorfor går du altid med det?«

»Tjah, hvorfor? Måske for at huske, at jeg var ung engang.«

Hans stemme havde for første gang en vemodig klang. Han har fortrudt, tænkte jeg, og fik næsten ondt af ham. Næsten.

»Jamen tak,« sagde jeg og puttede billedet ned i min taske. »Vil du se mere her, eller skal vi gå ovenpå?«

»Lad os bare gå ovenpå.«

»Der er jo også lavet om,« sagde jeg lidt undskyldende, da vi gik op ad trappen. Som om det var min fejl, at jeg ikke kunne vise ham barndomshjemmet, som det så ud for 17 år siden.

»Ja, det må du nok sige,« sagde han, da vi trådte ind i Henriks værelse. »Der er ikke meget drengeværelse over det her.«

»Det var Henriks værelse,« sagde jeg og fik en klump i halsen ved synet af den pænt redte trekvartseng, hvor Henrik og jeg havde elsket og sovet sammen utallige gange i de sidste tre år.

Der var ikke meget for ham at se herinde. End ikke udsigten kunne jeg vise ham. Gardinerne var ganske vist ikke trukket for, men nu var det blevet bælgmørkt udenfor, så det eneste, man kunne se, var vores egen genspejling i ruderne.

Møbleringen var enkel. Sengen, et stort indbygget skab, en stol og en stumtjener med plads til bukser, jakke og sko og med en lille hylde foroven til alt det, mænd går med i lommerne.

»Ingen fjernsyn,« konstaterede han.

»Næh, han foretrak vist at læse, når han var kommet i seng. Skal vi gå videre?«

Jeg følte mig som en mellemting mellem en kustode og en ejendomsmægler.

Jeg viste ham gæsteværelset og det store badeværelse med spa og så videre.

»Nå, lidt sans for luksus havde han alligevel,« sagde Hans Christian anerkendende.

»Ja, selvfølgelig,« sagde jeg – lidt stødt på Henriks vegne.

Han så sig om, da vi igen stod på reposen.

»Du sagde, der var et rum, han kaldte *Hans Christians Værelse,* men der er da ikke mere heroppe, eller er der et hemmeligt rum?« Han smilede.

»Nej, *Hans Christians Værelse* er i kælderen. Det er ikke et værelse i den forstand, men bare et rum, hvor han har gemt alle dine ting. Alt det der var på dit værelse. Det skal du se. Der må være noget der, du kan huske.«

»Det vil vise sig,« sagde han, da han fulgte efter mig ned ad trappen og videre ud i køkkenet. »Det er også nyt, ikke?« spurgte han.

»Jo, forholdsvis nyt,« sagde jeg.

»Jeg husker det som større,« sagde han.

»Er det ikke altid sådan?«

»Jo, måske. Jeg må have spist i tusindvis af måltider her med den kære familie.«

Det troede jeg nu ikke. Familien Gerner havde altid indtaget deres middag i spisestuen, det var et must for fru Gerner. Men morgenmaden havde de måske spist her i køkkenet.

Jeg åbnede døren til kældertrappen og famlede efter kontakten. Jeg havde kun været nede i kælderen nogle få gange, sidste gang med dødsbomanden, så her var jeg ikke hjemmevant. Hans Christian stod tæt bag ved mig, så jeg trådte til side for at lade ham passere, da jeg havde fået tændt lyset.

Han tøvede lidt.

»Værsgo',« sagde jeg og slog ud med hånden. »Age before beauty!«

Han sendte mig et skævt smil.

»Jeg kan også blive heroppe,« sagde jeg. »Hvis du gerne vil være alene dernede. Du kan ikke tage fejl, der er et skilt på døren.«

»Der er vist noget, du har misforstået,« sagde han. »Det her er ikke nogen nostalgisk pilgrimsfærd, og jeg fortryder ingenting. Så gå du bare med.«

Han gik i forvejen, og jeg fulgte efter. Hvis det ikke var en pilgrimsfærd, hvad var det så? Selvfølgelig havde idioten fortrudt.

Jeg pegede på skiltet på en af dørene, da vi var nået ned i kælderen. »Se selv.«

»Hold da kæft!« udbrød han. »Et rigtigt skilt! Lillebror gjorde sandelig noget ud af det.«

Jeg så på messingskiltet og nikkede. Mere end du fortjente, tænkte jeg. Højt sagde jeg. »Ja, hvad havde du ventet? Et lille papskilt med skæve blokbogstaver?« Jeg trykkede på kontakten ved siden af døren, så lyset blev tændt derinde.

»Ja, noget i den retning,« indrømmede han, idet han åbnede døren og uden mindste tøven trådte ind i rummet.

Det lignede sandt at sige mere et pulterkammer end et værelse, men dog et meget ordentligt pulterkammer. Henrik havde sat et par reoler op, måske fra Hans Christians gamle værelse, og her stod eller lå alle hans ting som på lit de parade eller som et øjebliksbillede af Hans Christians liv fra dengang for længe siden, da tiden gik i stå. Lego, modelfly, kassette- og videobånd, biler i hundredevis i alle størrelser – mest små. En gammel guitar, formodentlig hans første, en saxofon og en klarinet. En hylde var optaget af en fire-fem bamser. Selv hans skrivebord stod her, og om det så var hans plakater med Bruce Springsteen og Che Guevara var de blevet hængt op igen hernede. Der manglede stort set kun hans seng og hans tøj. Hans Christian stod meget tavs og så sig om, så faldt hans blik på bamserne.

»Hold da helt kæft!« udbrød han. »Har han også gemt mine gamle sovedyr? Det er sgu da dybt godnat!«

Jeg så på ham. Havde han virkelig glemt alt om bamserne? Ville han ikke mindes dem? Eller ville han ikke have, jeg skulle vide, hvorfor Henrik havde gemt dem? Måske syntes han, det var for åndssvagt. Han og Henrik havde leget med de bamser i årevis, faktisk lige til den dag Hans Christian rejste. De havde udstyret dem med navne og personligheder, de talte om bamserne, eller de lagde stemme til bamserne, der alle fem var teeenagere, som lige var begyndt at gå på diskotek, drikke øl, gå med piger eller fyre og spille i bands. Det var virkelig langt ude, men det lød afsindigt sjovt, når Henrik fortalte om dem eller genfortalte bamsernes absurde samtaler om livet. Totalt surrealistisk, men okay, det var måske netop en af de ting, Hans Christian ikke brød sig om at blive mindet om.

Pladsen var lidt trang, så en gammeldags skibskiste var skubbet ind under skrivebordet.

»Hvad mon der er i den?« spurgte han.

Jeg trak på skuldrene. »Aner det ikke. Småting måske. Medmindre du havde en skat dengang. Eller bøger, nok snarere bøger, der står jo ingen i reolen, og du må selvfølgelig have haft bøger.«

Han trak med besvær kisten ud på gulvet og åbnede den.

Jeg smilede triumferende. »Hvad sagde jeg? Bøger.«

Jeg kastede et blik ned i den. Det så ud til at være en gang blandede bolsjer. Skolebøger, skønlitteratur og fagbøger i en skøn forvirring. Jeg kunne se en matematik for gymnasiet, en *Hvem-Hvad-Hvor, 16 år i Sibirien* og *Den kroniske uskyld.* Da han tog et par af bøgerne op og bladede lidt i dem, kune jeg se en stak tegneseriealbums længere nede i kisten.

»Er der noget af det, du vil have?« spurgte jeg. »Jeg mener af tingene eller bøgerne, så bare sig til. Jeg har spurgt *Landsretten,* og han sagde, at hvis du ønskede at få noget fra dit barndomshjem, stod det dig frit for at tage, hvad du ville.«

Jeg bliver altid selv forbløffet over, hvor let løgnene glider over mine læber, når det skal være. Jeg er ellers en ret sandhedskærlig person.

»Nej, fri mig!« sagde han, idet han lagde de bøger, han stod med, ned i kisten igen og lukkede den. »Jeg skal sgu ikke have noget af det gamle ragelse. Du kan fortælle den gamle gut, at han bare kan sende det hele på lossen.«

»Også bamserne?« spurgte jeg og følte mig pludselig meget trist.

»Ja, hvorfor ikke?«

»Næh, du har ret. Hvorfor ikke?« Jeg sukkede uhørligt. »Du behøver ikke at skubbe den på plads,« tilføjede jeg. »Der kommer en mand på fredag og henter det hele. Du ved sådan en, der rydder dødsboer.«

»Det er da i orden. Skal vi gå? Jeg har fået mere end nok af det her. Jeg ved ikke, hvad fanden jeg i grunden ville her. Det hus har altid gjort mig i dårligt humør.«

Han gik ud af rummet, jeg lukkede døren og slukkede lyset og fulgte efter ham hen til trappen.

Der var noget, der nagede mig. Et eller andet jeg havde set i *Hans Christians Værelse* uden at tænke over det, men hvad det var, kunne jeg ikke komme på. Han gik i forvejen op ad trappen, og jeg fulgte tøvende efter.

»Hvor bliver du af?« spurgte han.

Han stod på den smalle repos oven for trappen og fyldte hele døråbningen.

»Gider du vente der?« sagde jeg. »Det varer kun et øjeblik. Der er lige noget, jeg vil se.«

»Hvad?«

»Noget inde i dit værelse. Jeg er tilbage om et minut.«

»Okay, jeg venter.«

Jeg vendte mig forsigtigt om på den stejle trappe og begyndte at gå ned igen. Jeg anede stadig ikke, hvad det var, der nagede mig, men jeg håbede, at jeg ville vide det, når jeg så det igen.

Jeg mærkede pludselig frygten liste sig ind på mig. Der havde været nogen i huset, og måske var vedkommende her stadig. Her i kælderen. Vi havde kun været inde i *Hans Christians Værelse* og end ikke kigget ind i de andre rum. Så spændende var det jo heller ikke at se et vaskerum, men nu fortrød jeg, at jeg ikke havde åbnet dørene og kigget ind, mens Hans Christian var hernede.

En indre stemme hviskede til mig. *Gå ikke derned. Gør det ikke, gør det ikke, gør det ikke!*

Men mine ben hørte åbenbart ikke efter, de bevægede sig fra det ene trin til det næste, til jeg igen stod på kældergulvet.

Jeg var tør i munden og fugtig i håndfladerne, men benene fortsatte stædigt hen mod døren til *Hans Christians Værelse.*

Jeg var nået halvvejs, da lyset uden varsel gik ud, og panikken vældede op i mig.

XIV

Et uendeligt øjeblik stod jeg stiv som en støtte og vovede hverken at gå frem eller tilbage. Mørket havde rejst sig som en mur omkring mig uden den mindste lille sprække. Min fornuft sagde mig, at medmindre der var tale om sort magi, kunne der umuligt stå nogen foran mig eller bag mig, når rummet var tomt, da lyset forsvandt; men mine fødder var som naglet til gulvet, så jeg stod bare der og stirrede ud i mørket, mens jeg lyttede anspændt. Der var ikke en lyd at høre bortset fra mit eget alt for hurtige åndedrag og pulsen, der dunkede i ørerne.

Jeg aner ikke, hvor længe det varede, før jeg igen fik kontrol over mig selv. Det føltes som en evighed, men i virkeligheden drejede det sig nok kun om sekunder, før jeg langsomt og forsigtigt strakte armene frem som en søvngænger og prøvende satte den ene fod foran den anden.

Gulvet var der stadig, og mørket var ikke en uigennemtrængelig mur.

Måske var det hele bare noget, jeg bildte mig ind, sagde jeg til mig selv. Det var nok alligevel politiet, der havde fjernet fotografierne og nu havde bragt dem tilbage, og det var et rent og skært tilfælde, at pæren hernede var sprunget. Hvis det da var pæren; det kunne jo også være en sikring.

Der var i hvert fald ingen grund til panik eller til at kalde på Hans Christian. Her var ingen uvedkommende, her var bare allerhelvedes mørkt. Hans Christian var formodentlig gået ind i køkkenet igen for at vente på mig der og havde lukket døren til kældertrappen efter sig. Det kunne jeg dårligt bebrejde ham, for han kunne jo ikke forudse, at pæren – eller hvad det nu var – sprang.

Det lykkedes mig næsten at overbevise mig selv, så pulsen og vejrtrækningen nærmede sig normalen, mens jeg tog et lillebitte skridt ad gangen. Jeg ved nemlig af erfaring, at jeg lynhurtigt mister orienteringen i bælgmørke. Jeg prøvede at visualisere den korte strækning hen til *Hans Christians Værelse.* Jeg skulle holde en lille smule skråt til venstre for at nå hen til døren og lyskontakten udenfor. Når jeg fik lyset tændt og døren åbnet, ville der være så meget lys herude, at jeg uden besvær kunne gå tilbage til trappen og op igen. Jeg drejede hovedet en lille smule til højre, hvor jeg mente, at kælderdøren ud til haven måtte være, og nu hvor mine øjne havde vænnet sig til mørket, skimtede jeg en smal lysstribe. Det måtte være lysskæret fra køkkenet, der nåede ud i haven og trængte ind gennem dørsprækken. Der var altså stadig lys i resten af huset. Det burde have beroliget mig, men pludselig gik det op for mig, at den lyse stribe var alt for bred. Kælderdøren var ikke lukket helt. Den stod en anelse på klem, så lidt at vi ikke havde bemærket det før, da vi var hernede. Og jeg vidste med 100 procents sikkerhed, at den havde været både lukket og låst, da jeg var her med dødsbomanden. Det havde jeg selv kontrolleret.

Der *havde* altså været nogen.

Men denne gang var jeg forberedt og lod ikke panikken gribe mig. Det var, som om jeg inderst inde hele tiden havde vidst, at alle mine beroligende forklaringer ikke holdt en meter.

Derfor blev jeg simpelt hen stående i mørket midt på kældergulvet og brølede af miner lungers fulde kraft: »Hans Christian!«

Der skete intet, og jeg hørte ikke en lyd deroppe fra.

»Hans Christian!« råbte jeg igen.

Alle mulige forestillinger om, hvad der kunne være sket, nåede at flyve gennem min hjerne, før døren deroppe endelig blev åbnet, og der blev lyst nok i kælderen til, at jeg kunne orientere mig.

»Hvad er der, Bea?«

»Jeg tror pæren sprang eller måske en sikring. Lyset gik i hvert fald ud hernede, og jeg kunne ikke se en skid. Hvor var du?«

»Jeg benyttede ventetiden til at klare et nødvendigt ærinde. Jeg kommer ned efter dig.«

Hvorfor kunne han ikke bare sige, at han havde været på toilettet? Hvor sippet kan man være?

»Nej, det er der ingen grund til, jeg kan sagtens se nu.«

Sagtens var lidt af en overdrivelse, for selvfølgelig plantede han sig i døråbningen og lukkede det meste af lyset ude, så jeg nærmest måtte famle mig hen til trappen.

Jeg begyndte at gå op ad trappen. Hans Christian var trådt et skridt længere frem og stod nu ude på reposen. Jeg tøvede. Lyset kastede sære skygger, der forvrængede hans ansigt, og det forekom mig pludselig, at der var noget truende ved den store mørke skikkelse, der ligesom ludede ud over trappen.

Jeg standsede midtvejs og kiggede op på ham. »Gider du lige flytte dig lidt?«

»Hvabehar?«

»Vil du være rar at gå væk fra trappen.«

»Hvorfor?«

»Fordi du står i lyset, for pokker,« sagde jeg irriteret. »Jeg kan ikke se en skid, så ellers ender det bare med, at jeg falder ned og brækker halsen.«

»Uhada, din smukke hals. Ja, det ville vi jo nødig have, vel, Bea?« sagde han og lo en lille lav latter, som af en eller anden grund fik mine nakkehår til at rejse sig.

Jeg tog mig sammen. Det var jo bare Hans Christian, Henriks fortabte bror og mit værn mod alt ondt og hvem og hvad, der truede mig her i kælderen – men det agtede jeg nu ikke at fortælle ham.

»Meget morsomt,« sagde jeg bare og begyndte igen at gå op, selv om han endnu ikke havde gjort mine til at flytte sig. »Flyt dig nu.«

I det samme ringede det på døren, og Hans Christian rettede sig hurtigt op.

»Hvem kan det være?«

»Aner det ikke,« sagde jeg. »Måske ejendomsmægleren.«

»Er der nogen, der ved, du er her?«

»Kun dem på kontoret,« sagde jeg. »Og så selvfølgelig *Landsret-*

ten,« skyndte jeg mig at tilføje for at følge op på min tidligere løgn. »Jeg var jo nødt til at spørge ham, om det var i orden, vi tog herud i dag.«

Det ringede på døren igen, netop som jeg nåede det sidste trin, og Hans Christian trådte til side. Jeg trykkede automatisk på kontakten for at slukke kælderlyset og registrerede først fejltagelsen, da lyset blev tændt dernede.

»Hvad pokker!« udbrød jeg forbløffet. »Nu virker det.«

»Mystisk,« sagde han. »Mon ikke du bare er kommet til at trykke på en kontakt dernede?«

»Det kunne jeg umuligt komme til. Kontakten er helt henne ved døren ud til haven. Jeg tror snarere, det er dig, der kom til at slukke, da du gik ind i køkkenet. Det er den slags man gør pr. automatik, ligesom jeg gjorde lige før.«

Idet vi gik gennem køkkenet, hørte jeg entredøren gå, og et øjeblik efter lød der skridt i gangen.

»Hallo! Er du der, Bea?« Det var Mogens' stemme, men hvad i alverden lavede han her?

»Kommer!« råbte jeg, mens jeg febrilsk overvejede, hvordan jeg skulle forklare eller bortforklare Hans Christians tilstedeværelse. Nu stod jeg igen til en overhaling hos Winther.

Vi mødtes alle tre i entreen.

»Det er Mogens, en af Henriks venner,« præsenterede jeg, som om jeg var værtinde ved en lille selskabelig sammenkomst. Det føltes totalt idiotisk. »Og det er Hans Christian Gerner, Henriks bror.«

Jeg var lige ved at sige »afdøde bror«, men nåede heldigvis at bremse mig selv.

Mogens fortrak ikke en mine, men kondolerede høfligt, som om han aldrig havde hørt om Hans Christian og hans mystiske forsvinden.

Så vendte han sig om mod mig. »Jeg kom tilfældigt forbi og så, at der var lys. Jeg tænkte, at jeg hellere måtte tjekke, om alt var i orden, men da jeg fik øje på din bil, regnede jeg med at finde dig her. Du må undskylde, at jeg bare vadede lige ind, men du var lidt længe om at reagere, og døren var ikke låst, så ...«

»Nej, det ved jeg godt. Jeg har bare haft Hans Christian med på en guided tur rundt i huset, og vi endte nede ved *Hans Christians Værelse* i kælderen. Kælderdøren var for resten heller ikke låst, det må jeg huske at fortælle *Landsretten.*«

Jeg håbede, at han forstod min skjulte meddelelse, så han ikke uforvarende plumpede ud med, hvem der i virkeligheden ejede huset nu.

»Er der forsvundet noget?«

»Ikke så vidt jeg kunne se. Jeg tror ikke, der har været indbrud. De sidste, der har været her, har nok bare glemt at låse. Politiet måske eller ejendomsmægleren.«

»Låste du så?«

»Nej.« Jeg havde ikke lyst til at uddybe det nærmere.

»Så stikker jeg lige ned og låser. Er I ellers færdige her?«

»Ja, det tror jeg.« Jeg havde ikke spor lyst til at gå ned i kælderen igen for at finde ud af, hvad det var, der havde naget mig. Det betød sikkert heller ikke noget. Jeg så på Hans Christian. »Er du sikker på, at der ikke er noget, du vil have? Der er frit valg på alle hylder, og det er sidste chance,« tilføjede jeg med et lille smil.

Han smilede ikke igen. »Jeg troede, jeg havde sagt det tydeligt nok. Nej, jeg vil ikke have noget som helst herfra.«

Han lød temmelig irriteret, men hjalp mig trods alt høfligt frakken på, mens Mogens gik ned og låste kælderdøren.

»Der er ingen grund til, at du tager en taxa ind til byen,« sagde jeg. »Du kan køre med mig. Det er ikke nogen særlig omvej for mig.«

Han tøvede næsten umærkeligt. Han *var* åbenbart godt træt af mig, men det ville virke for demonstrativt at afslå tilbuddet.

»Tak, det vil jeg gerne.«

Mogens kom tilbage fra kælderen. »Så er det klaret.« Han så på Hans Christian. »Var det din bil, der holdt et stykke henne ad vejen?«

»Nej,« sagde jeg. »Hans Christian tog en taxa herud, så jeg kører ham tilbage til hotellet.«

Endnu en skjult meddelelse.

»Husk nu at låse,« sagde Mogens, da vi stod udenfor.

»Selvfølgelig.«

»Vi ses,« sagde han. »Jeg ringer. Ciao!« Han vinkede og gik ud til sin bil, der holdt på vejen lige foran huset. Et øjeblik efter kørte han ned mod vendepladsen.

Jeg gik ud fra, at han mente, at han nok skulle ringe til det specielle nummer. Det ligefrem føg med skjulte meddelelser. Han havde åbenbart rollen som aftenens skytsengel.

Og ganske rigtigt, da vi havde kørt nogle minutter, dukkede hans lygter pludselig op i bakspejlet og fulgte os hele vejen ind til byen, men forsvandt, da jeg drejede ind ad indkørslen til hotellet for at sætte Hans Christian af. Han takkede for fremvisningen og tilbød mig en afskedsdrink i baren, men så lettet ud, da jeg takkede nej med en forklaring om, at jeg havde en middagsinvitation.

»Hvis vi ikke ses mere, vil jeg ønske dig rigtig god rejse,« sagde jeg.

Han misforstod mig med vilje. »Jeg håber sandelig da, vi ses igen,« sagde han og skruede op for charmørsmilet. »Om ikke før så siden. Jeg rejser til London i morgen og videre til USA, men jeg satser på snart at komme igen – nu er der jo ikke længere noget, der holder mig tilbage,« tilføjede han med et skævt smil.

Jeg smilede ikke tilbage. Jeg vidste, han tænkte på Henrik, så den bemærkning kunne jeg godt have undværet.

Da jeg kort efter holdt i udkørslen og blinkede til højre, kørte en bil ud fra fortovskanten lidt længere fremme, så snart der blev fri bane.

Det var Mogens, og jeg holdt mig lige bag ham som en artig pige hele vejen hjem til min private port, hvor jeg parkerede så pænt og så korrekt, som om jeg var til køreprøve.

Jeg blev siddende lidt i bilen for mentalt at forberede mig på at møde ham. Jeg havde ikke spor lyst til at stige ud. Jeg vidste, at jeg stod til et møgfald, og jeg vidste, at jeg havde fortjent det. Jeg havde dummet mig igen. Politiet brugte resurser på at beskytte mig, og jeg havde ikke fulgt spillereglerne. At Hans Christian var fuldstændig uskadelig kom ikke sagen ved. Jeg havde lovet at meddele, hvor jeg var og sammen med hvem, og det havde jeg ikke gjort.

Jeg så Mogens stå afventende på fortovet, og med et suk steg jeg ud af bilen, låste den og gik hen imod ham.

Men den ventede skylle udeblev. Han så bare fra mig til min bil, hvis to hjul flugtede fortovskanten med et par centimeters afstand, og sagde: »Nydeligt, Bea. Du har bestået.«

Det kom så uventet, og jeg blev så forbløffet over, at han havde tænkt i de samme baner som jeg, at jeg begyndte at grine.

Han sendte mig et lille smil, idet han åbnede døren til passagersædet i sin egen bil. »Hop ind, Bea. Klokken er kvart over seks, og jeg ved godt, vi aftalte klokken syv, men jeg er din guardian angel i aften, så vi kan lige så godt køre hjem til mig med det samme, ikke?«

Egentlig havde jeg planlagt først at tage hjem og blive shinet lidt op, men min dårlige samvittighed gjorde mig føjelig og blid som et lam, så jeg satte mig lydigt ind. Desuden ville det andet være spild af tid, for han vidste jo præcis, hvordan jeg så ud selv i mine værste øjeblikke.

Jeg skottede til ham fra siden, da han havde sat sig ind og startet bilen. Pæn profil og en usædvanlig smuk hovedform. Det er langt fra alle, der har hoved til at være totalt kronragede, men ham klædte det.

Han så lige frem for sig uden at mæle et ord, og jeg følte ikke mindste trang til at bryde tavsheden. Jeg ventede på hans udspil.

Vi standsede for rødt, og han drejede hovedet halvt og så på mig. »Nå?«

Det var ikke en opfordring, men en kommando, og normalt ville sådan et »Nå?« have fået mig til at rejse børster, men ikke denne gang. Jeg vidste, han havde krav på en forklaring.

»Du vil vide, hvorfor jeg ikke fortalte telefonvagten, at jeg skulle møde Hans Christian derude?«

»Ja.«

»Han spurgte ikke, om der kom andre?«

Det var en dødssyg undskyldning. Kontrakten lød på hvor, hvornår og sammen med hvem, så jeg skyndte mig at fortsætte. »Og jeg havde ikke lyst til at fortælle det.«

»Hvorfor ikke?«

Ja, hvorfor ikke? Det vidste jeg dårligt nok selv.

»Jeg tror, det var, fordi jeg var irriteret på mig selv over at have sagt ja til at vise ham huset.«

»Hvorfor dog det?«

»Fordi det var spild af tid, og fordi jeg ikke havde lyst til at være sammen med ham igen.«

»Hvorfor ikke? Han virker da ret charmerende.«

»Ja, indimellem, men han gør mig deprimeret. Han er så ...« Jeg ledte efter ordene uden at finde de helt rigtige. »Så negativ. Det er svært at forklare. Jeg havde en forestilling både om ham og om det barndomshjem, Henrik havde fortalt så meget om, og min forestilling svarede slet, slet ikke til virkeligheden. Det fik han mig til at indse, og det er nok på en måde det, jeg bebrejder ham, selv om det er dybt uretfærdigt. Du ved, tager man livsløgnen fra et menneske og så videre,« sluttede jeg og trak let på skuldrene, som for at antyde, at han ikke skulle lægge for meget i det.

»Hvorfor sagde du så ikke bare nej til at tage ham med derud?«

Jeg sukkede opgivende. »Fordi jeg er sådan et rart menneske. Nej, men han er jo trods alt Henriks bror, og det var hans barndomshjem. Måske havde jeg også en ide om, at det var en slags nostalgisk pilgrimsfærd,« tilføjede jeg med Hans Christians egne vrængende ord i tankerne. »En slentretur ned ad memory lane, der ville få ham til ...«

»At fortryde?«

»Ja, noget i den retning, men jeg kunne have sparet mig ulejligheden. Det gjorde han mig højt og tydeligt opmærksom på. Han havde intet fortrudt, men ville kun bekræftes i, at han havde valgt rigtigt, da han lavede sit forsvindingsnummer.«

»Kom I op at skændes?«

Jeg lo afværgende. »Du godeste, nej! Det kender jeg ham slet ikke godt nok til. Hvad fik dig til at tro det?«

»Du virkede ret anspændt, da jeg kom.«

»Ja, det var jeg også, men det var ikke hans skyld, i hvert fald kun meget indirekte.«

Jeg fortalte kort, hvad der var sket i kælderen.

»Jeg forstod ellers, at I var dernede begge to?«

»Det var vi første gang, men jeg gik derned igen. Alene. Jeg havde registreret et eller andet, du ved sådan i udkanten af min bevidsthed, så det var nærmest et forsøg på at kalde det frem igen.«

»Det var måske den åbne kælderdør,« foreslog Mogens.

Jeg rystede på hovedet. »Nej, det kan det ikke have været. Den opdagede jeg kun, fordi jeg kunne se lysstriben, da der var bælgmørkt i kælderen.«

»Du siger, at lyset gik ud, men der var ikke noget i vejen, da jeg var nede i kælderen.«

»Nej, det ved jeg godt. Det hele var bare et dumt uheld. Hans Christian kom til at slukke, da han gik ind i køkkenet og lukkede døren efter sig, men jeg var nu glad for, at han var der, for den åbne kælderdør havde virkelig gjort mig bange.«

»Hvis han ikke havde været der, havde du slet ikke været i huset og ikke sat dine ben i den forbandede kælder,« konstaterede Mogens tørt, og det havde han selvfølgelig ret i.

Vi drejede ind på vejen, hvor Mogens bor.

»Det var dumt af mig ikke at fortælle, at jeg ikke skulle være alene derude, og det undskylder jeg, men det var trods alt kun Hans Christian Gerner, og Winther har selv sagt god for ham.«

»Sagt god for er vist lidt af en overdrivelse,« sagde Mogens, idet han parkerede foran huset. »Hun har bare bekræftet, at han er den, han giver ud sig for, og at han var i London på det tidspunkt, han sagde.« Han slukkede motoren. »Jeg lader bilen stå herude, jeg skal køre jo køre dig hjem på et eller andet tidspunkt.«

Mogens har førstesalen i en stor gammel villa. Jeg havde været der flere gange sammen med Henrik, men altid kun til en øl eller et glas vin, før vi alle tre tog ud at spise et eller andet sted. Nu var der dækket fint op i stuen med blomster, levende lys og nydeligt foldede stofservietter. Jeg var lige ved at komme til at grine, men beherskede mig.

Mogens smilede skævt. »Gør dig ingen illusioner om mine huslige evner, Bea. Det er faktisk ikke mig, men min værtinde, der har dækket bord, og det er i øvrigt også hende, der har lavet maden. Jeg havde ærlig talt selv forestillet mig en gang Chinese takeaway, men det mente hun ikke, jeg kunne byde dig.«

»Din værtinde? Damen, der ejer huset?«

»Ja, fru Koch. Dejlig dame. Da jeg flyttede ind, havde hun været alene et par år efter 40 års forhåbentlig lykkeligt ægteskab, så hun savnede en at pylre om; derfor fik hun førstesalen lavet om til en selvstændig lejlighed, og jeg var simpelt hen en gave fra himlen. Single, omgængelig og absolut ikke huslig. Hun gør rent heroppe en gang om ugen, passer de potteplanter, hun selv har foræret mig, og stryger mine skjorter.«

»Og laver mad til dig.«

»Nej, dog ikke. Der sætter jeg grænsen. I aften er en absolut undtagelse, men hun ville sikkert gerne. I hvert fald insisterede hun på at lave en ordentlig middag, da jeg fortalte, at du skulle komme i aften.« Han rødmede let og fortsatte hurtigt: »Jeg sagde, at det var helt fint, hvis det bare var noget, jeg kunne varme.«

En ordentlig middag ifølge fru Koch bestod af en rigtig gammeldags klar suppe med kød- og melboller, som lige var sagen en kold vinteraften, derefter en velsmagende gryderet med hjemmebagte flutes til og til sidst en pragtfuld dansk brie, der var lige tilpas modnet.

»Osten har jeg egenhændigt købt,« sagde Mogens, da vi var nået så langt. »Fru Koch ville have lavet dessert, men jeg sagde, at vi hellere ville nøjes med ost og så tage en Irish Coffee efter maden.«

»Fint,« sagde jeg. »Og lad mig så høre om dine navnløse damer.«

»Du er sikker på, at du kan klare det?«

»Ja, selvfølgelig.«

»Så begynder jeg med kendsgerningerne, mens vi spiser færdig, for jeg er bange for, at de mere makabre og spekulative detaljer får dig til at miste appetitten.«

»Okay.«

»Takket være dit materiale fik vi jo omsider fastslået Elenas identitet. Vi har hele vejen igennem haft et glimrende samarbejde med det lettiske politi. De har blandt andet talt med Elenas ældre søster, som kunne fortælle, at Elena, der arbejdede som servitrice, var blevet tilbudt det, hun selv kaldte et »drømmejob« i Danmark.«

»Som hvad?«

»Hun skulle servere i en natklub eller stripbar. De havde spurgt, om hun var villig til at servere topløs, og det havde hun sagt ja til. Hun ville få 500 kr. om dagen ...«

»500 kr.!« afbrød jeg forarget.

»Ja, plus kost og logi. For hende var det en fyrstelig løn, og hun blev yderligere stillet i udsigt, at hun måske ville få mulighed for at optræde. Hun sang og dansede lidt, forstår du. Storesøsteren advarede hende og sagde, at det lød for godt til at være sandt – og det havde hun jo mildest talt ret i – men Elena var fyr og flamme.«

»Var det virkelig pengene, der fristede?«

»Penge, eventyrlyst og drømmen om en karriere i showbiz. Det er stort set den samme historie, vi har hørt fra alle de andre piger.«

»Var de alle sammen parat til at servere topløst?«

»Ja, i hvert fald dem vi har talt med. De, der sagde nej, blev sorteret fra derovre.«

»Det virker, som om det var en slags prøve,« sagde jeg eftertænksomt. »Som om man gik ud fra, at hvis de sagde ja, var de parat til lidt af hvert.«

»Tjah, måske. De fik nu ikke noget valg, da først de var her.«

Jeg vidste godt, hvad han mente, så han behøvede ikke at uddybe det.

»Hvem var den anden? Var hun og Elena veninder?«

»Det var jo et nogenlunde kvalificeret gæt, at den anden også var fra Letland, så vi sendte hendes tandkort derover, og det gav pote næsten med det samme. Hun hed Anna Marie Förster.«

»Det lyder tysk.«

»Der er mange tyske navne i Letland helt fra gammel tid. Förster betyder skovfoged, så hun er måske tiptiptipoldebarn af en tysk skovfoged. Hun arbejdede som frisør i Riga og havde ingen familie, men kom ligesom Elena oprindelig fra provinsen. Så vidt Elenas søster vidste, kendte de ikke hinanden. Anna Marie drømte på sin vis også om en karriere inden for showbranchen, fortalte hendes tidligere kolleger, men hendes drøm var at blive makeupartist.«

»Så de fik altså begge to et tilbud, de ikke kunne afslå.«

»Ja, og de kom her til landet samtidig, med samme ladning så at sige, og efter hvad et par af de andre piger fortæller, blev de meget hurtigt hjerteveninder.«

»Var de her i byen hele tiden?«

»Nej, nej. De var ikke engang sammen hele tiden. Systemet var, at pigerne turnerede mellem de fem bordeller, vi raidede. De fik at vide, at det var, fordi »kunderne« ville se nye ansigter, men vores formodning er, at det lige så meget var for at forhindre pigerne i at komme til at kende nogen af kunderne for godt. Som Elena gjorde. Samtidig sørgede man så vidt muligt for hele tiden at blande kortene, så pigerne ikke havde store chancer for at rotte sig sammen og gøre oprør.«

»Du mener, at for eksempel de piger, der var her i byen, blev sendt fire forskellige steder hen, når der var »skiftedag«?«

»Præcis.«

»Pigerne har åbenbart fået munden på gled nu,« konstaterede jeg.

»Ja, nogle af dem, men slet ikke dem alle. Nogle var simpelt hen for bange til at sige noget, andre havde deres egne grunde til at bevare tavsheden, men der var altså et par stykker, der var villige til at tale, efterhånden som de fandt ud af, hvad vi vidste i forvejen. Det hjalp, især da vi – nærmest ved et tilfælde – fandt ud af, at der var et par stikkere imellem dem.«

»Stikkere?«

»Ja, eller spioner. En af pigerne talte ret godt tysk, vi havde ellers talt russisk med dem, og på et tidspunkt sagde hun – på tysk – at hun ikke ville udtale sig, når der var spioner til stede. Vi spurgte hende – også på tysk – hvem hun mente, og derefter sørgede vi for altid at holde dem adskilt.«

»Hvad mente hun med, at de var spioner?«

»At de havde til opgave at holde øje med de andre piger og rapportere til bagmændene, hvis de opdagede noget mistænkeligt. Alle pigerne vidste, hvem de var, og var selvfølgelig rystende angst for, at de også ville fortælle bagmændene, hvem der havde sladret.«

»Hvad havde spionerne ud af det?«

»De mente vel, at de var kærester med deres chefer, og måske fik de også lidt mere for deres ydelser. Det står ikke helt klart, vi kunne jo ikke spørge dem selv, og de bevarede hårdnakket tavsheden.«

»Vidste de andre piger, at Elena havde en dansk kæreste?«

»Ifølge vores tysktalende veninde var der et par stykker, der vidste det. Hun var selv en af dem. Men »spionerne« vidste det ikke. Elena traf ham her i byen kort efter, at hun var kommet til Danmark. Det var det første sted, hun var. Han faldt for hende med et brag og fulgte hende simpelt hen fra by til by, hver gang de blev flyttet. Hun kom tilbage hertil i begyndelsen af juli og mødte Anna Marie igen. De havde ikke set hinanden siden deres første turnus her.«

»Og da var Anna Marie gravid.«

»Ja. Om hun allerede var det, da de kom til Danmark, eller om hun blev det kort efter ankomsten, er der ingen, der ved. Ud over Elena var det kun vores tysktalende veninde, der vidste, at hun var gravid, og hun var ikke engang sikker på det. Det var kun noget, hun gættede sig til.«

»Men hun må jo have været i syvende eller ottende måned.«

»Sandsynligvis. Retsmedicinerne mener, at barnet var født nogle uger for tidligt, så syvende måned er formodentlig det rigtige. Anna Marie har sikkert ikke vidst sine levende råd, men midt i juli forsvinder hun pludselig, og så bryder helvede løs. Alle pigerne her bliver taget i skarpt forhør – og når jeg siger »skarpt«, er det nærmest en underdrivelse – men ingen ved, hvor hun er, og hvad der er sket.«

»Har de fortalt jer alt det?«

»Mere eller mindre. En har fortalt noget, en anden noget andet, og en tredje noget tredje, og så har vi selv lagt til og trukkket fra.«

»Og du tror, at Elena hjalp hende med at forsvinde?«

»Ja, Elena og hendes danske kæreste, som aldrig har givet sig til kende.«

»Kan han have narret dem? Været en af bagmændene? Det er lidt mærkeligt, at han sådan kan følge hende fra by til by, ikke?«

»De må have haft et eller andet system. Min teori er, at han ganske simpelt gav hende en mobiltelefon. Jeg er overbevist om, at han ikke var en af bagmændene. Anna Marie føder i hvert fald sit barn, vi aner ikke hvor, eller hvem der har hjulpet hende. Sygehusene her i byen melder hus forbi. Måske føder hun alene, formodentlig i begyndelsen af august.«

»Ja?«

»Og så finder bagmændene frem til hende, vi ved ikke hvordan. Hun har måske været letsindig eller været nødt til at gå ud og handle, hvad ved jeg. Vores tysktalende veninde sagde, at en af spionerne havde fortalt dem, at hun havde mødt Anna Marie ude i byen. Spionerne kunne i modsætning til de øvrige færdes forholdsvis frit. Måske er hun fulgt efter hende. Det korte af det lange er, at Anna Marie og babyen bliver bortført fra deres skjulested. Anna Marie skal straffes, men frem for alt vil de have hende til at røbe, hvem der har hjulpet hende.«

»Og hun røber uden videre Elena?«

»Ikke uden videre. Det er jeg overbevist om.«

»Men hun havde jo ikke lidt overlast. Hun var ikke blevet tævet næsten til døde sådan som Elena.«

Jeg havde – nok mest som en overspringshandling – taget endnu en bid af min pragtfulde brie, men den smagte ikke helt så pragtfuldt mere. Bare tanken om Elenas sidste timer gav mig kvalme.

»Det var ikke nødvendigt,« sagde Mogens tonløst. »Der var jo babyen.«

»Åh nej!« hviskede jeg afværgende.

»Åh jo. Kan du huske, at babyen var ramt af flere skud?«

Jeg nikkede ude af stand til at sige noget. Jeg havde stadig noget af den sidste bid brie i munden, og jeg kunne ganske enkelt ikke synke den. Den klæbede til mine tænder og min gane og voksede og voksede i min mund.

»Min teori er, at den eller de, som ordnede den lille affære, kastede barnet op i luften som en lerdue, og plaf-plaf, bare et par tilfældige skud, og endnu en lufttur, plaf-plaf, ikke for at dræbe, i hvert fald ikke straks, men for at få babyen til at skrige af rædsel og smerte.«

Jeg stirrede på ham med opspilede øjne, mens jeg følte, jeg var ved at kvæles i min brie.

»Selvfølgelig virkede det,« fortsatte han. »Anna Marie røbede Elena, og så fik babyen nådeskuddet i panden lige mellem øjnene. Det sidste skud fik hun selv på samme måde. Et præcist skud. En likvidering.«

Jeg svælgede hårdt og rakte ud efter mit vandglas for at skylle den forbandede brie og hele den modbydelige historie ned. Bagefter tog jeg en stor, en meget stor slurk vin.

»Du *ved* ikke, om det gik sådan til,« sagde jeg næsten anklagende.

»Du har ret. Jeg *ved* det ikke. Det kunne være et foster af min perverse fantasi, men de kendsgerninger, vi har, skudvinkler og så videre, underbygger min hypotese.«

Jeg rystede frustreret, rasende og hjælpeløst på hovedet. »Hvad er det for nogen mennesker! Hvad fanden i helvede er det for nogen mennesker!« udbrød jeg.

»Det ved jeg ikke,« sagde Mogens. »Jeg ved bare, at de findes. Og uanset hvad der skete, var resultatet altså, at de fandt ud af, hvem der havde hjulpet Anna Marie. Jeg tror, at Elena forstod, at hun selv var i fare, da hun hørte, at spionen havde set Anna Marie, så hun beslutter at flygte. Hvorfor de vælger Norge, har vi ingen ide om. Måske havde hendes kæreste forbindelser der. Under alle omstændigheder er det for sent. Elena dukker aldrig op på det aftalte mødested, og vi ved jo hvorfor. Drabsmanden eller drabsmændene bekymrer sig ikke om, at pigernes lig bliver fundet. Tværtimod. Jo mere omtale, jo bedre. Det vil være en advarsel til de andre piger, hvis de skulle få ideer.«

Jeg skuttede mig. Selv om meget af det stadig var gætteri, lød det sandsynligt. Alt for sandsynligt.

»Tror du nogen sinde, I får ham – eller dem?«

»Vi har da i det mindste fået de små fisk. De personer der ejede lejlighederne og husene, dem der fragtede pigerne rundt, og et par dørmænd. Nogle af dem vokser sig måske meget større, når vi får kigget nærmere på dem. Personligt tror jeg, der sidder en stor fed edderkop midt i nettet og trækker i alle trådene, og han kan være hvor som helst. Mit eget gæt er, at han selv er fra de baltiske lande, sandsynligvis Letland.«

»Men han kunne også være fra Danmark, ikke?«

»Jo, det kunne han, men jeg har en forestilling om, at det er en international organisation. Derfor kunne han selvfølgelig godt være dansker, men jeg tvivler.«

Vi sad begge tavse lidt, så rejste Mogens sig. »Jeg går ud og sætter kaffemaskinen i gang, vi trænger vist begge to til den Irish Coffee nu, ikke?«

Jeg rejste mig også. »Jeg hjælper lige med at rydde af bordet.«

Vi samlede det brugte service sammen og gik ud i køkkenet.

»Det er mig virkelig en gåde, at hendes kæreste ikke har henvendt sig til jer,« sagde jeg, mens jeg fyldte opvaskemaskinen. »Historien om de to kvinder og spædbarnet har jo været forsidestof, jeg ved ikke hvor længe, han kan ikke have undgået at se den, og hvis ikke han er helt idiot, kan han ikke være i tvivl om, at det var Elena og hendes veninde.«

»Jeg kunne forestille mig, at han er gået under jorden. Hvis han ved noget, eller hvis han tror, at de tror, han ved noget, er han sikkert rystende nervøs. Og med god grund. Det klogeste, han kunne gøre, var selvfølgelig at gå til politiet, men det er svært at tænke rationelt, når man er bange,« sagde Mogens. Han så spørgende på mig. »Du er stadig ikke kommet i tanker om hans navn?«

Jeg rystede på hovedet. »Nej. Et par gange har jeg følt, at det har ligget lige under overfladen, men det smutter væk igen, før jeg når at fange det.«

Mogens tog en skål flødeskum ud af køleskabet. »Den skal vist lige have et par slag mere, men den må ikke blive for stiv. Gider du gøre det, mens jeg finder glassene?«

Han rakte mig et piskeris, og jeg piskede forsigtigt for ikke at oversprøjte hele køkkenet. Imens anbragte han et par høje glas med tilhørende lange skeer på en bakke sammen med en lille skål farin og en asiet med petitfours.

»Fornemt,« sagde jeg, idet jeg satte skålen med flødeskum på bakken.

»Hvis du tager kaffen, bærer jeg bakken ind.«

Vi vandrede i procession ind i stuen. Mogens anbragte bakken på sofabordet, og jeg satte kaffekanden fra mig på et lille fyrfad med et tændt stearinlys.

»Sådan!« udbrød han tilfreds. »Nu mangler vi bare whiskyen.«

Det virkede, som om han havde glemt alt om de ikke længere navnløse damer og babyen. Gid, det var mig, der kunne ryste det af mig så let, tænkte jeg lidt forarget. Så tog jeg mig i det. For det første var han politimand, så han var nødt til at have en professionel tilgang til sit arbejde – ligesom for eksempel læger og sygeplejersker – ellers holder man ikke længe i jobbet. For det andet vidste jeg intet om, hvor let han havde rystet det af sig.

Han stod henne ved det beskedne barskab; det var faktisk kun en hylde i hans bogreol.

»Jeg kan ikke byde på det store udvalg. Jeg har kun to flasker whisky, en *Black and White* og en *Famous Grouse*. Hvilken en vil du helst have?«

»Jeg tror ærlig talt ikke, jeg kan smage forskel. Slet ikke i kaffe. Jeg er ikke whiskykender.«

Han grinede. »Det er jeg sgu heller ikke. Jeg drikker kun whisky i Irish Coffee. De her flasker fik jeg foræret til min 40-års fødselsdag. Den ene fik jeg i øvrigt af Henrik.«

»Hvilken af dem?«

»Famous Grouse, så det er nok den bedste.«

»I hvert fald den dyreste,« sagde jeg tørt.

Han havde stillet begge flaskerne på bordet.

»Så tager vi den,« sagde han og gik i gang med at lave vores Irish Coffee efter et meget sindrigt system. Han begyndte med at skænke et velvoksent mål whisky i glasset, dernæst hældte han kaffe i, til glasset var halvt fyldt, og først derefter kom han sukker i, rørte rundt til sukkeret var opløst, fyldte glassene op med kaffe og sluttede med den letpiskede fløde. Det var perfekt.

»Hvad er det egentlig for et dyr?« spurgte han med et blik på flasken.

Jeg grinede. »Det er ikke et dyr, det er en fugl.«

»En fugl tilhører sgu da også dyreriget. Hvad betyder *grouse?* Agerhøne?«

»Nix. Rype. Kan du ikke se det?«

»Jeg har aldrig set en rype.«

»Næh, men du har vel set en agerhøne?«

»Det tror jeg faktisk ikke.«

Jeg kiggede på den anden etiket. Black and White. Jeg kunne huske reklamen med de to små hunde. Terriere. En sort og en hvid. Et barndomsminde.

»Hallo, hører du efter?« spurgte Mogens. »Jeg sagde, det tror jeg faktisk ikke.«

»Ja, det hørte jeg godt,« mumlede jeg åndsfraværende. Og så var det der pludselig!

Jeg prikkede ivrigt på etiketten med pegefingeren. »Jeg har det, Mogens!« udbrød jeg. »Jeg har det!«

Han så spørgende på mig. »Har hvad?«

Jeg prikkede igen på etiketten. »Navnet, Mogens! Jeg er kommet i tanker om, hvad Elenas kæreste hedder.«

»Sikker?«

»Fuldstændig.« Jeg havde stadig fingeren på etiketten.

»Hvad har det med whisky at gøre?«

»Ikke noget som helst. Det er hundene. Da jeg var lille, fire-fem år tror jeg, havde vores nabo to små terriere, en sort og en hvid, ligesom dem fra whiskyreklamerne.«

»Og de hed Black og White?«

»Nej, de var kaldt op efter to tegneseriefigurer, som jeg aldrig har hørt om hverken før eller siden. Max og Moritz.«

»Knold og Tot,« forklarede Mogens. »Max og Moritz blev til Knold og Tot her i landet.« Nu var det ham, der lød lidt åndsfraværende.

»Dem kender jeg heller ikke.«

Mogens rystede opgivende på hovedet. »Du brokker dig altid over, at folk ikke kender Prins Valiant, og så kender du ikke selv Knold og Tot.«

Jeg kunne både høre og se, at han lod munden gå tomgang. Han tænkte på noget helt andet.

»Glem det,« sagde jeg ophidset. »Det handler ikke om dem, men om Elenas kæreste. Han hedder Moritz, M-o-r-i-t-z,« stavede jeg. »Ikke Mouritz, men Moritz, ligesom hunden. Og Rahbæk til efternavn. Moritz Rahbæk.«

Mogens afbrød mig. »Stop, stop, stop, Bea! Der er lige noget, du skal se.«

Han gik hen til skrivebordet og ledte efter noget i papirbunkerne. Han kom tilbage med et fotografi i hånden.

»Det nytter ikke noget at vise mig et foto,« sagde jeg. »Jeg kan ikke sige, om det er ham. Jeg har jo aldrig set ham.«

»Prøv at kigge på det alligevel,« sagde Mogens og lagde det foran mig på bordet.

Det var et godt billede. Professionelt. En ung fyr på 18-20 år smilede til beskueren med sine pæne tænder. Alle unge har pæne tænder i dag. Jeg kunne sværge på, at jeg aldrig havde truffet ham, men alligevel var der noget bekendt ved ham. Jeg så spørgende på Mogens. »Har billedet her været i avisen eller sådan noget?«

Han rystede på hovedet. »Ikke endnu. Hvorfor det?«

»Fordi jeg synes, jeg har set ham før. Hvem er det?«

»Moritz Rahbæk, formoder vi.«

»Moritz!« udbrød jeg. Så gik det op for mig, hvad han havde sagt. »Hvad mener du med formoder I?«

»Vi har ikke fået ham endeligt identificeret endnu.«

Jeg stirrede på Mogens. »Er ... mener du, at han er død?«

Han nikkede. »Kan du huske ham strandvaskeren?«

»Er det ham?« hviskede jeg med stive læber.

»Ja, det tror vi. Moritz blev først meldt savnet for nogle dage siden, men ingen har set ham de sidste par måneder.«

»Åh gud,« mumlede jeg. Jeg så på billedet igen, og det føltes, som om en kold hånd greb fat om mine indvolde og klemte til.

»Nu ved jeg, hvor jeg har set ham,« sagde jeg sagte. »Jeg kunne bare ikke kende ham. Han så anderledes ud dengang.«

»Hvor har du truffet ham?«

»Jeg traf ham sådan set ikke. Jeg har aldrig talt med ham, kun set ham.«

»Hvor, Bea? Hvor?«

Han så indtrængende på mig, og jeg mødte hans blik.

»På Norgesbåden,« sagde jeg langsomt. »Jeg så ham på færgen, da jeg rejste hjem fra Oslo.«

Mogens havde siddet anspændt foroverbøjet. Nu slappede han af og lænede sig tilbage. »Aha!«

Så bøjede han sig lidt frem igen. »Mon ikke det er på tide, at du fortæller mig alt om den Norgestur?«

»Jeg har allerede fortalt Winther om den.«

»Jeg sagde *alt!* Du har fortalt forbløffende lidt om den tur.«

»Det er måske, fordi der ikke var noget at fortælle.«

Der var masser af grunde til, at jeg ikke havde haft lyst til at fortælle om den tur. Jeg havde ikke engang haft lyst til at tænke på den.

»Åh, come on, Bea. Du plejer at kunne fortælle en hel roman, bare du har været nede efter fire marsbar.«

Det må være et trick, de lærer i forhørsteknik på politiskolen. *Slå ned på et af emnets svage punkter, selv om det er fuldstændig irrelevant i sammenhængen. Det gør emnet usikker og bringer ham/hende i defensiven.* Et af mine svage punkter er marsbar.

»Okay,« sagde jeg irriteret. »Så er det måske, fordi det var en helt igennem lortetur, som vi ikke fik noget som helst ud af. Spild af tid og penge.«

»Hvad skete der?«

»Ikke noget har jeg jo sagt.«

»Bea, for helvede! Det kan være vigtigt, det her. Jeg gider ikke høre om jeres pubcrawl i Oslo, den ved jeg alt om. Men hvad skete der på båden?«

»Hvis du endelig vil vide det, så værsgo. Jeg blev søsyg!«

Jeg ved ikke, hvad han havde ventet. I hvert fald ikke det, for et øjeblik gloede han bare forbløffet på mig, så brast han i latter.

»Søsyg! Hold da kæft! Du er sgu guddommelig!« grinede han. »Er det din dystre hemmelighed? Det er ikke ligefrem nogen forbrydelse.«

Jeg sendte ham et skummelt blik. »Nej, men det er flovt, og det var bestemt ikke sjovt.«

Bortset fra en enkelt tur med Storebæltsfærgen som teenager havde jeg aldrig sejlet før, og jeg var slet ikke forberedt på at blive søsyg. I mit univers var søsyge noget, der fandtes i gamle dage ligesom pest og kolera og den slags. Jeg mener, masser af mennesker tager på krydstogt i dyre domme, og man hører aldrig om søsyge, så hvordan kunne jeg forudse, at jeg ville blive søsyg på Norgesbåden. Det var latterligt, men jeg prøver at forklare det med, at jeg havde jetlag, for jeg havde dårligt nok sat foden på dækket, før jeg fik kvalme. Det var kun ren og skær viljestyrke plus en kaffe med cognac i baren, der gjorde, at jeg overhovedet kunne klare det, som var selve formålet med færgeturen. Nemlig at rende rundt med fotoet af Elena og spørge gud og hvermand, om de nogen sinde havde set denne pige. Overalt var svaret negativt, og jeg blev bare mere og mere elendig, selv om jeg havde tigget en søsygetablet af kahytsjomfruen.

»Stewardessen,« indskød Mogens.

»Hun sagde godt nok, at jeg skulle have taget den før afsejlingen, og det havde hun sikkert ret i. Den hjalp i hvert fald ikke, så til sidst opgav jeg og vaklede ned i min kahyt.«

»Hvor og hvornår så du så Moritz?«

»Dengang. Da jeg trådte ind i min kahyt og tændte lyset, lå der en fyr, så lang han var, på min køje. Han lå med lukkede øjne og så lige så elendig ud, som jeg følte mig. Han var bleg som et lig, og der lugtede underligt derinde, så jeg var overbevist om, at han var lige så søsyg som jeg. Alle de andre passagerer festede, drak og dansede som en flok små glade pindsvin, mens han og jeg som de eneste på hele det skide, skæve skiv led alle søsygens kvaler. Jeg følte en slags skæbnefællesskab med ham, så jeg nænnede ikke at skælde ud. Heldigvis, for i næste øjeblik opdagede jeg, at det ikke var min bagage, der var derinde, og det var ikke mit overtøj, der hang på knagen. Jeg var gået forkert. Fyren havde ikke engang åbnet øjnene, da jeg trådte ind, så jeg skyndte mig at slukke lyset og liste lige så stille ud igen. Jeg kiggede selvfølgelig på nummeret på døren, og det var rigtigt, det var forkert. Jeg var gået et nummer for langt.«

»Var der nogen, der så dig, da du kom ud fra hans kahyt?«

Jeg tænkte mig om, det var trods alt næsten tre måneder siden, men så rystede jeg på hovedet. »Nej, kun stewarden, som kom hen ad gangen i det samme, og han så mig vist bare stå og kigge på nummeret på døren. Jeg hæftede mig ikke ved ham, for jeg skulle kaste op igen og fór bare ind i min egen kahyt.«

Mogens sad et øjeblik tavs, som om han ordnede kendsgerningerne inde sit hoved. »Okay,« sagde han så. »Du går ind i din kahyt, den rigtige denne gang, og hvad så?«

»Så ikke mere. Jeg brækkede mig, trak af tøjet, gik til køjs, lå der og trillede frem og tilbage et par timer, stod op indimellem og brækkede mig, drak vand og faldt til sidst i søvn. Jeg vågnede ved tretiden ved, at der foregik et eller andet. Der var en masse larm, og jeg tror, der blev sagt noget i højttalerne, men det opfattede jeg ikke. Det føltes, som om skibet rystede, men det gyngede ikke så meget mere, og lidt efter virkede alt normalt, så jeg faldt i søvn igen. Jeg var fuldstændig udmattet.«

»Ja?«

»Da jeg vågnede igen, var klokken lidt over syv, og skibet lå helt stille. Jeg skyndte mig at stå op, trække i tøjet og pakke mine ting. Jeg kunne simpelt hen ikke komme hurtigt nok fra borde. Da jeg kom ud på gangen, mødte jeg stewardessen, hende med søsygepillen. 'Nå, hvordan har du sovet?' spurgte hun. 'Elendigt,' sagde jeg. 'Det er godt, det er overstået. Jeg glæder mig til at få fast grund under fødderne.' Hun smilede. 'Så længe det varer.' Jeg så lidt desorienteret på hende. Hvad pokker mente hun? 'Ja, for du skal vel med til Frederikshavn?' sagde hun så.«

»Hva'!« udbrød Mogens. »Men I var da i Frederikshavn?«

»Nej, fandeme! Vi var i Oslo! Jeg kunne have grædt!«

»Det kan jeg forestille mig. Hvad var der sket?«

»Færgen var vendt om. Det var det, der havde vækket mig midt om natten.«

»På grund af stormen?«

»Nej, så meget stormede det ikke, sagde hun. Jeg fandt aldrig helt ud af, hvad der var sket. Hun talte en mærkelig norsk dialekt, så der var nok noget, der smuttede. Det var noget med, at en passager havde slået alarm, fordi han mente at have set en person falde eller springe over bord. De ledte et stykke tid uden at finde tegn på noget eller nogen, så de gættede på, at passageren, der var ret beruset, havde set syner. Men da de skulle sejle videre, viste det sig, at skibet havde fået maskinskade. Noget med skruen så vidt jeg forstod. Kaptajnen valgte i hvert fald at vende tilbage til Oslo.«

»Hvad gjorde du så?«

»Jeg skulle i hvert fald ikke være på den elendige skøjte et minut længere end højst nødvendigt, så jeg gik fra borde, så snart de havde sat landgangen til, og tog en taxa til Fornebu lufthavn, selv om stewardessen havde advaret mig og sagt, at jeg godt kunne opgive at komme med et fly. Det hele var så kaotisk i de dage, at alt var overbooked.«

»Men det lykkedes dig at få en plads?«

»Ja, der var en ground hostess, der forbarmede sig over mig. Jeg havde jo en åben billet, og jeg tror, hun på en eller anden måde fik det indtryk, at jeg havde ventet i lufthavnen, siden jeg kom til Oslo dagen før.« Jeg smilede skævt. »Og jeg bragte hende ikke ud af vildfarelsen. Hun kunne skaffe mig en plads til København over middag, og derfra kunne jeg så komme med det sidste aftenfly til Ålborg. Hun var helt knust over ikke at kunne gøre mere for mig, jeg må virkelig have set ligeså rædsom ud, som jeg følte mig. Søsyg, søvnløs og jetlagget. Men af sted fra Oslo kom jeg altså.«

Mogens tænkte sig om et øjeblik. »Hvilket navn brugte du i lufthavnen?«

»Mit eget. Det var jeg nødt til, det stod jo på billetten. Men jeg mener faktisk ikke, det blev sagt højt på noget tidspunkt, og der var ingen i nærheden, som jeg havde set før. Det tror jeg i hvert fald ikke.«

Denne gang var tavsheden næsten uendelig. Jeg gennemgik i tankerne den historie, jeg lige havde fortalt, føjede brik til brik, og selv om billedet stadig var ufuldstændigt, brød jeg mig slet ikke om den del af det, jeg nu kunne se.

Jeg så på Mogens. »Du tror, at Moritz var død, da jeg så ham i kahytten, ikke?«

Han lænede sig tilbage og strøg sig ned over ansigtet med begge hænder, som for at stryge trætheden af sig. »Måske,« sagde han så. »Jeg er ikke sikker. Jeg kan ikke lige se sammenhængen, men jeg er ikke i tvivl om, at der er en sammenhæng. Du sagde, at stewarden så dig uden for Moritz' kahyt.«

»Ja, det tror jeg.«

»Men for lidt siden talte du om stewardessen.«

»Ja.«

»Er du sikker på, han var steward?«

»Ja, selvfølgelig. Hvad skulle han ellers ...?« begyndte jeg, og så tav jeg brat. Der var stewarder om bord, og manden havde haft uniform på af en slags. Han lignede en steward, derfor gik jeg ud fra, at han var steward. Men hvordan kunne jeg være sikker på, at han var, hvad han gav sig ud for?

»Nej,« indrømmede jeg modstræbende. »Nej, jeg er ikke sikker.«

Mogens tænkte sig om. »Det er nok også ligegyldigt. Selv om Moritz allerede var død ...«

»Men det var han ikke,« protesterede jeg »Det ville jeg da have opdaget.«

»Tror du?«

Jeg prøvede at genkalde mig billedet. Han lå der på køjen, så lang han var – og han så ekstremt lang ud. Han havde ikke engang taget jakken og huen af. Han lå med den trukket helt ned i panden. Jeg regnede med, at han havde været ude at trække frisk luft, men ligesom mig var blevet så dårlig, at han havde søgt tilflugt i sin kahyt, hvor han bare lod sig falde om på køjen.«

»Hvordan døde han?« spurgte jeg. »Jeg kan jo regne ud, at han ikke druknede.«

»Skudt. Ligesom pigerne.«

»I panden?«

»Ja.«

»Det havde jeg i hvert fald kunnet se?« sagde jeg og kom straks i tvivl. Måske havde huen dækket skudsåret. Men der ville have været blod overalt. Eller ville der?

»Men som jeg var ved at sige, hvad enten Moritz var død eller levende, da du gik ind i hans kahyt, er det ikke ham, der er problemet. Tværtimod. Du så ham, og det er fint nok, for nu ved vi med 100 procents sikkerhed, at han var med den færge, og vi ved også, at der var en eller flere andre med, som skød ham og lempede ham over bord. Passageren, der slog alarm, var hverken fuld eller gal. Han havde set en person falde – eller rettere blive smidt – over bord.«

»Hvorfor er han så ikke noget problem?«

»Fordi de tror, han er lost and gone forever. De forbinder ham næppe med vores strandvasker. Hvorfor skulle de det – så længe efter? Men nu ved vi altså også, hvorfor de er ude efter dig.«

»Gør vi? Jeg forstår det stadig væk ikke. Jeg *ved* jo ingenting. Jeg er ikke til fare for dem.«

»Tænk dig om! Du går rundt på den samme færge med dit foto af Elena og præsenterer dig som hendes veninde. De ved, at Moritz var Elenas kæreste, og tror, at hun har fortalt ham alt, hvad hun ved. Og hun må have vidst noget afslørende. De har muligvis skygget ham i flere dage, følger efter ham til Norge og venter på en lejlighed til at slippe af med ham. Så dukker du op. Selvfølgelig tror de, at du og Moritz kender hinanden. Elenas veninde og Elenas kæreste. Det er indlysende. Set i deres optik må du vide lige så meget som Moritz – og altså være lige så farlig.«

Det kommenterede jeg ikke, for jeg var bange for, at han havde ret.

»Hvordan fandt de ud af, at Moritz var Elenas kæreste?«

»Måske boede Anna Marie i hans lejlighed, da hun var flygtet fra bordellet. Vi ved stadig ikke, hvor hun opholdt sig.«

»Har I undersøgt hans lejlighed?«

»Ja.«

»Fandt I noget?«

Mogens rystede på hovedet. »Nej. Nu var vi jo heller ikke klar over, at der var en forbindelse mellem ham og de navnløse damer, så det så vi ikke specielt efter, men der var ingen tegn på, at der havde boet andre. Og slet ikke en baby. Det ville de andre lejere helt sikkert have bemærket, og vi har stemt dørklokker i hans opgang.

»Hvordan kan de ellers have fundet frem til ham?«

»De kan have tvunget Elena til at fortælle, hvem der havde hjulpet dem, hende og Anna Marie. Eller Moritz havde givet hende en mobil, som jeg forestillede mig, og så var det bare at tjekke numrene.«

»Hvorfor gjorde de sig den ulejlighed? Hvorfor tog de ham ikke bare med ud i skoven ligesom pigerne, og skød ham der?«

Mogens trak på skuldrene. »Fordi de ville have ham til at forsvinde forever. Jeg gætter på, at de havde surret en jernkæde eller sådan noget om liget. Det var muligvis den, der røg i skruen, da Moritz blev kappet midt over. Måske mente de, at politiet ville gøre lidt mere ud af et drab på en ung dansker end på et par østeuropæiske ludere, men der tog de altså fejl.«

Jeg så ned på mine hænder og sukkede dybt. Jeg følte, at jeg blev filtret mere og mere ind i et modbydeligt klæbrigt net, og uanset hvor meget jeg sprællede, kunne jeg ikke slippe fri.

Mogens tog mit tomme glas. »Jeg laver en mere til dig, du trænger til den.«

Jeg var ikke sikker på, at Irish Coffee var løsningen på mine problemer, men jeg kunne heller ikke få øje på andre, so what the hell!

»Skal du ikke selv have?«

Han rystede på hovedet. »Jeg skal jo køre dig hjem.«

»Jeg kan tage en taxa.«

»Nej.« Han begyndte at lave min Irish Coffee. »Fortæl, hvad der skete, da du kom til København.«

»Jeg tog bussen ind til byen, stod af ved Hovedbanegården og gik ned mod Strøget. På Rådhuspladsen løb jeg på en gammel ven, eller en ung ven faktisk.«

Mogens så hurtigt op. »Hvem?« spurgte han skarpt.

»Rolig nu. Det var bare Joachim. Du ved en af de unge fyre, jeg roede med for nogle år siden. Jeg er stødt på ham nogle gange, når han var hjemme på ferie – han læser i København – og vi er på julekort. De andre har jeg mistet forbindelsen til.«

»Okay.«

»Vi fulgtes ad ned ad Strøget og satte os på en fortovscafe og fik et par drinks, mens vi mindedes fortidens bedrifter. Han foreslog, at vi spiste sammen, inden jeg skulle af sted, og det syntes jeg var en smaddergod ide. Vi snakker godt sammen, så vi havde det vældig hyggeligt ...«

Jeg standsede brat.

»Hvad er der?«

»Jeg kommer lige i tanker om, at ... der skete faktisk noget, da vi sad der. Bagefter troede jeg, det var noget, han havde fundet på, for ...« Jeg mærkede, at jeg blev hed i kinderne, og kunne ligefrem føle den forræderiske rødmen. »Ja, det troede jeg altså bare,« sluttede jeg lidt mat.

Mogens så afventende på mig. »Ja?« Jeg ved ikke, om han bemærkede min forvirring.

»Han spurgte pludselig, om jeg var blevet gift eller havde fået en kæreste siden sidst, og jeg lo bare og sagde: 'Nej, hvorfor det?'

'Fordi der er en fyr, der har fulgt efter os hele vejen. Han var lige bag ved dig, da vi mødtes ved fodgængerovergangen; jeg troede faktisk, I var sammen, og han har været i hælene på os lige siden. Lad være at kigge derhen nu, han sidder ved det tredje bord i yderste række, og for mig ser det ud, som om han holder øje med dig.' Jeg ventede lidt, så kiggede jeg tilfældigt derhen. Fyren sad med en avis, og idet jeg drejede hovedet, løftede han den lidt op, så jeg ikke kunne se ham rigtigt, men der var ikke noget som helst bekendt ved ham, så jeg lavede bare sjov med det og sagde til Joachim, at det nok var en, der var faldet for mig midt på Rådhuspladsen.

'Vi ryster ham af,' sagde Joachim så. Han rejste sig midt i sin øl, smed et par sedler på bordet, greb min hånd og trak af sted med mig i fuldt firspring hen til Illum, hvor vi nærmest løb ind ad den ene dør, gennem forretningen og ud ad den anden, videre op ad en gade, gennem en port og et par gårde og ind på en bagtrappe, hvor vi sprang hæsblæsende op ad en million trapper. Det var faktisk enormt sjovt. Jeg grinede hele vejen, og det havde nær taget livet af mig oven på alt det andet. Jeg skal love for, at han har kondi,« sluttede jeg og var lige ved at rødme igen.

»Men I havde rystet forfølgeren af?«

Jeg lo. »Ja, helt bestemt, hvis der altså nogen sinde var en forfølger. Det tvivler jeg på, for vi var endt i Joachims lejlighed. Han har en penthouselejlighed midt på Strøget. Det er selvfølgelig ikke hans, men en lejelejlighed, som hans far har skaffet ham. Han er bankdirektør og har masser af gode forbindelser. Dengang troede jeg som sagt, at det hele var et nummer for at lokke mig med hjem, og det tror jeg i øvrigt stadig. Jeg vidste godt, at han altid havde været lidt forelsket i mig.«

»Var I så ude at spise?«

»Nej,« sagde jeg lidt tøvende, for nu bevægede jeg mig ud på tynd is. »Den der sindssyge løbetur og alle trapperne i forening med de par drinks, jeg havde fået, fik både jetlag og søsyge til at vende frygteligt tilbage. Jeg var helt færdig. Så vi blev i lejligheden og spiste bare lidt snacks, en spegepølsemad og noget frugt.«

»Og fik et par drinks mere?«

»Nej, vi drak te.«

»Og snakkede?«

»Ja,« sagde jeg. »Ja, vi snakkede.« Jeg mødte hans blik og rødmede. Nu var jeg midt på isen, og selvfølgelig bristede den. »Ja, vi snakkede,« gentog jeg. »Og da jeg var kommet til hægterne, fik vi et glas vin, og så gik jeg i seng med ham.«

»Heldige rad!« sagde Mogens, men jeg hørte det dårligt nok, for jeg var så optaget af at læsse af. Lette mit hjerte, ville mormor have sagt.

»Det var det, der var min dystre hemmelighed,« fortsatte jeg. »Det var sgu da ikke søsygen. Det var kun latterligt, normalt ville jeg selv have gjort grin med det. Det andet derimod var piiiiinligt.«

»Hvorfor dog det?«

»Kan du ikke se det? Jeg render på en fyr, får et par glas for meget og går i seng med ham. Det er bare for meget. Han er kun 24.«

»Og hvad så?«

»Jeg er ti år ældre. Jeg kunne være hans mor!«

Mogens grinede. »Så skulle du eddermame have været meget fremmelig. Var det godt?«

»Fantastisk,« sagde jeg, for det var det. Han var ikke verdens mest erfarne elsker, men bare det at ligge sammen med en ung krop, næsten en drengekrop, havde virket utrolig ophidsende. Jeg kunne have slugt ham med hud og hår – og gjorde det næsten også. Det var på en måde som selv at være ung igen. Jeg havde i hvert fald ikke oplevet noget lignende siden min gymnasietid, da Henrik og jeg blev kærester. Jeg var ganske vist kun 20 år, da jeg blev gift, men min eksmand var dobbelt så gammel, og Henrik og jeg var over 30, da vi fandt sammen igen, ingen af os havde ungdommens friskhed.

»Hvad er der så i vejen med det?« spurgte Mogens. Han virkede ikke nyfigen, bare interesseret.

»Barnerov! Kuvøseguf!« sagde jeg.

»Pladder!«

»Du er den første, jeg fortæller det til. Og jeg havde enormt dårlig samvittighed over for Henrik.«

Han så forbavset på mig. »Men I var jo slet ikke kærester mere.«

»Nej, men alligevel,« sagde jeg ude af stand til at forklare det. Det slap jeg heldigvis også for, for i det samme ringede hans telefon. Den, der ringede op, havde åbenbart meget at skulle have sagt. Jeg kunne kun høre Mogens' del af samtalen, og det blev jeg ikke meget klogere af.

»Ja! ... For helvede da! ... Så var det alligevel ... Nå, det tror I ikke ... Ja, det finder vi ud af ... Nej, det behøves ikke ... Det skal jeg nok. Ciao!«

Han lagde røret på og kom hen og satte sig ved siden af mig. Han gav sig til at lave en Irish Coffee til sig selv. Meget omhyggeligt. Whisky, kaffe, sukker, røre rundt, kaffe, flødeskum.

»Skulle du ikke køre?« mindede jeg ham om.

Han rystede på hovedet. »Nej, det var Winther, der ringede. Hun foreslog, at du blev her i nat.«

»Hva'?« udbrød jeg. »Hvorfor?«

Han lod forsigtigt resten af flødeskummet glide ned i sit glas og kastede et blik på sit ur, før han endelig løftede hovedet og så på mig.

»Der var anbragt en bombe i din bil. Den eksploderede for 33 minutter siden.«

XV

En bombe i min bil!

Jeg stirrede stumt på ham og sank et par gange, men var ude af stand til at sige et eneste ord. Alt i mig var gået i stå. Jeg kunne hverken tænke, tale eller trække vejret, mit hjerte stod stille, og det føltes, som om jeg rent fysisk krympede og blev mindre og mindre for hvert sekund. Den trussel, der så længe havde hængt over mit hoved, var med ét blevet alt for håndgribelig.

Jeg tilstår, at jeg i det øjeblik var på nippet til at opgive. Jeg savnede pludselig Henrik så intenst, at det næsten gjorde ondt. Han havde altid været der for mig, og nu følte jeg mig helt alene.

Jeg kom til at tænke på moster Herdis. Det var sådan, hun havde sagt, og først nu forstod jeg helt, hvad hun mente. Hun vidste hver eneste morgen, at knokkelfingeren når som helst kunne prikke hende på skulderen, og hun vidste hver eneste aften, når hun gik i seng, at hun ikke kunne være sikker på at vågne næste morgen. Den byrde måtte hun bære alene. Hun måtte også en gang imellem være fristet til at opgive. Jeg er overbevist om, at alle, der kæmper mod en usynlig, men alligevel uhyggeligt konkret og overmægtig fjende, på et eller andet tidspunkt har mest lyst til at smide håndklædet i ringen og råbe: »Okay, kom så! Lad os få det overstået.« Indtil selvopholdelsesdriften igen tager over.

Min lammelse begyndte langsomt at fortage sig, og jeg mødte Mogens' bekymrede blik. Bekymret og noget andet.

»Er du okay, Bea?«

Jeg nikkede. Jeg var glad for, at han ikke spurgte, om jeg havde det godt, for jeg havde det ad helvede til, men jeg var okay. Jeg var i live. Mit hjerte var begyndt at slå igen, jeg kunne trække vejret, jeg kunne også tale – sådan da.

»Hvad gør jeg?« hviskede jeg.

Mogens rykkede nærmere. Vi havde siddet ærbart i hver sit hjørne af sofaen, nu lagde han armen om mine skuldre og trak mig ind til sig.

»Ingenting,« mumlede han med munden mod mit hår. »Du bliver her i nat.«

Jeg drejede langsomt hovedet, indtil mine læber mødte hans, og der løb en elektrisk strøm ned ad ryggen på mig. Fortvivlelse, vrede, håbløshed, begær og forelskelse fik mig til at klynge mig næsten desperat til ham i det længste og dybeste kys, jeg nogen sinde havde oplevet. Vi slap end ikke hinandens munde, mens han rejste sig, løftede mig op og bar mig ind i soveværelset, hvor jeg livsaligt glemte alt om bomber, trusler og voldsom død.

Jeg indrømmer, at jeg selvfølgelig havde forestillet mig, at aftenen kunne ende med, at vi gik i seng med hinanden; vi havde efterhånden været næsten selvlysende af de gnister, der stod imellem os; jeg havde tilmed tænkt på, om Hans Christian havde bemærket det ude i villaen. Men jeg havde ikke i min vildeste fantasi kunnet forestille mig, hvor vidunderligt og forfærdeligt det ville være. Forfærdeligt fordi døden på sin vis var med os i sengen, vidunderligt fordi vi kunne glemme alt om den.

Så længe det varede.

»Hvad skete der?« spurgte jeg nogle lysår senere, da jeg halvt lå, halvt sad i sengen lænet op ad Mogens' bryst med et glas øl i hånden. Han havde været ude at hente et par øl i køleskabet. Det lyder ikke særlig romantisk, det burde have været champagne, men dels var vi tørstige, dels var det, hvad køleskabet gemte.

Han grinede. »Skal jeg vise dig det igen?«

»Jeg mente med bilen, din pralrøv.«

»Skal vi snakke om det nu?«

»Ja.«

»Der var anbragt en bombe i den. Under førersædet. Og den eksploderede.«

»Af sig selv?«

»Nej, faktisk ikke. Det var et par knægte, der brød ind i bilen. De påstår, at de bare ville hærge den lidt, men de var nu nok ude på at hugge den. I hvert fald prøvede den ene at starte den, og så eksploderede skidtet. Han sad heldigvis på passagersædet, så han slap med læsioner i ansigtet og en slemt læderet hånd. Han mister sandsynligvis tre fingre helt, men han var trods alt heldig, for der skete ikke noget med hans syn, og han nåede lige at kaste sig ud af bilen, før den blev til et brændende inferno. Den er totalt udbrændt. Den anden knægt kom ikke noget til. Han stod et stykke derfra for at holde vagt.«

»Har du navnene på dem?«

»Ham med fingrene, eller altså uden fingrene, hedder Rindom. Jonas Rindom. Jeg fik vist ikke navnet på den anden.«

En bølge af lettelse gik igennem mig.

»Så var det alligevel knægtene. Jeg ved ikke, om du har hørt om dem. Dem der overfaldt Rade.«

»Jo, jeg har hørt historien. Det var dem, der blev truet af en gammel heks med to glubske livvagter og en savlende hund. Hvordan ved du, det er dem?«

»En af dem hed Jonas Rindom.«

»Aha! Det vidste du altså?«

»Det var ikke så svært at finde ud af.«

»Sikke et held, at ingen kan mistænke dig for at være en gammel heks.«

Jeg lo lidt overstadigt. Lettelsen boblede i mig som champagne. »Det kunne *de* åbenbart, og det er fint nok. Alarmen afblæst, det var bare knægtene, og selvfølgelig kludrede de i det.«

Mogens lo ikke. »Winther mener ikke, det er dem. Hun tror på deres historie.«

»Hvorfor?«

»Det ved jeg ikke. Det får vi at vide i morgen. Vi må hellere se at få sovet lidt. Det bliver en lang dag. Især for dig.«

Det blev også en lang nat – især for mig. Mogens havde dårligt nok nået at sætte sit tomme glas fra sig, før han faldt i søvn – totalt udmattet efter en række hektiske døgn. Efter et par minutters forløb begyndte han at snorke let, så jeg listede mig forsigtigt ud af hans arm. Det virkede, for lidt efter vendte han sig om på siden og holdt op med at snorke.

Heldigvis vendte hans soveside mod mig, jeg kunne mærke hans åndedrag mod min kind. Jeg ville ikke have kunnet udholde, at han vendte ryggen til, så ville jeg have følt mig endnu mere alene.

Det er en sandhed, vi foretrækker at glemme, at i livets store øjeblikke, fødsel og død, lykke og ulykke, er man altid alene. Vi deler ikke glæder og sorger, selvom det lyder så smukt og så rigtigt, for ingen oplever tingene på samme måde. I bedste fald kan vi glæde os sammen og sørge sammen, og måske er der en, der holder vores hånd, når vi dør, men vi *deler* ikke vores følelser. Det tætteste, man kan komme det, er måske, når man »bliver ét kød«, som der står i Bibelen; sådan som Mogens og jeg havde oplevet det her i nat, men selv da vidste ingen af os helt præcist, hvad den anden følte.

Jeg vidste kun, at for mig føltes det som en begyndelse på noget stort og ægte. Klokkeklang og orgelbrus, som Henrik havde udtrykt det. Eller som at få solen, månen og alle stjernerne!

Men hvis mine usynlige fjender fik held med sig, var det måske snarere begyndelsen til enden.

Nej, fandeme nej! Det skulle ikke lykkes dem, lovede jeg mig selv. Men hvordan jeg kunne forhindre det, havde jeg ingen anelse om.

Det var mig umuligt at falde i søvn. Tankerne kørte rundt i hovedet på mig akkurat som i nætterne lige efter Henriks død. Jeg forsøgte at lukke øjnene og tvinge mig til at sove, men lidt efter lå jeg igen og stirrede ud i mørket.

Jeg vidste, at den forbandede bombe ville gøre mit liv endnu mere besværligt, end det allerede var. Den havde simpelt hen sprængt det til atomer. Overvågningen ville blive endnu tættere, og jeg ville ikke kunne foretage mig noget som helst uden at aflægge rapport om hvert eneste skridt.

Det stod pludselig klart for mig, at siden Henriks død og truslerne mod mig havde jeg – sikkert for på den måde at holde sorgen og angsten fra livet – gået rundt som en zombie i en slags halvdøs, hvor jeg havde overladt næsten al tankevirksomhed til andre og ladet dem råde og regere mit liv. Det var ikke bare på tide, men på høje tid, at jeg begyndte at tænke selv. At føje brik til brik, logisk og konstruktivt. Desværre så det ud til, at jeg – helt bogstaveligt – ikke havde ret mange brikker at flytte med.

For det første var der knægtene. Jeg klamrede mig stadig til tanken om, at det var knægtene, der stod bag aftenens bombe. Så ville alle problemer være løst som ved et trylleslag. De var anholdt og afsløret, og jeg kunne atter ånde frit.

Ønsketænkning måske? Hvorfor mente Winther ikke, at det var dem? Hvorfor troede hun på deres historie om, at de bare ville hærge min bil? De havde motive, means and opportunity. Motiv, midler og mulighed. De ville hævne sig på mig, og Jonas Rindom kunne så let som ingenting have fundet ud af, hvor min bil plejede at holde, det var bare at spørge farmor, og de var på stedet, da bomben sprang. Jeg havde tidligere afvist tanken og sagt, at de ikke var i stand til at lave en bombe, men en af dem kunne jo godt have forlæst sig på *Den lille kemiker* og tænkt, at det kunne være skidesejt at gå fra teori til praksis.

Der måtte være en meget god grund til, at Winther troede på dem. Den var jeg spændt på at høre.

For det andet var der den eller de personer, der havde myrdet Elena og Anna og hendes baby og formodentlig også Moritz. Bagmændene. Netop den aften eller nat, hvor de koldt og kynisk henretter ham, dukker jeg op på Norgesbåden og går rundt og spørger efter den selv samme pige, som Moritz sandsynligvis også har spurgt efter. Elena, der allerede ligger død og begravet i sin skov.

Nej, ikke kun sandsynligvis, men helt sikkert, for jeg kom pludselig i tanker om en lille episode på færgen. Da jeg viste Elenas foto til en af pigerne i kiosken, så hun dårligt nok på det, men sagde lidt irriteret: 'Nej, hende kender jeg ikke. Det *har* jeg jo sagt.' Dengang troede jeg, at jeg var kommet til at spørge den samme pige to gange, nu gik det op for mig, at det selvfølgelig var Moritz, hun havde talt med, og han havde ganske givet vist hende præcis det samme foto, for det var jo ham, vi havde fået det af.

Måske var der virkelig en, der skyggede mig i København. En, der havde hørt mit rigtige navn, da jeg checkede ind i lufthavnen, og fulgte efter mig. Og derfra var vejen til NSC hverken lang eller besværlig.

Så langt hænger det sammen. Så langt giver det mening, men så kan jeg ikke nå længere. Min vej er spærret af et kæmpestort HVORFOR?

Hvorfor alle de mord?

Hvad vidste Elena og måske også Moritz?

Hvad vidste Henrik?

Og hvad er det, de tror, jeg ved?

'Henrik,' bad jeg lydløst. 'Henrik, for pokker! Nu må du hjælpe mig. Hvad var det, du vidste? Og hvordan kommer jeg ind i din forbandede notebook?'

Jeg vågnede om morgenen ved den uvante duft af frisklavet kaffe, og det varede lidt, før det gik op for mig, hvor jeg var. Jeg lå i et fremmed værelse i en fremmed seng uden en trevl på kroppen. Så huskede jeg aftenen og nattens begivenheder og vidste i første omgang ikke, om jeg skulle le eller græde, men i næste øjeblik trådte Mogens ind ad døren og nærmest dansede hen til sengen fuldt påklædt og med en rose i munden, så det blev latter. Han lagde sig på knæ ved siden af sengen, gav mig et let kys og rakte mig rosen.

»En rose til en rose!« deklamerede han og fortsatte i en mere prosaisk tone. »Du sov så godt, at jeg ikke nænnede at vække dig. Klokken er halv otte, og du kan lige nå at få en kop kaffe. Jeg har ringet til Winther og fortalt om Moritz. De tjekker det nu, og jeg har lovet Winther, at vi er på hendes kontor klokken nine sharp. Du kan få et bad her, men hvis du lige vil hjem og skifte tøj først, skal vi snart af sted. Derfor tør jeg ikke give dig en rigtig knuser nu, for så kommer vi garanteret for sent. Men bare så du ved det: Jeg elsker dig, Bea, vildt og vanvittigt! Vil du gifte dig med mig?«

»Hva'?« udbrød jeg.

Mogens grinede. »Sagde du ja, eller sagde du hva'?«

Jeg lænede mig ud af sengen og lagde armene om ham. »Kunne du ikke høre det? Jeg sagde selvfølgelig ja, og jeg tør godt give dig en knuser, men pas på! For meget sex gør folk døve.«

Vi er både effektive og pligtopfyldende, når det gælder, os fra NSC, så vi nåede det hele, også badet, kaffen og skiftetøjet.

»Oh, shit!« udbrød jeg, da vi sad i bilen på vej hjem til min lejlighed. »Rade! Han har stået klar med min cykel i halvanden time.«

»Rolig nu, ham har jeg ringet til for længst. Jeg ville ikke risikere, at han hørte om bomben og troede, at du havde været i bilen, for så var han da blevet helt ude af sig selv. Nu fik han den rigtige version, men han er alligevel lidt ude af flippen.«

Vi trådte ind ad døren til Winthers kontor klokken nine sharp. Hun var alene og sad allerede ved sit skrivebord.

»Ingen Søgaard?« sagde jeg og så mig om, som om jeg ventede at se ham krybe frem under skrivebordet eller komme ud af arkivskabet.

»Nej, ingen Søgaard. Vi har allerede tjekket de oplysninger, Mogens gav mig i telefonen tidligt i morges, og der er overhovedet ingen tvivl. Vores strandvasker er Moritz Rahbæk.«

»Tandkort?« gættede jeg.

Winther rystede på hovedet. »Nix, fandtes ikke. Det var det, der havde voldt os kvaler. Moritz har aldrig været ved tandlæge.«

Jeg så vantro på hende. »Det er da umuligt!«

»Åbenbart ikke. Han må selvfølgelig have været hos skoletandlægen som barn, men aldrig senere. Og hans tænder var perfekte, ikke et hul og ikke en plombe.«

»Utroligt,« sagde jeg. »Men jeg har nu altid haft en mistanke om, at det er tandlægerne selv, der borer hullerne. Hvem identificerede ham?«

»En kammerat fra AUC. Han læste sociologi.«

Og havde åbenbart gjort studier i marken, da han traf Elena.

»Kammeraten vidste det med hans perfekte tænder, de var åbenbart en vigtig del af hans image, og han kunne også fortælle, at Moritz for knap et år siden brækkede et ben, da han var på skiferie. Det var stort set, hvad vi havde at gå ud fra, plus selvfølgelig det sædvanlige: højde, drøjde og så videre, men det var nok. Vi forsøger at få lavet en dna-profil, det kan måske gøres ved hjælp af tandrødderne, men under alle omstændigheder er vi 99 procent sikre på, at det er ham. Som det ser ud nu, tyder alt på, at drabene hænger sammen, så vi ikke længere har tre sager, men kun en, og den kører Mogens. Derfor ingen Søgaard. Jeg har ikke råd til at have to viceinspektører på samme sag, så Søgaard har fået overdraget det store julerøveri.«

Jeg nikkede åndsfraværende. Søgaard interesserede mig ikke, når bare jeg slap for ham.

»Det er mere end to måneder, siden Moritz forsvandt. Hvorfor i alverden blev han først meldt savnet for nogle dage siden?« spurgte jeg.

»Kammeraterne troede, han var rejst med sin kæreste til Norge. Det havde han talt om, og i øvrigt var han lidt af en enegænger.«

»Vil det sige, at de vidste, han var kæreste med Elena?«

»Nej, de vidste bare, at han havde en kæreste, som han var vildt forelsket i, men de havde aldrig set hende og anede ikke, hvem hun var.«

»Men hvad med hans familie? Forældre, søskende, mostre, fastre? Nogen må da for pokker have savnet ham.«

»Nej, desværre, og det er lidt atypisk for så ung en person. Han boede i sin mormors lejlighed, hun har et hus ved Algarvekysten i Portugal og lever livet der. Vi har endnu ikke kunnet få forbindelse med hende. Hans far døde for flere år siden, og hans mor opholder sig på et plejehjem og er totalt tabt for omverdenen.«

»Hans mor! Men så gammel kan hun da ikke være. Bytter du ikke om på dem? Hans mor og hans mormor, mener jeg.«

»Nej, det er hans mor. Hun er 49 år og har været syg i flere år. Det er vist en eller anden form for demens. Alzheimer, så vidt jeg har forstået. Arvelig.«

Og nu var hendes søn med de perfekte tænder død. Myrdet. Måske uden selv at ane hvorfor. Jeg så på Winther. Hendes tonefald var nøgternt og sagligt, og hendes ansigt røbede ingen følelser, men engang imellem måtte hun da føle trang til at løbe skrigende bort. Alt samfundets vraggods og et utal af knuste menneskeskæbner skyllede ustandseligt op på hendes bord. Vi andre skummede normalt kun overfladen uden at komme i berøring med alt det hæslige, der gemte sig under den. Jeg misundte hende ikke, selvom jeg lige netop i dag godt ville have siddet i hendes stol.

»Hvad med knægtene? De var på stedet. Hvorfor er du så sikker på, at det ikke er dem? Hvis de troede, jeg var heksen i deres lille eventyr, havde de jo noget at hævne, ikke?«

»Jo, og det troede de. Det var derfor, de ville hærge din bil. Det har de tilstået. De benægter hårdnakket, at de ville hugge den, men selvfølgelig ville de det. De ville hugge den, køre lidt race, brænde lidt dæk af og til sidst finde et eller andet sted, hvor de kunne hærge den i ro og mag uden at blive forstyrret. Det er klassisk, og hvorfor ellers prøve at starte den? Det var det, der udløste eksplosionen. Bomben var forbundet med startmotoren, og de er trods alt ikke så hjerneblæste, at de ville prøve at starte bilen, hvis det var dem selv, der havde anbragt bomben.«

»Hvem ved?« sagde jeg sarkastisk. »De ville måske se, om den virkede.«

Mogens trak let på smilebåndet, men Winther overhørte mig.

»Desuden ved vi, at fra klokken halv otte om aftenen sad de sammen med fem af deres kammerater pokker i vold ude i Gug og drak øl og så fodbold-tv. Det bekræftes af forældrene til den dreng, de var hos. De forlod først huset cirka kvart i 11 plus minus et par minutter, og bomben sprang syv-otte minutter over 11. Selvom de var på knallert, har der ikke været tid nok til, at de kunne nå helt ind til centrum, anbringe bomben, forbinde den med starteren, for til sidst af en eller anden helt vanvittig grund at prøve og starte bilen.«

»Hvordan kom de ind i bilen?«

»De siger, den var ulåst.«

»Sludder! Jeg låser den altid.« Jeg så anråbende på Mogens. »Du så, jeg låste den, ikke?«

»Jo.«

»Måske har de ret,« sagde Winther. »Nogen har jo i hvert fald været der før dem. Jeg er overbevist om, at de ikke anede en skid om den bombe. Det var ikke knægtene, Bea. Stol på det.«

»Okay, jeg køber den, og så er vi faktisk lige vidt, ikke?«

»Nej, Bea. Vi er kommet et stort skridt videre. Nu har vi motivet. De mener, at du sidder inde med en eller anden afslørende viden. Og muligvis at Henrik gjorde det samme. Hvis du og ikke Henrik havde åbnet pakken, der var adresseret til dig, ville de være gået efter Henrik næste gang.«

Jeg sad et øjeblik tavs og tænkte mig om.

»Men hvem er de?« spurgte jeg så. »Og hvad er det, de tror, jeg ved? Det er muligt, Henrik vidste noget, som i det mindste kunne have givet os et fingerpeg, men jeg har ingen anelse om, hvad det kan være.«

»Det synes jeg er indlysende,« sagde Winther. »Det må være noget, der kan føre os direkte til den egentlige bagmand – eller de egentlige bagmænd. Der kan være en, eller der kan være flere.«

»Og hvem de er, har I stadigvæk ingen anelse om, vel?«

Winther så hurtigt på Mogens, så rystede hun på hovedet. »Nej, vi er bare sikre på, at de findes. Måske i Letland, måske her, måske et helt tredje sted, for det kan meget vel være en international organisation, men hidtil har vi ikke fået nogen konkrete spor. Det er også kun onsdag morgen; vi lavede razziaen lørdag nat, og vi har foretaget flere anholdelser efterfølgende, så lidt har vi da fået ud af det. Problemet er som sædvanlig, at de, der vil snakke, ikke ved ret meget. De kender typisk kun dem, der befinder sig et enkelt trin højere oppe, og de, der formodentlig ved noget, forstår at holde kæft, det er deres livsforsikring. Men vi har trods alt fået fat i en ende af snoren, så før eller siden får vi hele netværket trevlet op.«

Før eller siden! Det lød eddermame betryggende!

»Og i mellemtiden?« spurgte jeg. »Jeg mener, hvad med mig?«

»Vi fortsætter overvågningen som hidtil, men vi bliver nok nødt til at indskrænke din bevægelsesfrihed lidt,« sagde hun, præcis som jeg havde ventet. »Det betyder, at du sidder på din pind på NSC fra ni til fire, og jeg må bede dig opgive din morgensvømning.«

»Nej, det kan du ikke mene!« udbrød jeg og tilføjede lidt sarkastisk: »Tror du, de vil drukne mig?«

»Nej,« sagde Winther roligt. »Men jeg udelukker ikke, at de vil skyde dig på vej til eller fra svømmehallen, for de har sikkert opgivet bomberne. Hverken bil- eller brevbomber går to gange. Hvis du partout vil svømme, skal du tage en taxa derud. Det samme gælder, hvis du skal andre steder hen. Du får et bestemt nummer, du skal ringe til, og chaufføren holder øje med dig. Han er en af vore.«

»Jeg bliver sindssyg,« konstaterede jeg lakonisk.

»Det er muligt, men tænk på alternativet,« sagde hun ufølsomt. »Sindssygen går nok over igen.«

»For helvede da!« sagde jeg.

Jeg plejer ellers ikke at bande særlig meget, men jeg plejer heller ikke at have en mordtrussel hængende over mit hoved. Plejer var åbenbart også død.

Der blev en lille pause.

»Hvad med at rejse væk,« foreslog jeg så. »Til udlandet, mener jeg.«

London, Paris, Rom, Langtbortistan, tænkte jeg. Megetlangtbortistan!

Winther så tvivlende ud. »Vi vil helst beholde dig her, og jeg tror også, det er det sikreste, men det er din afgørelse.«

Det sikreste? Jeg overvejede det lidt. Jeg kunne sætte Tony ind i sagen og tage på det kursus i England, vi havde talt om. Slå to fluer med ét smæk så at sige. Men hvordan kunne jeg vide, om min sidemand i flyet ikke netop var ham, der skulle likvidere mig. Eller den flinke mand i bussen. Eller for den sags skyld stuepigen på hotellet, for hvem sagde, at det kun var fæle *mænd,* jeg skulle være på vagt overfor?

Jeg sukkede let. »Du har nok ret,« sagde jeg modstræbende. »Det er sikrest at blive her.«

Men hvor sikkert var det?

»Jeg vil også foreslå, at du jævnligt skifter logi. Du kan måske indimellem overnatte på skift hos nogle af dine kolleger. Men de skal selvfølgelig vide, at det kan være forbundet med en vis risiko at have dig boende. Også selv om vi overvåger stederne.«

»Og håber at lokke ham ud af busken.«

»Også det,« sagde hun roligt.

Jeg følte mig som det berømte gedekid, der bliver bundet til et træ for at lokke tigeren til. Det er muligt, jægeren får ram på tigeren, men undertiden går kiddet med i købet. Jeg sukkede. Det var sgu lyse udsigter.

Winther skrev et nummer på en gul memoblok, rev slippen af og rakte mig den. Der stod TAXA efterfulgt af et nummer.

»Det er ikke spor hemmeligt, men læg det alligevel ind i hukommelsen på din mobil, ikke?«

Jeg nikkede. Der havde jeg også lagt det hemmelige nummer, så jeg kun behøvede at trykke én tast.

»Og her er et hæfte med taxaboner.«

»Hvad skal jeg med dem?«

»Betale. Det skal se så normalt ud som muligt. Vi ved ikke, hvem der holder øje med dig. Okay?«

»Ja, okay.«

Hendes tonefald blev lidt mere afslappet, så jeg forstod, at den officielle del var ved at være overstået.

»Jeg håber, I fandt ud af det i nat?« sagde hun let spørgende.

Jeg så overrasket på hende og følte, at jeg rødmede helt op i hårrødderne.

Heldigvis havde Mogens lidt mere åndsnærværelse. »Ja, no problem. Jeg overlod med glæde Bea min seng.« Og det var jo ikke engang løgn.

Jeg sendte Winther et lille smil. »Han er altid så ridderlig.«

»Fint. Så kan han få lov at følge dig ned. Jeg går ud fra, at du vil direkte tilbage til NSC, så jeg ringer efter taxaen til dig. Chaufføren henter dig i ekspeditionen.«

Mogens nåede lige at give mig et lille ærbart knus, før taxaen var der. Den lignede en ganske almindelig taxa, og chaufføren havde brune øjne, sort hår og overskæg og lignede en, der hed Mustafa.

»Hej, jeg hedder Poul,« sagde han med udpræget nordjysk accent og et charmerende grin, der blottede en usandsynlig mængde hvide tænder, der så ud, som om de var kylet hulter til bulter ind i munden på ham. Her var for en gangs skyld en, der var undsluppet tand- og ensretningen, og det klædte ham faktisk.

»Og jeg hedder Bea,« sagde jeg.

»Yes, det ved jeg, og vi skal have fornøjelsen af hinandens selskab den næste måneds tid,« fortsatte han, idet han holdt døren til bagsædet åben for mig.

»Det håber jeg sandelig ikke,« sagde jeg inderligt.

Han grinede. »Hvorhen?«

»NSC.«

Det var ikke nødvendigt at give ham adressen. NSC var blevet lidt for kendt i den seneste tid.

»Bliver du der resten af dagen?«

»Ja, til klokken fire. Bagefter skal jeg hen til en gammel dame i Hjælmerstald.«

»Okay, du ringer bare, når du er klar til at blive hentet.«

»Fint.«

Det lignede en helt almindelig taxatur, bortset fra at chaufføren stod ud og holdt døren åben for mig, da jeg havde kvitteret på bonen.

Han skimmede diskret omgivelserne.

»Værsgo', så er der fri bane, frue,« sagde han og blev stående ved bilen, indtil jeg havde summet mig ind.

Det føltes betryggende, selv om trygheden måske var en illusion.

Ruth tog imod mig i døren, da jeg nåede op på tredje. Hun så temmelig rystet ud og gav mig et kæmpeknus. Det er ellers ikke hendes stil.

»Mogens ringede til mig i morges,« sagde hun, da vi gik indenfor. »Så vi ved i store træk, hvad der er sket, men vi vil godt have en mere detaljeret forklaring. Vi sidder ude i frokoststuen. Har du fået morgenmad?«

»Kun kaffe. Jeg kunne faktisk godt spise et rundstykke.«

»Der er vist et par stykker tilbage.«

Bortset fra Mogens var de der alle sammen, selv Therkelsen, vores freelancer, der bakkede på sin uundværlige snadde. Vi har ikke nogen rygepolitik, det er ikke nødvendigt, for Therkelsen er den eneste ryger. Jeg tager en cigaret en gang imellem, men som regel hjemme hos mig selv, og det bliver højst til en pakke om måneden.

De hilste på mig med dystre miner.

»I ser så alvorlige ud,« sagde jeg. »Hvad diskuterer I?«

»Dig!« sagde Karin.

»Så lad være at se sådan ud. Det gør mig i dårligt humør, og jeg er jo ikke død.«

»Endnu,« tilføjede Jakob.

»For fanden, Jakob, lad dog være med at sige sådan noget,« udbrød Karin.

»Men det var sgu da ellers tæt på,« indvendte han. »Hvad tror I, der var sket, hvis Bea havde plantet røven i den bombe og startet motoren?«

Det ville jeg helst ikke tænke på.

»Hun havde eddermame fået sit livs knald,« fortsatte han med et grin, og for en gangs skyld var jeg næsten taknemlig for hans grove humor.

»Men det gjorde jeg altså ikke,« sagde jeg let. »De der knægte kom mig i forkøbet, og dem gik det heller ikke så galt, som det kunne være gået, selv om det var galt nok.«

»Vi havde hørt, at der var nogle unge fyre, der havde sprængt en bil i luften,« sagde Inge. »Det blev sagt i nyhederne, men selv om Ruth havde ringet til os alle sammen og bedt os komme, faldt det ikke nogen af os ind, at det var din bil. Det fortalte hun først, da vi kom, og jeg vidste ærlig talt ikke, hvordan jeg skulle reagere. På en måde ville det jo være en lettelse, hvis det var dem, men det ville også være dybt tragisk, ikke? Det er jo kun nogle store drenge, og deres liv ville være ødelagt. Men det her ...« Hun tav og rystede på hovedet.

»Drengene er helt ude af billedet,« sagde jeg. »I hvert fald hvad angår bomberne, så jeg synes nok, det var en hård straf, de fik, for at ville hærge min bil. Især Jonas. Jeg har helt ondt af ham, og det ville jeg ellers have forsvoret.«

Jeg fortalte dem om Moritz, og om hvad Mogens og jeg havde fundet ud af aftenen før og fulgte det op med et fyldigt referat af mødet hos Winther.

Jeg kunne bestemt ikke klage over manglende opmærksomhed.

»Hold da kæft,« indskød Jakob. »Du sejlede godt nok med lig i lasten, hva'?«

Jeg nikkede. »Politiets teori er, at bagmændene er overbevist om, at Elena vidste et eller andet sprængfarligt, som de mener, hun røbede for sin kæreste, der så fortalte det videre til Henrik og mig.«

»Men du talte jo aldrig med Moritz, vel?« protesterede Karin.

»Det kan de ikke vide. Jeg var med samme færge og gik rundt og spurgte efter den samme pige. Selvfølgelig tror de, at jeg ved noget.«

»Gør du det?«

»Nej, og det tror jeg faktisk heller ikke, Henrik gjorde. Men det kunne tænkes, at enten Elena eller Moritz har forsøgt at slippe ud af klemmen ved at sige, at de havde røbet deres viden for ham. Men det er kun en teori. Winther mener, at hvis jeg havde åbnet pakken med den første bombe, ville Henrik stå for tur nu.«

Der blev et øjebliks tavshed rundt om bordet, mens alle overvejede sagen.

»Med al respekt for Winther, så er den teori så hullet som en si,« sagde Jakob endelig. »Eller også mangler der nogle mellemregninger. Kvinderne og barnet bliver dræbt i slutningen af august eller begyndelsen af september, og Moritz et par uger senere. Men så går der næsten to måneder, før de beslutter at eliminere dig.«

»Og Henrik,« indskød jeg.

Jakob sendte mig et hurtigt blik. »Det vender vi tilbage til. Første spørgsmål er: Hvorfor venter de så længe?«

»Det har også hele tiden været min indvending,« sagde jeg. »Tidsfaktoren. Men Mogens og jeg diskuterede det i nat og blev enige om, at bagmændene følte sig rimeligt trygge, så længe ligene ikke var identificeret. Det fremgik jo tydeligt af pressen, at der ingen henvendelser havde været fra offentligheden, så de har sikkert ræsonneret, at hverken Henrik eller jeg havde forbundet de navnløse kvinder med Elena. Og det havde de jo fuldstændig ret i.«

»Nemlig,« sagde Jakob. »Og det beviser, at Henrik ikke vidste en skid hverken om bagmændene eller om, at den egentlige grund til, at de ville søge tilflugt i Norge, var, at de havde hjulpet Anna Marie, som derefter var forsvundet sporløst. Havde han vidst det, ville han straks have lagt to og to sammen, da han kom hjem fra England og hørte om de navnløse kvinder og babyen.«

De andre nikkede

»Jeg er enig med dig i, at han ikke kendte historien om Anna Marie og barnet,« sagde jeg. »Men derfor kan han godt have vidst noget afslørende om bagmændene.«

Jakob rystede på hovedet. »Nej, hvorfor skulle han det? Jeg er ikke engang sikker på, at Elena vidste noget. Hun blev straffet, fordi hun snød dem og hjalp Anna Marie. Jeg ved godt, du ikke kan lide tanken, Bea, men jeg tror, det er dig, de har været ude efter hele tiden. Du var på færgen, de så dig uden for Moritz' kahyt, du bildte gud og hvermand ind, at du var Elenas veninde. Så det er dig, der kan have en farlig viden. Det er dig, der er linket. Det er dig, de hele tiden har været bange for. For Henrik var det bare sort uheld, at han åbnede den pakke.«

Jeg sukkede dybt. »Selvfølgelig kan jeg ikke lide tanken, Jakob. Jeg hader den! Men derfor kan du godt have ret. Desværre, for så er det på en måde mig, der er skyld i ...«

»Sludder,« afbrød Ruth mig. »Du gjorde, hvad du havde fået besked på. Ingen kunne forudse, hvad det indebar.«

Nej, men alligevel, tænkte jeg, men holdt klogeligt min mund.

»Men tidsfaktoren?« sagde Inge. »Hvorfor varede det så længe? Har du også en forklaring på det, Jakob?«

»Ja,« nikkede han. »Jeg tror, Bea har ret i, at en af dem fulgte efter hende til lufthavnen. Til gengæld tror jeg ikke, han hørte hendes navn, han ved kun, at hun skal til København. Måske prøver han at få en plads på samme fly, men det er håbløst, så i stedet ringer han til en hjælper i København, giver ham Beas signalement og beordrer ham til at skygge hende. Hvis ikke hun tilfældigt havde mødt en af sine venner, havde han sikkert skygget hende hele vejen hjem. Nu smutter hun fra ham, og de aner ikke, hvem hun er. Måske tror de i første omgang, at hun selv er fra miljøet. Hvornår og hvordan de finder ud af, hvem hun er, og hvor hun arbejder, har jeg ingen anelse om. Men det tog åbenbart sin tid.«

»Det kunne være forklaringen,« indrømmede Inge.

»Ja,« sagde jeg. »Men hvordan og hvornår interesserer mig ikke særlig meget. Lige nu er situationen i hvert fald den, at de er ude efter mig, og det er det, jeg må forholde mig til.«

»Det er det, vi må forholde os til,« præciserede Ruth. »Hvilke forholdsregler tager politiet?«

Jeg satte dem ind i de nye regler.

»Hvad med at rejse til udlandet,« foreslog Ruth. »Jeg vil tro, at Tony Armstrong kan sørge for et sikkert opholdssted til dig.«

»Det har jeg selv overvejet, men jeg tør ikke. Jeg vil føle mig endnu mere udsat et fremmed sted mellem fremmede mennesker. Hvem er ven, og hvem er fjende? NSC er næsten min familie, jer stoler jeg på.«

»Du kan i hvert fald bo hos mig når som helst,« sagde Ruth, og de andre nikkede. De var også med hele vejen.

»Undtagen i de weekender, hvor jeg har ungerne,« tilføjede Jakob. »Jeg vil gøre meget for dig, Bea, men jeg sætter sgu ikke deres liv på spil.«

Jeg sendte ham et lille smil. »Det forstår jeg godt, og det ville jeg heller aldrig lade dig gøre.«

»Har politiet overhovedet noget at gå efter?« spurgte Karin.

Jeg rystede på hovedet. »Ikke endnu. I hvert fald ikke ret meget. Mogens håber stadig, at han kan få nogen af dem til at tale, men ...«

»Han skulle hellere håbe på et mirakel,« sagde Jakob. »Det er mere sandsynligt, og det er det, du har brug for.«

Det var noget af en udgangsreplik, så det er synd at sige, at vores morgenmøde sluttede i en optimistisk stemning.

Inge kom hen til mig, før hun tog af sted til dagens dont i K&L.

»Det kommer sikkert slet ikke det her ved, Bea, men kort efter at Henrik var kommet hjem fra England, hjalp jeg ham med at overføre nogle fingeraftryk til folie og fotografere dem.« Hun smilede lidt. »Du ved, han var lidt fummelfingret til den slags.«

»Han var ikke specielt fummelfingret,« indvendte jeg. »Vi ved bare alle sammen, at du er specielt god til det. Hvad var det for nogle aftryk?«

»Det var hans brors,« forklarede hun. »Henrik havde en hel masse tegneseriealbums og bøger med, og vi arbejdede med dem for at finde nogle rigtig gode aftryk.«

»Var det hans brors?«

»Bøgerne? Ja, selvfølgelig.«

»Også de der tegneseriealbums?«

»Ja, jeg kan huske, at han havde skrevet navn og adresse i dem, du ved som drenge gør med *Danmark, Jorden, Universet* og det hele. Han havde hele serien af både *Tintin, Asterix* og *Prins Valiant.*«

»Også *Prins Valiant?*« gentog jeg ivrigt. »Er du helt sikker på det? Med hans navn i?«

Jeg vidste pludselig, hvad der havde naget mig, da jeg så *Hans Christians Værelse.* Det var skibskisten. Under bøgerne havde jeg fået et glimt af nogle tegneserier.

Hun nikkede. »Ja, men vi brugte nu slet ikke de hæfter. De var håbløse. Der var alt for mange, der havde siddet og fedtet med dem, de var vist gået i arv til Henrik. Men vi fandt nogle fine aftryk på et par bøger fra hans gymnasietid.«

»Lykkedes det så?«

»Ja, aftrykkene blev faktisk ret gode, selv om de var gamle. Bøgerne havde jo stået urørt i mange år. Har du nogen ide om, hvad Henrik skulle bruge dem til?«

Jeg nikkede. »Ja, det tror jeg. Til at finde sin bror.«

»Sin bror? Ham der forsvandt?« måbede hun. »Hvordan kunne han bruge fingeraftrykkene til det?«

»Det ved jeg ikke, men jeg håber, jeg finder ud af det.«

Jeg håbede også at finde ud af, hvorfor Hans Christian havde sagt, at han ikke kendte *Prins Valiant* og aldrig læste tegneserier.

»Det eneste positive ved det her er, at vi nu har fået en heldagssekretær,« sagde Ruth galgenhumoristisk, da jeg sad ved min pc i gang med at renskrive rapporter og lave arbejdsplaner. »Hvor har du tænkt dig at være i nat? Du er velkommen hos mig.«

»Tak for tilbuddet, men jeg tror, jeg sover hos mig selv i nat,« sagde jeg. »Efter arbejdstid har jeg lovet at komme hen til moster Herdis, og jeg har noget, jeg skal have ordnet hjemme i aften. Men apropos moster Herdis, så kan du måske hjælpe mig. Jeg lovede at købe nogle ting for hende, gider du gøre det i stedet for.«

»Selvfølgelig. Det kan jeg gøre i min frokostpause. Så kan jeg også tage noget mad med til dig. Hvad skal jeg købe til hende?«

»Hun skal have noget Locobase og en pakke natbind. Du kan få begge dele hos Matas. Hun kan ikke lide at bede hjemmehjælpen.«

»Hvad i alverden er Locobase?«

»Det er en slags fugtighedslotion til meget tør hud.«

»Og natbind?«

»Jeg tror, hun mener almindelige bind. Hun er jo en gammel dame, så hun er bange for at dryppe lidt om natten, derfor bruger hun bind. Det er heldigvis ikke så meget, at hun er nødt til at ligge med ble; det ville hun ikke bryde sig om.«

»Åh, herregud, det gamle liv. Det er sørme ikke altid lige sjovt at blive gammel.«

»Jeg ville nu ikke have noget imod det,« sagde jeg med et skævt smil.

»Det bliver du, Bea. Du bliver mindst 100, stol trygt på det.«

Ruth troede på mirakler. Det ville jeg ønske, jeg også gjorde.

XVI

Klokken lidt over fire ringede jeg efter min taxa, og den må have været i nærheden, for der gik ikke mange minutter, før jeg hørte dørtelefonen.

»Din taxa er her,« lød Pouls stemme. Ikke noget med hej, Bea, det er Poul, men fuldstændig neutralt. De var virkelig forsigtige.

Han stod lænet op ad bilen, da jeg kom ned, og gik i forvejen hen og holdt bildøren åben for mig.

»Du skulle til Hjælmerstald,« sagde han, da jeg havde sat mig ind.

»Ja, men jeg skal lige hjem efter noget først. Ved du, hvor jeg bor?«

»Yes, ma'm,« sagde han.

Vi kørte gennem de julepyntede gader, hvor tusindvis af lys strålede og blinkede om kap. Jeg plejer at elske førjuletiden, i år handlede det blot om at overleve.

Da vi nåede min adresse, skulle jeg lige til at stå ud, men Poul bremsede mig.

»Vent, til jeg har givet grønt lys,« sagde han og stod ud af bilen. Et øjeblik efter nikkede han.

»Jeg skal op og hente noget, og jeg vil også lige give min vicevært besked, så det varer nogle minutter. Jeg bor på fjerde.«

»Okay,« sagde han. »Jeg venter her.«

Han tændte en cigaret og lignede en hvilken som helst chauffør, der tager en pause.

Rade havde hørt bilen og stod i døren, da jeg trådte ind.

»Lille pike, hvad er det her for noget?«

»Jeg skal fortælle dig det hele i aften,« sagde jeg. »Jeg har ikke tid nu. Jeg ville bare lige vise dig, at jeg er i live og har det godt. Jeg skal hen til moster Herdis med nogle ting og bagefter over til René. Jeg er tilbage ved aftenstid.«

»Så spiser vi sammen,« sagde Rade. »Jeg lavede en stor portion gullasch i går.«

»Det er en aftale. Der har ikke været noget, vel?«

Han rystede på hovedet. »Nej, jeg har øjne og ører helt åbne, og jeg har lavet en alarm, der ringer inde hos mig, hvis nogen bryder ind.«

»Du er en skat, Rade.«

Jeg fortsatte op til mig selv, og trods Rades forsikringer tøvede jeg lidt, før jeg satte nøglen i låsen og drejede rundt. Selvfølgelig skete der ikke noget.

Jeg skyndte mig ind i soveværelset og fandt pistolen og æsken med patroner frem fra mit undertøj. Jeg stak begge dele i tasken, som pludselig vejede flere tons. Jeg vidste, jeg var på forbudte veje, men hvis nogen var besluttet på at slå mig ihjel, var jeg lige så besluttet på at sælge mit liv så dyrt som muligt. Da jeg forlod lejligheden, rev jeg et hår ud og satte det i klemme i dørsprækken – bare som en ekstra forsikring. Jeg låste og kontrollerede med et ryk i håndtaget, at døren nu også var låst.

»Det varer nok et kvarters tid her,« sagde jeg til Poul, da han havde ladet mig slippe ud af taxaen foran det lille hus i Hjælmerstald.

»Bare tag den tid, du behøver,« sagde han.

Der gik som sædvanlig et par minutter, før moster Herdis lukkede op.

»Du kommer i taxa,« konstaterede hun, da vi havde hilst på hinanden.

»Ja, min bil er på værksted,« sagde jeg, »Jeg kommer med dine indkøb.«

»Men det kunne da have ventet, lille Bea. Jeg er ikke helt udgået endnu.«

Jeg smilede uvilkårligt. *Lille Bea!* Jeg er mindst halvandet hoved højere end hun.

»Jeg skulle alligevel over til René og Ulla, så jeg kunne lige så godt køre her forbi, når jeg nu havde taxaen.«

»Har du tid at komme indenfor et øjeblik?«

»Ja, men også kun et øjeblik, moster Herdis.«

Jeg fulgte efter hende ind i stuen. Der var kun et par lamper tændt derinde, og på sofabordet stod en juledekoration med et tændt lys.

»Ja, jeg sad såmænd og holdt mørkning,« sagde hun, idet hun satte sig. »Du kan tænde henne på kontakten, hvis du synes, her er for lidt lys.«

»Nej, det er fint nok,« sagde jeg, idet jeg satte mig i sofaen over for hende. »Nu er du vel forsigtig med det stearinlys,« fortsatte jeg og nikkede mod juledekorationen.

»Uha ja, det kan du tro. Må jeg ikke byde dig noget?«

»Nej tak. Jeg trænger ikke til noget.«

Jeg kastede et blik på de velkendte fotos, der stod henne på hendes lave reol.

»Du har næsten de samme billeder, som Henrik havde.«

»Ikke næsten, det er præcis de samme. Bortset fra det her.«

Der stod et billede foran hende på bordet. Hun vendte det om, så jeg kunne se det. Det var Henrik. En ung Henrik med store briller og pjusket hår. Jeg mærkede et stik i hjertet. Det måtte være fra omkring den tid, hvor han blev student.

»Ja, jeg har såmænd siddet her og snakket lidt med Henrik. Der var så meget, jeg godt ville fortælle ham.«

»Er det hans studenterbillede?« spurgte jeg.

»Nej, ikke rigtigt. Det er taget lidt senere. Han ville ikke fotograferes, da han blev student, men jeg bad ham om at få lavet et ordentligt billede til mig. Henrik var jo *min* dreng.«

Jeg forstod ikke helt, hvad hun mente.

»Hvorfor ville han ikke fotograferes, da han blev student?«

»Åh, jeg ved ikke, han havde jo sine ideer. Han ville heller ikke have studenterhue. Dengang havde jeg på fornemmelsen, at han var bange for, at hans mor ikke ville have det stående fremme.«

»Selvfølgelig ville hun da det. Hun havde da Hans Christians studenterbillede stående, det kan jeg tydeligt huske.«

»Ja, Hans Christian.« Hun sukkede. »Men det var også noget helt andet.«

Naturligvis var det dét. Det burde jeg selv have tænkt på.

»Du mener, at det var, fordi han var forsvundet – måske død?«

»Næh, det havde ikke noget med det at gøre. Hans billede stod fremme fra den første dag. Sådan var det bare.«

»Så ville hun da helt afgjort også have Henriks stående,« sagde jeg med overbevisning.

Moster Herdis så lidt uforstående ud.

»Hvorfor mener du det?«

Hendes spørgsmål forbavsede mig. Var hun alligevel ved at blive lidt senil?

»Fordi han var ønskebarnet selvfølgelig. Hendes yndling.«

Moster Herdis så undrende på mig. »Hvem i alverden siger det?«

»Det har du selv fortalt, moster Herdis. Du sagde, at der blev gjort forskel, og at man nemt kunne mærke, hvem der var ønskebarnet. Kan du ikke huske det?«

»Jo, men kæreste Bea, det har du helt misforstået. Helt og aldeles. Henrik var et uheld. Det var ikke ham, men Hans Christian, der var ønskebarnet. Prøv lige at forestille dig det. Min søster havde ønsket sig et barn, lige siden hun blev gift, men årene gik, det ene efter det andet, og der kom ikke noget barn. De prøvede alt, men forgæves. Det blev næsten en besættelse for hende og var lige ved at ødelægge deres ægteskab. Det var mig, der foreslog, at de kunne adoptere, men det ville hun ikke høre tale om. Hun ville ikke have et mulatbarn eller en lille koreaner, det var jo ellers ret almindeligt dengang. Hun ville have et barn, der lignede dem. Først da det næsten var for sent, skiftede hun mening, og de blev godkendt som adoptanter. Og så skete der det, at min venindes niece, en køn og meget begavet pige, blev gravid med en klassekammerat, da hun gik i gymnasiet. Der var ikke noget at sige den unge mand på, han var af god familie og meget musikalsk. Men pigen var kun 17 år, og hendes familie var noget så missionsk. Pæne mennesker, gårdmandsfolk, så hun blev sendt på diskret ophold, og det kunne slet ikke komme på tale at beholde barnet, det skulle bortadopteres. Abort var naturligvis udelukket. Jeg følte, at det var svaret på alle vores bønner. Og for min søster kom det barn som sendt fra himlen. *Han* var hendes ønskebarn. Hun elskede ham fra det øjeblik, hun første gang holdt ham i sine arme. Han var også et dejligt barn, køn og nem og glad. Det var kropumuligt ikke at elske ham. Han fik selvfølgelig begge sine bedstefædres fornavne, Hans og Christian – de skulle jo alligevel ikke have flere børn, bestemt ikke – og alt var bare lykke. Men tre år efter blev hun så gravid. Jeg havde ellers sagt, at de skulle passe på, men det mente hun var unødvendigt. Hun kunne jo ikke blive gravid! Det kunne hun altså, det ser man jo jævnligt, og det blev en meget besværlig graviditet med kvalme, opkastninger, åreknuder og bækkenløsning, og fødslen var et mareridt for hende. Hun var jo en gammel førstegangsfødende. Jeg tror, det kom som et chok for hende. Hun anede ikke, hvad det ville sige at være gravid eller at føde sit barn med smerte. Hun havde jo fået sit første barn fikst og færdigt, grydeklart så at sige, lige til at lægge ned i vuggen. Hun ville overhovedet ikke have noget med det nye barn at gøre, ville ikke røre ham eller skifte ham og ækledes ved tanken om at amme. Der var vel nærmest tale om en fødselsdepression. Og så var han tilmed kolikbarn, det kunne man jo næsten sige selv. Min svoger vidste ikke sine levende råd, så det endte med, at han bad mig flytte ind og passe barnet. Jeg tog orlov i et år uden løn og passede den lille Henrik. Madede ham, skiftede ham, sov hos ham. Han blev *min* dreng, men efterhånden som drengene voksede til, kunne selv jeg se, at han ikke var helt så køn, charmerende og begavet som sin adoptivbror. Hvor i himlens navn skulle han også have fået det fra, arme knægt? Han var bare en ganske almindelig dreng, søn af et par ganske almindelige mennesker. En god dreng, pæn og velbegavet, men ikke et unikum som Hans Christian. Jeg passede ham kun det første år, så mente de, at de selv kunne klare det, men jeg tror nu, min søster først og fremmest tænkte på, hvad folk sagde. Hun kom aldrig til at holde af ham. Ikke sådan som jeg gjorde, men jeg havde jo ikke noget at skulle have sagt. Hun tog ham aldrig på skødet og kælede for ham, som hun havde gjort og stadig gjorde med Hans Christian. Jeg tror ikke, at Henrik tænkte over, at hun behandlede ham så meget anderledes; han havde jo aldrig kendt til andet, og han forgudede sin storebror næsten lige så meget, som hans mor gjorde. Min svoger prøvede efter bedste evne at kompensere for det. Han tog sig meget af Henrik, men han var jo også bange for, at Hans Christian så ville føle sig svigtet af ham, så det var lidt af en balancegang.«

Jeg nikkede. »Hvad så, da Hans Christian forsvandt?«

Moster Herdis rystede træt på hovedet. »Da blev det først helt galt. Henrik var parat til at gøre alt for sin mor, men det irriterede hende nærmest. Det eneste, hun ønskede, var at få Hans Christian igen, og det ønske kunne han jo ikke opfylde, hvor gerne han end ville. 'Hvorfor lige Hans Christian?' spurgte hun tit, og hun kunne lige så godt have tilføjet: 'Hvorfor ikke Henrik?' for det var jo det, hun mente. Jeg følte somme tider, at hun ligefrem afskyede ham, fordi det ikke var ham, der var død. Ham kunne hun jo undvære. Det er måske hårdt at sige, men sådan var det. Jeg bebrejder ikke nogen noget, ikke min søster, hun var nu en gang, som hun var og kunne vel ikke gøre anderledes. Og mindst af alt Hans Christian, han var jo helt uskyldig, og jeg elskede ham såmænd lige så højt som alle andre, men for mig var Henrik nu alligevel nummer et.« Hun smilede lidt. »Vi var jo af samme blod, ikke? Og måske også samme temperament. Det var det, jeg sad og snakkede med ham om, da du kom.«

Jeg nikkede, og vi sad begge to tavse lidt og så ind i lysets flakkende flamme.

»Hvad med Hans Christians rigtige forældre?« spurgte jeg så. »Ved de, hvem der adopterede deres barn?«

»Nej, men jeg har fulgt dem gennem årene. De holdt ikke sammen, men de har begge to klaret sig strålende. Hans Christian havde ikke sine talenter fra fremmede. Jeg håber, de er blevet lykkelige hver for sig.«

Jeg bøjede mig frem og gav hende et let kys på det tynde, hvide hår. »Tak, fordi du fortalte mig det, moster Herdis. Der er mange ting, også ved Henrik, jeg forstår meget bedre nu.«

Men der var unægtelig også mange ting, jeg efterhånden ikke forstod en lyd af, tænkte jeg, da jeg forlod hende.

»Undskyld,« sagde jeg, da jeg igen sad i min taxa. »Det tog lidt længere tid, end jeg havde regnet med.«

»Du behøver ikke at undskylde,« sagde han. »Jeg sagde jo, du bare skulle tage den tid, du behøvede. Hvorhen nu? Hjem?«

»Nej, jeg skal over og have lidt assistance hos min svoger. Han bor på Kirkeallé. Ved du, hvor det er?«

Han grinede. »Ja, mon ikke. Min farmor boede næsten lige nedenfor. I Bejlerstræde.«

Det er en af de ting, jeg godt kan lide ved dette lille latterlige land. Hvis man snakker længe nok med folk, ender man altid med næsten at være i familie.

Jeg havde ringet til René i forvejen, så han var forberedt på, at jeg kom.

Det var Ulla, der åbnede.

»Hej, kom indenfor. Bliver du og spiser med?«

»Nej tak, Rade har inviteret på gullasch.«

»René er nede i hobbykælderen. Vil du ikke have et eller andet? Øl, cola, kaffe?«

Det er utroligt! Man kan dårligt komme inden for døren hos folk, før man bliver budt på et eller andet.

»Nej tak, Ulla. Jeg kommer lige fra moster Herdis.«

Der havde jeg ganske vist ikke fået noget, men det kunne hun jo ikke vide.

Jeg gik ned i kælderen til René, der var i gang med noget, der lignede en Storm-P.-opfindelse. Han trykkede på en kontakt, og det, der bare havde lignet et sammensurium af jerntråd og ledninger, blev til et lysende juletræ.

»Til ungerne,« sagde han forklarende.

»Flot!« sagde jeg og klappede i hænderne. »Som jeg sagde i telefonen, har jeg brug for lidt hjælp. Men først er der noget, jeg vil vise dig.«

Jeg pakkede forsigtigt pistolen ud.

René gloede forbløffet på den. »Hold da kæft for en kanon!« Han vendte og drejede den og holdt den op under lampen. »Kaliber 7.65.«

»Hvor ved du det fra?«

»Det står på den.«

Han pegede, og her under det skarpe lys kunne jeg godt se det.

»Gammel militærpistol. Tysk, tror jeg. Den slags officererne gik med.«

»Tror du, den dur?«

»Ja, hvorfor ikke, hvis du har ammunition til den?«

Jeg rakte ham patronerne.

»Ja, den er god nok. Samme kaliber. Vi kan prøve den ude på kældergangen.«

»Jeg har kun de ni patroner.«

»Det er også nok.«

Han ladede pistolen.

»Går det an at prøve den der?«

»Ja, jeg bruger den altid som skydebane. Der er en sandkasse for enden af gangen, og bag den er skrænten.«

Vi gik ud på kældergangen, og René affyrede pistolen.

»Hold kæft, den sparker som en hest. Har du brug for en pistol?«

»Måske. Den vil være rar at have.«

Han spurgte ikke hvorfor. Typisk René.

»Ikke den her,« sagde han. »Du kan sgu ikke holde den mere, end du kan æde den. Jeg har en, du kan låne. En lille let en. Kom.«

Han gik ind i hobbykælderen, låste et skab op og tog en lille elegant pistol med perlemorsskæfte frem.

»Vent lige lidt. Jeg har ammunition til den oppe ovenpå.«

Han forsvandt op ovenpå og kom lidt efter ned med en æske patroner. Han ladede den lille pistol og rakte mig den. Den lå godt i hånden og vejede mindre end det halve af den anden.

»Du kan prøve den ude på gangen.«

Jeg skød. Den var behagelig at bruge.

»Tror du, den er stor nok?«

»På rimeligt tæt hold, ja. Du skal vel ikke på tigerjagt med den?«

Næh, men noget i den retning måske, tænkte jeg.

»Hvor mange skud er der i den?«

»Nu er der fem,« sagde han.

»Det er ikke ret mange.«

»Hvis du ikke kan nøjes med fem skud, så glem alt om at bruge pistol, Bea.«

Det havde han sikkert ret i.

»Okay. Er det i orden, at jeg låner den?«

»Ja, men jeg har tilladelse til den, og den er registreret, så hvis du skyder nogen med den, siger jeg, at du har hugget den.«

»Det er i orden.«

»Du kan lade den anden blive her så længe.«

På en måde ville jeg godt have beholdt den, men jeg protesterede ikke, da han tog patronerne ud og låste pistolen inde i skabet. Don't press your luck, lady!

Mine ærinder havde taget længere tid end beregnet, så klokken var næsten halv syv, da Poul lukkede mig ud af taxaen foran min gadedør. Han blev holdende udenfor, indtil jeg vinkede til ham fra Rades stuevindue.

Rade havde som sædvanlig lavet en pragtfuld gullasch, der næsten kunne have fået mig til at glemme alle mine bekymringer, hvis han havde givet mig lov. Han var så urolig for mig, at han selv bare sad og stak til maden. Jeg fortalte ham så meget, jeg syntes, han burde vide om, hvad vi havde fundet ud af, og hvilke forholdsregler politiet havde taget, men det beroligede ham ikke. Han foreslog ikke, at jeg skulle rejse væk, han var lidt mere opfindsom. »Kan de ikke sætte dig i fængsel? I isolation. Der er du godt beskyttet.«

Jeg kunne ikke lade være at smile. »Rade, jeg er næsten i fængsel. Jeg kan ikke gå nogen steder alene. Jeg må ikke cykle, og jeg må ikke gå i butikker, i biografen eller noget som helst. Jeg ville blive skingrende skør, hvis jeg skulle sidde i fængsel. Jeg er allerede godt på vej.«

»Men du skal passe på dig selv,« sagde han.

»Det gør jeg også,« sagde jeg. Så godt jeg kan, tilføjede jeg for mig selv.

Han gentog det, da han en times tid efter fulgte mig ud til døren. »Pas på dig selv, min pike. Jeg vil ikke miste dig.«

Han fik tårer i øjnene, og i stedet for at svare gav jeg ham et hurtigt knus. Jeg stolede ikke helt på min stemme.

Håret sad stadig i døren, da jeg låste mig ind, der var fred og ingen fare.

Rade og jeg havde kun drukket vand til hans gullasch, så jeg åbnede en flaske rødvin, skænkede et glas og slog mig ned i sofaen med mine lange ben oppe på sofabordet; en af fordelene ved at bo alene er, at man kan gøre lige, hvad man har lyst til – hvis man altså har lyst til det.

Jeg havde godt nok fået noget at tænke på i dagens løb. Det var ganske vist ikke noget, der havde med den aktuelle situation at gøre, så det bragte ikke løsningen på mit problem et eneste skridt nærmere, men det var trods alt noget, der havde optaget mig det sidste par uger: Gåden Hans Christian.

Jeg sad lige så stille og blev mere og mere rasende på ham. Ikke alene havde han løjet for mig, men han havde også ødelagt mit billede af brødrene Gerners barndomshjem. Vel, det havde måske ikke været helt så gnidningsløst og idyllisk, som Henrik altid havde beskrevet det, men sådan tror jeg faktisk, han havde opfattet det. Han havde jo trods alt haft både sin moster, sin far, sin højt elskede storebror og sin uopnåelige mor, som han tilbad. Og Hans Christian selv var i hvert fald blevet elsket og feteret hele sit liv, indtil han valgte at forsvinde sporløst. Hvorfor? Og hvad var formålet med hele denne myte, han havde skabt om sig selv og sin nærmest trøstesløse barndom, og al hans snak om at blive en libero?

Jeg rystede tanken om Hans Christian af mig. Alt har sin stund, og lige nu var stunden ikke til at tænke på ham, men på mig selv. Jeg ville begynde med at gøre endnu et forsøg på at trænge ind i Henriks notebook. Jeg rejste mig beslutsomt og satte mig hen til spisebordet, der også fungerer som skrivebord, og kiggede skummelt på notebooken, der lå på bordet og så fuldstændig utilnærmelig ud.

»I aften har du bare at lystre,« sagde jeg strengt. Gud ved om andre singler også har for vane at gå og føre små samtaler med de ting, der omgiver dem, eller om det bare er mig, der er ved at blive lidt småskør.

Ved side af notebooken lå en konvolut, som Claus Bang havde været oppe med, lige før jeg forlod kontoret. »Det er bare Henriks bestemmelser vedrørende bisættelsen og et par andre ting, vi ikke har brug for mere,« sagde han, da han gav mig den. Jeg havde lagt den ned i min taske uden at åbne den, og da jeg var hjemme efter pistolen, tog jeg den op og smed den på bordet. Nu åbnede jeg den og tog de tre sammenclipsede sider ud.

De to forreste drejede sig ganske rigtigt om bisættelsen, på den tredje havde Henrik noteret numrene på sine bankkonti, sine kreditkort, sine forsikringer og sågar koden til sin bankboks og sin cykellås! Men selv om jeg nærlæste hele siden fra øverste venstre hjørne til nederste højre, gemte der sig ikke nogen adgangskode til hans notebook. Eller hvis der gjorde, var den skjult så godt, at jeg ikke kunne få øje på den. Jeg sukkede og kastede et blik på den første side. Det var listen over dem, som skulle inviteres til bisættelsen. Jeg fortsatte til side to med listen over de salmer og musikstykker, han havde ønsket.

De var næsten i sig selv en slags kodeord, tænkte jeg. En hilsen til hans far, en hilsen til hans mor og en hilsen til mig. Var den sidste salme en hilsen til Hans Christian? Et tegn på at Henrik havde været klar over, at Hans Christian ikke helt var, som han gav sig ud for.

Gud fader i det høje,
lær mig at skelne nøje
det sande fra dets skin!

Var det ikke sådan, et af versene lød? Det passede næsten alt for godt på Hans Christian.

Jeg sad og stirrede på papiret, og mens jeg gjorde det, må min underbevidsthed have været helt oppe i de høje omdrejninger, for jeg blev pludselig grebet af en mærkelig tampen-brænder-spænding, der fik mit hjerte til at slå hurtigere og hænderne til at ryste.

Jeg åbnede hurtigt notebooken og tændte den.

Jeg vidste, det var det rigtige kodeord.

Det måtte det være. Det skulle det være.

Så tastede jeg ordet:

ROSENGÅRD

Og i næste nu tonede et nyt ord frem på skærmen:

WELCOME

»Yes!« skreg jeg, mens jeg lænede mig tilbage i stolen og strakte begge arme triumferende i vejret, så mine skuldre næsten gik af led. »Yes!«

Jeg var inde.

Jeg spildte ikke tiden, men gik direkte til Dokumenter.

Ved første blik virkede det ret overskueligt. Det var jo overvejende hans helt personlige ting, der stod her. Jeg lod blikket glide ned over skærmen. Han havde ordnet dem alfabetisk: *Advokat, Bea* og så et langt spring til *Min hellige gral, Mogens, Moritz, Moster Herdis*. Listen sluttede med *Ruth, Tennis, Testamente* og *Vin*.

Jeg tøvede lidt, før jeg klikkede på *Moritz*. Jeg havde været så sejrssikker, da jeg gættede kodeordet, nu gav det mig bange anelser, at dokumentet kun var på syv kb. Henrik havde sandelig ikke ofret meget plads på den sag. Forhåbentlig var der noget, jeg kunne bruge, i det lidt, der var.

Men mine bange anelser viste sig at være velbegrundede. Dokumentet var på mindre end en A4 side med fire forskellige indførsler på fire forskellige datoer. Den sidste var den 24. september. Så vidt jeg kunne se, havde Henrik ikke taget Moritz særlig alvorligt.

10. september
Blev i dag opsøgt af en ung mand, Moritz Rahbæk, 22 år, som havde en mærkelig historie. Han ville hyre os til at finde sin forsvundne kæreste, Elena Pavlona, 22, som han har truffet på en massageklinik her i byen i januar og forelsket sig håbløst i. De har været sammen en gang om ugen på de forskellige bordeller, hvor hun arbejdede. (Han kom som kunde og betalte hver gang den forlangte pris). De stod i forbindelse med hinanden via en »hemmelig« mobiltelefon, som han havde givet hende. For en uge siden blev de enige om, at Elena skulle flygte fra bordellet. (Min fornemmelse er, at Moritz har presset hende). Hun turde ikke blive i Danmark, så deres plan var at tage til Norge. Moritz' onkel (hans afdøde fars halvbror) har indvilliget i at huse dem en overgang. Han er single, langturschauffør og har en lille lejlighed i Oslo. Moritz forestiller sig, at han kan fortsætte sine studier der. Han og Elena aftalte at mødes ved færgeterminalen i Frederikshavn, men ifølge hans forklaring dukkede hun aldrig op. Han har spurgt efter hende på de bordeller, hvor hun har »arbejdet«, men de siger, de ikke kender noget til hende.

Var mest indstillet på at råde ham til at lade den fugl flyve. Det er kun på film, at den slags forbindelser får en happy end. Heldigvis fandt knægten ud af, at det nok blev for dyrt at hyre os.

15. september
Moritz har været her igen. Jeg kan ikke rigtig greje knægten. Han mener nu, at hendes flugtplaner må være blevet afsløret, og at pigebarnet derfor har forsøgt at flygte til Oslo på egen hånd? Hans teori er, at hun enten er blevet bortført fra færgen eller i Oslo, og han mener, hun er i fare, fordi hun har forsøgt at stikke af. Tror han selv på den historie, eller vil han gøre sig interessant? Jeg har valgt at tage ham alvorligt, for han er ganske givet både meget forelsket og dybt bekymret, men mit personlige gæt er, at pigebarnet er blevet træt af ham og har gjort sig usynlig. Han taler om selv at tage til Oslo for at høre, om nogen har set hende. Det frarådede jeg, prøvede at berolige ham med, at der hver eneste uge er østeuropæiske piger, der søger tilflugt i krisecentre eller hos politiet, men politiet vil han ikke have indblandet. Jeg fortalte så, at vi har en kontakt deroppe, og lovede, at vi ville kigge på sagen uden beregning. Det håber jeg, han slår sig til tåls med. Jeg har mailet fotos og beskrivelser til både Kåre og Bea, men forventer ikke, at der kommer noget ud af det. Hun er sikkert stadig her i landet.

18. september
Bea hjemme igen fra sin ferie. Oslo og færgen var som ventet en nitte. Har ikke hørt fra Moritz.

24. september
Stadig ikke en lyd fra Moritz. Enten har den små Elena kontaktet ham igen, eller også har han opgivet. Håber det sidste. Henlægger sagen.

Og det var så det. Ikke et ord om bagmænd, ikke et ord om Anna Marie og babyen. Hvad Moritz end havde vidst, så havde han ikke betroet sig til Henrik, og Henrik havde ikke været interesseret nok til at udspørge ham nøjere. Og hvorfor skulle han også være det? Set fra hans synspunkt ville Moritz være bedst tjent med ikke at finde Elena. En luder fra Letland. Det ville aldrig gå.

Og han havde jo ret i, at der jævnligt var piger, der stak af fra bordeller, uden at de af den grund endte i en skovbund med et skud i hovedet.

Jeg havde fundet det rigtige *Sesam, Sesam luk dig op,* men det var ikke lykkedes mig at finde skatten. Jeg var lige så langt fra løsningen, som da jeg begyndte.

Jakob havde sikkert ret. Det var ikke Henrik, men mig de havde frygtet hele tiden. Elenas veninde, som måtte formodes at kende hele historien om Anna Marie og babyen og kunne lægge to og to sammen, når kvinderne blev fundet. Det *var* mig, den første bombe havde været bestemt for. BEATRICE JA! Ikke Henrik.

Jeg trak vejret dybt og blev siddende lidt og kiggede grublende på skærmen.

Der var stadig det med tidsfaktoren.

Der gik to måneder, før de sendte den første bombe, og i den tid var der ikke sket noget som helst, som tydede på, at jeg sad inde med en viden, som var farlig for dem. De to myrdede kvinder og barnet var ikke blevet identificeret, og Moritz' forsvinden havde ikke været omtalt et eneste sted. Det måtte være indlysende for dem, at jeg ikke var gået til politiet.

Havde det virkelig taget dem to måneder at finde frem til mig? Eller havde de talt på knapperne i flere uger og spurgt sig selv, hvad der var klogest? At lade mig være i fred eller fjerne mig fra jordens overflade.

Okay, lad os sige, at de vælger det sidste. De sender brevbomben, der ikke dræber mig, men Henrik, og kort tid efter kan samtlige medier bringe nyheden om, at kvinderne nu omsider er blevet identificeret, mens politiet næsten samtidig foretager razziaer i flere massageklinikker og tilbageholder nogle østeuropæiske piger.

Og så anbringer de fandeme en bombe i min bil!

Hvorfor?

Jeg rystede på hovedet. Det gav overhovedet ingen mening.

Uanset hvor hjerneblæste de var, og jeg troede ikke, de var hjerneblæste, så krævede det ikke den store hjernevirksomhed at lægge to og to sammen og få det facit, at jeg nu havde fortalt politiet alt, simpelthen alt, hvad jeg vidste. Det var for sent at lukke munden på mig.

Så hvorfor? Skulle jeg *straffes?* Som Elena og Anna Marie var blevet straffet.

Jeg gøs ved tanken, men rystede den af mig. For det var lige så meningsløst. Jeg var ikke en af »deres« piger, og jeg havde ikke gjort alvorlig skade. Hovedmændene sad garanteret trygt og godt uden for landets grænser og ventede på, at dønningerne skulle lægge sig, så deres lille flåde af mere eller mindre tjenstvillige piger igen kunne sejle i smult vande.

Ganske vist havde jeg rodet op i myretuen og ødelagt deres »forretning« for en tid, men de havde sikkert andre, og ellers kunne de garanteret hurtigt stable nye på benene. Der var piger nok at tage af, og kunderne skulle nok vende tilbage.

Så hvor var logikken? Jeg kunne i hvert fald ikke få øje på den.

Jeg sukkede dybt. Henriks notebook havde været en skuffelse, den indeholdt intet, der kunne give det mindste fingerpeg om, hvem der var ude efter mig. Det var åbenbart ikke her, jeg skulle finde det mirakel, som jeg ifølge Jakob havde brug for.

Jeg så på mit ur. Klokken var kun halv ti, men jeg havde mest lyst til at klappe notebooken i og gå i seng. Jeg lukkede skærmvinduet og vendte tilbage til Dokumenter. Jeg kunne jo – bare for at tilfredsstille min nysgerrighed – kaste et blik på den fil, som Henrik havde kaldt *Min hellige gral*.

Jeg nåede kun lige at klikke på ikonet, før telefonen ringede.

Det var Mogens, og mit hjerte gav et lille hop, da jeg hørte hans stemme.

»Hej, Bea. Det er din største fan. Hvordan går det?«

»Stille og roligt,« sagde jeg. »Hvor ringer du fra?«

»Politigården. Vi har lige en lille pause, men jeg tror, der er ved at gå hul på bylden. Jeg ville bare høre, om det er i orden, at jeg kigger op, når vi er færdige her?«

»Jeg vil elske det!«

»Passer fint, for jeg vil elske dig,« sagde han, og jeg kunne høre, at han smilede. »Men det bliver nok først om en time eller halvanden.«

»Det er okay,« sagde jeg og tilføjede. »Husk lige tandbørsten.«

Han lo. »Jeg elsker dig, Bea, og jeg har den i brystlommen. Ciao!«

Jeg måtte have opøvet en vis ekspertise i at fortrænge virkeligheden flere minutter ad gangen, for jeg smilede stadig, da jeg igen gik hen og satte mig ved bordet. Og jeg var betydeligt mere veloplagt, da jeg gik i gang med det nye dokument, end jeg havde været et par minutter tidligere.

Titlen, *Min hellige gral* havde forledt mig til at vente et større dramatisk epos, selv om jeg kunne have sagt mig selv, at det slet ikke var Henriks stil. Dramaet lå skjult i facts, facts og atter facts. Der var ingen personlige kommentarer undervejs, ingen føleri af nogen art. Han havde scannet alle de gamle dokumenter ind, så man kunne følge hele historien lige fra det første skæbnesvangre telegram til Henriks forældre fra den danske ambassade. Derefter fulgte breve fra hr. Gerner til det lokale politi – og omvendt – med Hans Christians udførlige signalement, tandkort og så videre, og breve til en mexicansk advokat, der i første omgang skulle optræde som intermédiaire, mellemmand, hvis bortførerne stillede krav om løsepenge, og senere tage mod eventuelle henvendelser på de efterlysninger, som Gerner – også via advokaten – troligt lod indrykke som annonce i de lokale mexicanske aviser år efter år efter år i januar måned med løfte om en dusør, der voksede fra 5.000 til 15.000 dollars i årenes løb. Annoncer der tilsyneladende aldrig var kommet et eneste svar på.

Henrik havde selv været derude for ti år siden, kort efter at han var blevet færdiguddannet som politimand.

Det havde han aldrig fortalt mig om, men jeg gætter på, at det var efter den tid, han – næsten – var blevet overbevist om, at Hans Christian var død. Han var øjensynligt blevet gode venner med en af sine mexicanske kolleger, for det var også efter den tid, at Henrik overtog korrespondancen fra sin far, og brevene blev mindre formelle og mere venskabelige.

Hvert år i december ønskede Henrik sin mexicanske kollega glædelig jul og godt nytår og spurgte, om der var noget nyt i sagen, og hvert år fik han til gengæld en nytårshilsen, hvor kollegaen beklagede, at der intet var dukket op. End ikke et skelet, havde han skrevet i sin sidste hilsen og fortsatte: »Jeg tror aldrig, vi finder ham. Du kender selv området her og ved, at der er mange utilgængelige steder og dybe kløfter, og eventuelle skeletdele kan være spredt over et stort område af vilde hunde. Det er 17 år siden nu, så måske er det på tide at give op.«

Det var et godt og velment råd, men Henrik havde ikke fulgt det, kunne jeg se. Den sædvanlige annonce var blevet indrykket her i januar 2001 præcis som alle de andre år på den dato, hvor Hans Christian var forsvundet.

Det var næsten ikke til at bære.

Jeg gned øjnene. Jeg havde læst side op og side ned, og det føltes, som om jeg havde flere kilo sand bag hvert øjenlåg, så måske var det også på tide, at jeg gav op. Men jeg manglede kun en tre-fire sider, så jeg besluttede at fortsætte til den bitre ende. Eller i det mindste indtil Mogens dukkede op.

Den næste side var en beskrivelse af Henriks møde med Andrew Healy. Jeg skimmede den hurtigt for at se, om der skulle stå noget, jeg ikke allerede havde hørt fra Andrew selv. Det gjorde der ikke, men Henrik sluttede med at skrive: »Andrews historie har givet mig nyt håb. Efter alle disse år tror jeg, at jeg omsider er kommet på sporet af min hellige gral.«

Det var den første og eneste personlige kommentar, jeg var stødt på, og man skulle nok kende Henrik meget godt for at forstå, hvor dybt hans savn havde været, og at håbets flamme nok havde blafret, men aldrig var slukket helt.

Men det var den næstsidste side, der virkelig fik mig til at spidse øjne eller sætte dem på stilke, eller hvad man nu gør.

Der var en brevveksling mellem Henrik og *Newport Police Department, Santa Ana Area, California.*

Den første mail var sendt i slutningen af oktober, lige efter at Henrik var kommet hjem fra England.

Jeg skriver til Dem i håb om, at De kan give mig nogle oplysninger, der eventuelt kan bringe mig på sporet af min bror, Hans Christian Gerner, som sammen med en kammerat angiveligt blev bortført (og formodedes dræbt) i Mexico for snart 18 år siden. Han var dengang 20 år. Kammeraten slap væk og anmeldte overfaldet til politiet. Han kaldte sig Andrew Healy, og identiteten bekræftedes af hans pas.

For 12 år siden blev en person ved navn Andrew Healy sigtet for en lovovertrædelse i Deres retskreds og udvist af USA for bestandig. To år senere blev det afsløret, at denne person havde optrådt under falsk navn. Her for nylig traf jeg den ægte Andrew Healy, som kort før min brors forsvinden havde været sammen med ham i Mexico. De oplysninger, han gav mig, giver mig grund til at formode, at den mand, der havde stjålet hans pas og optrådte som Andrew Healy, kunne være min bror.

Jeg går ud fra, at De har den falske Andrew Healys fingeraftryk i Deres register og sender Dem min brors, så De kan foretage en sammenligning. Jeg er selv tidligere politimand, og det er lykkedes mig at få et klart og tydeligt sæt overført til folie. Jeg har scannet det ind her og sender Dem efterfølgende de originale aftryk pr. brev. Hvis det er muligt, vil jeg også gerne have oplyst, hvad den ukendte person var sigtet for, og om der faldt dom i sagen – ud over udvisningen.

Måske er der stadig nogen blandt Dem, der kan huske sagen.

Med venlig hilsen

Henrik Gerner

Der gik en uge, før der kom svar fra Newport Police Department, og jeg kunne levende forestille mig, hvordan Henrik måtte have haft det, mens han gik og ventede på det. Det var ikke så sært, at han havde virket både opstemt og hemmelighedsfuld. Han troede åbenbart virkelig, at hans søgen endelig havde givet resultat. Desto mere skuffet må han være blevet, da svaret endelig kom.

Kære Mr. Gerner.

Jeg har fået overdraget at svare på Deres henvendelse, eftersom jeg havde Healy-sagen i sin tid.

Vi har nu sammenlignet Deres brors fingeraftryk med den falske Andrew Healys, og de matcher desværre IKKE.

Det skuffer Dem sikkert, men det er både en god og en dårlig nyhed. Den falske Andrew Healy var sigtet for at være skyld i sin kones død. Hun var syv år ældre end han og af velhavende familie. Jeg husker sagen sær-

deles godt, fordi jeg ledede undersøgelsen. Historien var, at han og hans kone var taget ud i deres sejlbåd, da vejret pludselig blev meget dårligt. Under et forsøg på at bjerge sejlet blev hans kone ramt af bommen og slynget over bord. Han hævdede, at han sejlede rundt og ledte efter hende i over en time, før han satte kursen mod land og fik slået alarm.

Historien var tynd, og hendes familie troede ikke på den. For det første havde vejrudsigten advaret mod dårligt vejr, og hun var normalt yderst forsigtig, for det andet havde hun ikke redningsvest på, hvilket var et must for hende, og for det tredje viste det sig, at størstedelen af hendes personlige formue var forsvundet op i den blå luft. Han sagde, at det sikkert skyldtes hans kones fejlslagne spekulationer, men at han i øvrigt aldrig blandede sig i hendes økonomiske dispositioner. Endelig undrede det både familien og os, at han ikke straks havde slået alarm, for de havde selvfølgelig radio om bord. Han påstod, at radioen var ude af drift på grund af lynnedslag.

Men det var alt sammen kun indicier på, at der kunne være tale om en forbrydelse. Pengene lod sig ikke spore, og vi havde ikke noget lig. Vores materiale var mindst lige så tyndt som hans historie, der var intet håndgribeligt, så vi havde en dårlig sag, men familien pressede på og havde tilstrækkelig indflydelse til at få rejst sagen. Efter det første retsmøde blev »Healy« løsladt mod en kaution på 100.000 dollars, indtil sagen skulle for retten. Og derefter forsvandt han sporløst!

Han blev dømt in absentia til udvisning, fordi han havde opholdt sig illegalt her i landet. Og det var så det. Jeg var overbevist om, at han havde myrdet sin kone, men vi ville aldrig have fået ham dømt for mord på grundlag af det materiale, vi dengang havde.

På det tidspunkt anede vi ikke, at han ikke var den, han gav sig ud for, og det er aldrig senere lykkedes os at fastslå hans sande identitet.

I dag ville vi med største glæde have taget imod ham og anbragt ham direkte i en celle. Liget, eller rettere skelettet af hans kone, blev nemlig fundet tre år senere på en øde strand halvt begravet i sandet. De retsmedicinske undersøgelser viste, at hun var blevet slået flere gange i hovedet med en hammer eller lignende. Læsionerne i kraniet kunne ikke være forårsaget af skibets bom. Der var altså tale om overlagt mord. Om hun var blevet dræbt i båden og senere kastet i havet, eller om han havde dræbt hende på stranden og begravet hende i sandet var umuligt at afgøre.

Så i Deres sted ville jeg trods alt glæde mig over, at det ikke var Deres bror, der var den falske Andrew Healy.

Vi blev ellers ret begejstrede, da vi modtog Deres brev, for vi håbede på endelig at få et gennembrud i sagen. Som tidligere politimand kan De sikkert forestille Dem, hvor frustrerende det er at vide, at en morder er gået fri.

Vi har i øvrigt kørt Deres brors fingeraftryk gennem computeren, og der blev ikke fundet nogen match. Så hvis han stadig er i live og befinder sig i USA, har han aldrig været arresteret for noget som helst.

Med venlig hilsen

Jorge Martinez Laines.

Ps. De er velkommen til at skrive igen. Og kald mig bare George, okay? Det gør mine kolleger her.

Hvordan havde Henrik taget det? Havde han været knust, eller var han snarere blevet lettet over, at hans bror i hvert fald ikke var morder? Jeg kunne ikke huske det. I netop den periode havde vi ikke været så meget sammen, som vi plejede. Sandt at sige havde jeg så vidt muligt undgået at være på tomandshånd med ham på grund af den idiotiske historie med Joachim. Set i bakspejlet var det fuldstændig latterligt.

Der var en ganske kort mail fra Henrik til »George«, men den røbede ikke hans følelser.

Kære George. Tak for din mail. Selvfølgelig blev jeg skuffet. Jeg troede, jeg omsider var kommet på sporet af min bror, men efter at have læst hele historien er jeg enig med dig i, at jeg bør være glad over, at min bror ikke var den falske Andrew Healy.

Jeg beklager, at jeg har gjort dig så meget ulejlighed til ingen verdens nytte.

Det er nok på tide, jeg ser i øjnene, at min bror ikke er i live.

De hjerteligste hilsener – Henrik

Jeg læste begge mails endnu en gang og sad lidt og funderede. Hvordan havde den falske Andrew Healy fået passet? Havde Hans Christian solgt det på det sorte marked, da han ikke længere havde brug for det til at underbygge sin historie om bortførelsen? Han havde jo sit eget pas, så der var ingen grund til at beholde Healys. Tværtimod, det kunne snarere bringe ham i vanskeligheder at krydse grænsen med to forskellige pas.

En tanke faldt mig ind. Hvis Hans Christian personligt havde givet eller solgt passet til den fyr, der udgav sig for at være Andrew Healy, kendte han muligvis mandens rigtige identitet; men han boede i en anden stat og havde formodentlig ingen anelse om, at den selv samme mand nu var eftersøgt for mord. Burde jeg ikke sende en mail til »George«? Dels for at give ham slutningen på historien, dels for at fortælle ham, at Hans Christian Gerner muligvis sad inde med oplysninger, der kunne føre til pågribelsen af den falske Andrew Healy. Winther havde tjekket Hans Christian, så hun havde sikkert hans adresse i Florida, og ellers kunne George vel selv finde frem til den.

Jeg overvejede lidt for og imod. Nej, det mest nærliggende var, at han havde solgt passet på et værtshus og ikke anede, hvor det senere var blevet af. Så det eneste, jeg kunne opnå ved at blande Hans Christian ind i det, var at skaffe ham en masse ubehageligheder på halsen.

Jeg besluttede at sove på det og spørge Ruth til råds dagen efter. Jeg glædede mig også lidt til at fortælle hende, at Hans Christian aldrig havde været i konflikt med loven. Jeg kom til at smile ved tanken, for jeg vidste præcis, at hun ville sige: »Det tvivler jeg nu på. Han er bare aldrig blevet opdaget.«

Hun havde en gang for alle vedtaget med sig selv, at Hans Christian var en skiderik.

Jeg strakte mig og vred skuldrene lidt for at løsne leddene. Jeg kunne godt mærke, at jeg ikke havde svømmet i flere dage.

Jeg skulle lige til at slukke notebooken, da jeg opdagede, at jeg manglede at læse den sidste side i dokumentet.

En side der vendte op og ned på det hele.

Det var endnu en mail fra George, sendt den 5. november. Godt en uge før Henrik blev dræbt.

Hej Henrik. Jeg har måske godt nyt til dig, men stil nu ikke for store forventninger, det kan være en vildmand. Forleden dag traf jeg en tidli-

gere kollega, som for nogle år siden forlod politiet og flyttede til Florida. Han bor nu mellem Fort Lauderdale og Miami. Vi arbejdede sammen på Healy-sagen, så i samtalens løb faldt det naturligt at omtale din henvendelse vedrørende din bror. Navnet fik ham til at spidse ører. Han fortalte, at der i hans nabolag bor en fyr, der hedder Chris Guerner. Han mente, at han var af tysk oprindelse, men så vidt jeg ved, er tysk og dansk næsten det samme, og alderen og signalementet passer. Chris Guerner har været i hæren, han deltog i Golfkrigen og er nu amerikansk statsborger. Han er forretningsmand, sælger timeshares og er en »great guy«. Jeg spurgte min kollega, om han havde hans adresse. Det har han, men han vil ikke give mig den, før han har talt med Guerner selv. For som han sagde, hvis fyren ikke ønsker at have noget med sin familie at gøre, så er det hans afgørelse.

Som sagt, måske er der slet ikke noget i det, men jeg krydser fingre for det og mailer til dig, så snart jeg har hørt fra min ekspartner.

Mange hilsener – George

Og samme dag mailer Henrik tilbage:

Hej George. Det er svært ikke at skrue forventningerne op, men jeg prøver at tage det helt cool. Jeg venter i spænding på din næste mail. De hjerteligste hilsener – Henrik

Her sluttede det dokument, som Henrik havde kaldt *Min hemmelige gral*. Der var ikke flere mails, ingen kommentarer. Ingenting.

Hvorfor fanden havde George, den spade, ikke mailet til Henrik igen? Hvad enten svaret så var positivt eller negativt.

Det varede flere sekunder, før det gik op for mig, at det havde han sikkert også gjort. Svaret fandtes bare ikke her, men i Henriks mailboks.

Jeg stønnede højt. Jeg anede ikke, hvordan den fungerede, og jeg kunne lige forestille mig, at der krævedes endnu et kodeord.

Men det var åbenbart my lucky night, for der gik kun et par evigheder, før jeg var inde og sad og stirrede på ordene 'Modtager post', og et øjeblik efter tonede en ny mail frem på skærmen.

Den var fra George, sendt den 14. november.

Datoen ramte mig som et slag i ansigtet.

Henriks dødsdag.

Jeg sank et par gange, og mine hænder rystede, da jeg åbnede mailen.

Kære Henrik. Beklager, at du først hører fra mig nu, og at jeg har dårligt nyt. Min ekskollega talte med Chris Guerner dagen efter vores møde. Han benægtede ikke, at han var identisk med Hans Christian Gerner, men bad om en uges betænkningstid, før han svarede på, om han ville kontaktes af sin familie. Min ekskollega fik svaret pr. e-mail i går, og det var et afslag. Guerner forklarede det med, at han var adopteret og havde haft en meget svær og ulykkelig barndom. Han valgte derfor som voksen at bryde enhver forbindelse med familien. Han er en selfmade mand og føler ikke, at han skylder sin familie noget.

Egentlig har jeg vel allerede fortalt dig mere om ham, end jeg burde. Men jeg håber, du vil respektere hans beslutning og ikke bruge mine oplysninger til at finde frem til ham. Det vil min tidligere partner opfatte som et tillidsbrud fra min side.

I det mindste ved du nu, at din bror er i live og klarer sig udmærket.

– George

»For helvede da!« råbte jeg rasende ud i den tomme stue og tog mig til hovedet med begge hænder. »For helvede da, for helvede da, for helvede da! Hvad fanden er det, du har gang i, mand?«

Jeg læste mailen en gang til. Tonen var mærkbart anderledes end i den foregående mail. Hvor den før havde været næsten kammeratlig, var den nu afgjort kuldslået. Hans Christians historie havde gjort sin virkning. Han havde måske ikke ligefrem brugt udtrykket child abuse, men det stod og dirrede i luften.

Min eneste trøst var, at Henrik aldrig havde set denne mail.

Det ville have væltet hele hans verdensbillede.

Men hvorfor denne insisteren på en rædsom barndom? Hvad var det, Hans Christian havde gang i?

Jeg sukkede og læste mailen for tredje gang.

Pludselig fangede en enkelt sætning min opmærksomhed. *Han bad om en uges betænkningstid.*

Hvorfor?

Hvorfor i himlens navn ville han have en uges betænkningstid?

Han havde haft 17, næsten 18, år til at tænke sig om. Så hvad betød en uge fra eller til?

Jeg tænkte, så det knagede, og den ene lille episode eller ordveksling efter den anden kom op til overfladen som små bølgetoppe, der dukker op og flader ud, næsten før man når at registrere dem. Hans Christian havde set fuldstændig uforstående ud, da jeg første gang nævnte moster Herdis, han kendte ikke *Prins Valiant*, men påstod, at han aldrig havde læst tegneserier, og bamserne i *Hans Christians Værelse* betød intet for ham. De var bare en lille drengs sovedyr. Han havde været lynhurtig til at samle op undervejs og pejle sig frem, ledet af vores udbrud eller små bemærkninger, men han var alligevel trådt ved siden af flere gange. Som da han sagde, at han måtte have spist tusindvis af måltider i fru Gerners køkken, eller da vi trådte ind i Henriks arbejdsværelse, og han sagde: »Og her har vi så hr. Gerners kontor.« Dengang troede jeg, at han lidt sarkastisk kaldte Henrik *hr. Gerner,* men det blev sagt med den sædvanlige vrængen, han altid brugte, når han omtalte sin far, og nu forstod jeg, at han troede, Gerner også havde haft sit kontor der. Men det var hr. og fru Gerners gamle soveværelse, vi stod i. Havde han virkelig glemt eller fortrængt så meget, eller var forklaringen en helt, helt anden.

Nej, det var simpelt hen for absurd! For grotesk!

Eller var det?

Jeg begyndte forfra. Der var også noget med sproget. Ikke det amerikanske, det var autentisk nok, men det danske. Kunne det passe, at han aldrig havde været hjemme i Danmark, siden han forsvandt i 1984? Da vi havde spist middag sammen, havde jeg fornemmet en falsk tone hele aftenen og ment, at det var, fordi ingen af os var *rigtige* danskere, men han lød faktisk mere rigtig, mindre gammeldags end jeg og brugte de rigtige slangudtryk. Sagde man overhovedet *dybt godnat* og *gider du lige* for 17 år siden? Det gjorde man måske. Jeg kunne ikke huske det. Ord og udtryk glider næsten ubemærket ind og ud af sproget.

Jeg kiggede på mailen igen.

Han bad om en uges betænkningstid.

Jeg havde fået den sidste brik til det puslespil, som Henrik havde kaldt *Min hellige gral,* og med ét faldt alle brikkerne på plads af sig selv ligesom isstykkerne i *Snedronningens* forstandsspil.

I forstandsspillet dannede isstykkerne ordet EVIGHED.

I Henriks puslespil dannede brikkerne ordet MORD.

XVII

Det billede, jeg nu havde foran mig, var så horribelt og skræmmende, at jeg fik kvalme og måtte snappe efter luft.

Det havde aldrig været tanken, at Henrik skulle se denne mail.

Jeg forsøgte at trække vejret dybt, men det blev kun til et par hastige, skælvende åndedrag.

Stilheden i stuen, der kun blev brudt af den sagte summen fra Henriks notebook, gik mig pludselig på nerverne. Jeg kunne ikke holde ud at sidde stille, så jeg rejste mig med et sæt fra min stol og gik ud i køkkenet uden at ane, hvad jeg ville der. Jeg åbnede for vandhanen og lod vandet løbe lidt, før jeg fyldte et glas og tvang mig til at tømme det langsomt. Jeg fyldte glasset op igen og tog det med, da jeg gik tilbage og satte mig ved bordet.

Jeg så på mit ur. Det føltes, som jeg havde siddet her i timevis, men klokken var kun kvart i 11. Jeg greb mig selv i at ønske, at Mogens ville være forsinket. Der var meget, jeg skulle nå først.

Jeg sendte en mail til min egen postkasse og vedhæftede en fil med hele korrespondancen mellem Henrik og Jorge Martinez Laines, og derefter videresendte jeg Georges sidste mail til mig selv. Så lukkede jeg notebooken, lagde den hen på reolen og anbragte min egen bærbare pc på bordet i stedet for. Den er jeg mere dus med. Jeg hentede min taske og tog det foto op, som Hans Christian havde givet mig, og idet jeg gjorde det, huskede jeg, hvor forsigtigt han havde taget det op af sin tegnebog. Han havde nærmest fisket det ud med spidsen af neglene. For at undgå fingeraftryk? Jeg forsøgte at være lige så forsigtig, da jeg scannede billedet ind. Derefter gik jeg ind på min e-mail og skrev et enkelt spørgsmål til Andrew Healy, vedhæftede fotoet og sendte mailen.

Jeg kom i tanker om endnu en ting, »Hans Christian« havde givet mig: Hotellets kort med hans mobilnummer. Jeg fandt det i et af rummene i min taske, tog fat i et hjørne, trak det op og lagde det til side sammen med fotoet.

Så koncentrerede jeg mig igen om min computer. Jeg hentede Georges sidste mail til Henrik i min egen postkasse, klikkede på 'Besvar' og skrev en lang mail til ham, hvor jeg forklarede, hvem jeg var, og hvorfor det var mig og ikke Henrik, der besvarede hans mail. Jeg sluttede med at skrive:

Du skrev, at Chris Guerner har været soldat. Så vidt jeg ved, må det betyde, at hans fingeraftryk findes et eller andet sted. Hvis du har mulighed for at rekvirere dem, ville det være en god idé at sammenligne dem med den falske Andrew Healys. Jeg beder dig tage min henvendelse meget seriøst. – Venlig hilsen Bea Jantz.

Jeg sad lidt og tænkte mig om. Hvad mere kunne jeg gøre? Jo, der var endnu en ting. Jeg ville give den synske norske kvinde en chance. Det var et helt vildt skud i tågen, men det var måske et forsøg værd.

Jeg rejste mig og gik ind i soveværelset og hentede mit atlas. Det er for stort til at være i min reol, så det ligger i bunden af mit klædeskab. Det er jo ikke ligefrem hver dag, jeg bruger det. Jeg slog op på Mexico og koncentrerede mig om Yucatán-halvøen. Det var her et sted, jeg engang havde fået udpeget en cenote tæt ved en klippe eller stele, der blev kaldt *Djævlens Pik* eller *Djævlens Finger.* Men præcist hvor huskede jeg ikke. Jeg stirrede på stednavnene, Chichén Itzá, Piste, Valladolid og Mérida, men ingen af dem fik en klokke til at ringe. Så hvad nu? Hvem kendte jeg, som vidste noget om Yucatán? Jeg ransagede min hjerne og gennembladede mit indre kartotek og pludselig dukkede et navn op. Dorian. En af Marittas ældre veninder. Første gang Maritta nævnte hende, troede jeg, hun talte om en mand. Jeg kunne ikke huske hendes efternavn, men det var i hvert fald ikke Gray. Dorian er forfatter, og jeg vidste, at hun plejede at tilbringe vinteren i Mérida. »Hvem pokker har lyst til at være i Philadelphia om vinteren,« sagde hun altid. »Det er galt nok at være her resten af året.«

Hvis nogen kunne hjælpe mig, var det hende. Jeg kunne lige se hende for mig. Hun er en stor frodig kvinde sidst i 40'erne, der nærmest bobler over af energi og elsker at blande sig i andres liv. Hun kunne ikke drømme om at sætte sit lys under en skæppe, og jeg havde til tider fundet hende nærmest irriterende nævenyttig og bedrevidende. Men hvis hun påtager sig en opgave, går hun ind for den med liv og sjæl og følger den helt til dørs, så her og nu kunne jeg ikke forestille mig en bedre medspiller. Jeg bad til, at jeg kunne få fat i hende.

Jeg så på mit ur og regnede tidsforskellen ud. Jo, Maritta var ganske givet stadig i forretningen.

Jeg tastede nummeret, og heldigvis var det Maritta selv, der tog telefonen.

»Bea! What a wonderful surprise. Hur mår du? Mår du bätre?«

Jeg havde talt med hende et par gange efter Henriks død, men hun havde ikke hørt om de sidste par ugers begivenheder.

»Nej, Maritta,« sagde jeg. »Jeg mår inte bätre alls, men jeg har ikke tid til at snakke nu. Jeg har brug for din hjælp. Ved du, om Dorian er i Mérida nu?«

»Ja, det er hun.«

»Har hun en e-mail adresse?«

»Ja, självklart. Jeg har den her et sted. Lige to sekunder.«

Et øjeblik efter tastede jeg Dorians mailadresse ind i mit adressekartotek.

»Tusind tak, Maritta. Jeg ringer en af dagene – håber jeg.«

»Nej, lover du.«

»Okay, jeg lover det,« sagde jeg, for hvis jeg var død, var jeg jo lovlig undskyldt. »Hej, og hils Joyce fra mig. Kys-kys.«

Så snart jeg havde lagt røret på, skrev jeg en mail til Dorian.

Kære Dorian.
Det er længe siden, vi har set hinanden, men nu har jeg brug for din hjælp. Jeg fik din e-mailadresse af Maritta. For 18 år forsvandt en ven af mig i Mexico. Dengang troede man, at han var forsvundet oppe nordpå

tæt ved grænsen til USA, men nu har jeg fået oplysninger, der tyder på, at han kan være druknet i en cenote på Yucatán-halvøen. Jeg har engang set en cenote tæt ved en klippe eller stele, der kaldes Djævlens Finger, og jeg har en mærkelig fornemmelse af, at det kan være der. Har du hørt om det sted? Og har du mulighed for at finde ud af, om man enten der eller et sted i nærheden på noget tidspunkt har fundet et endnu uidentificeret lig af en ung mand på 21 år, 190 cm høj og europæer? Hvis det er tilfældet, kunne det måske være min ven. Jeg vil være meget taknemlig, hvis du kan hjælpe mig.

Din hengivne Bea

Ps. Stelen kaldes vist også Djævlens Pik.

Jeg lænede mig tilbage og masserede mine nakkemuskler. Så gik jeg ud i køkkenet og fandt en lille plasticpose, som jeg forsigtigt lagde fotoet og kortet i og puttede ned i min taske. Jeg tænkte mig om. Lige i øjeblikket var der ikke mere, jeg kunne gøre. Nu måtte Mogens godt komme.

Jeg skulle lige til at lukke min mailboks og slukke computeren, da der lød et bip som tegn på, at der var en mail på vej. Jeg holdt vejret og gnavede i mine knoer, mens computeren arbejdede. Mailen var fra Dorian.

Kære Bea.

Der var du heldig! Jeg havde lige tændt for min computer for at se posten igennem, da din mail kom, og jeg kan godt fortælle dig, at du er kommet til den rette. Jeg er lige den person, du har brug for. Jeg ved næsten alt om Yucatán, og hvad jeg ikke ved, finder jeg ud af. Som du måske ved, har jeg tilbragt hver eneste vinter her i Mérida de sidste ti år, og jeg købte et hus hernede for fire år siden. Jeg har både set og hørt om den cenote, du omtaler. Den har et dårligt ry, for den har kostet flere amatørdykkere livet, når de har vovet sig derind uden fører. Som du måske ved, er cenoterne ikke søer, men en slags underjordisk flodsystem, så man kan nemt fare vild. Jeg har ikke hørt om noget uidentificeret lig, men det kan jo sagtens være fra før min tid. I aften skal jeg til et større middagsselskab hos et meget indflydelsesrigt (og meget velhavende) tysk ægtepar. Her kommer gud og hvermand, der kan tænkes at vide noget. Også et par højtstående politifolk, der sikkert gerne vil gøre noget for at pleje politiets image. Guderne skal vide, det trænger til det. Jeg mailer, så snart jeg kommer hjem fra selskabet, hvis jeg ikke har drukket for meget.

Jeg vil meget gerne hjælpe. Jeg kan ikke lade være at tænke på de arme forældre, der nu har ventet på nyt i 18 år. For man opgiver jo aldrig håbet, vel? Kærlig hilsen – Dorian

Jeg trak vejret lettet. Der var ingen tvivl om, at hun var hooked og ville gøre alt, hvad der stod i hendes magt for at hjælpe. Jeg kunne forestille mig, at det var tanken om »de arme forældre«, der havde gjort udslaget, så jeg var glad for, at jeg ikke havde nævnt, at de for længst var døde.

Jeg mailede tak, så lukkede og slukkede jeg computeren og drak den sidste slurk rødvin. Jeg var helt rolig nu, pulsen slog normalt, og jeg følte mig på en eller anden mærkelig måde afklaret. Næsten som om jeg havde beskikket mit bo. Jeg havde gjort, hvad jeg kunne, og sat noget i gang, som ikke kunne standses, uanset hvad der skete.

Jeg fik pludselig lyst til en cigaret. Jeg rejste mig og fandt cigaretter, askebæger og lighter frem fra det lille skab nederst i reolen, hvor jeg også har min spiritusbeholdning: en flaske cognac og en flaske whisky.

Vin er henvist til et af køkkenskabene.

Jeg gik hen og satte mig i sofaen og tændte en cigaret. Den smagte himmelsk. Jeg betragtede tankefuldt røgen, der snoede sig stilfærdigt og beroligende op fra den. Hvem skulle tro, at den også var dødbringende?

Mine tanker gled uvilkårligt videre til Hans Christian. Eller rettere til den mand, jeg havde lært at kende som Hans Christian. En pæn og høflig mand, a great guy, men dødbringende!

Beth Winther havde spurgt, om jeg havde følt mig skygget eller fået mærkelige telefonopkald. Det havde jeg ikke. Selvfølgelig ikke. Jeg havde såmænd bare spist middag med min morder, fået blomster af ham og taget ham med på sightseeing i Gerners villa. Fuck him!

Hvor var han nu? Hjemme i Florida formodentlig, hvor han

snakkede med den flinke ekspolitimand, vandede sine tomater og solgte sine timeshares. Så længe det varede. Jeg håbede ved gud i himlen, at George tog min mail alvorligt nok til at få fingeren ud og gøre noget ved sagen.

Ikke at det gjorde min situation spor bedre. Tværtimod. Nu vidste jeg hvorfor, men jeg anede stadig ikke hvem. Jeg troede ikke, at »Hans Christian« egenhændigt havde anbragt bomben i min bil, den slags har man folk til, og han kunne i hvert fald ikke selv have sendt brevbomben til Henrik. Politiet havde gennem postvæsnet sporet den til København, og Winther havde tjekket hans pas, så jeg vidste med sikkerhed, at han først var kommet til Danmark ugen efter. Men et sted derude var der en, som stadig ventede på sin chance, og den eneste, der kunne stoppe ham, var »Hans Christian«.

Jeg bekymrede mig ikke mere om Moritz eller de navnløse kvinder og deres bagmænd. Uanset hvad jeg havde sagt og gjort eller vidst, så var det slet ikke dem, det handlede om. Det havde det aldrig været, men teorien havde virket så overbevisende, at alle havde accepteret den. Ganske vist havde der været et par små uoverensstemmelser, tidsfaktoren for eksempel, men dem ville der nok være en fornuftig forklaring på. Forklaring, my foot!

Jeg havde røget cigaretten helt ned til filteret og tværede de sidste gløder ud i askebægeret. Af en eller anden grund fik det mig til at tænke på et berømt skilt på et hotelværelse: RYG IKKE I SENGEN. DEN ASKE, STUEPIGEN FEJER OP I MORGEN, KAN VÆRE DERES EGEN!

Nej, det var bare for meget! Jeg rejste mig beslutsomt, bar askebægeret ud i køkkenet og holdt filteret under vandhanen, før jeg smed det i skraldespanden. Så skyllede jeg askebægeret, tørrede det af og satte det ind på plads igen sammen med cigaretterne og lighteren.

Klokken var halv tolv, Mogens kunne være her hvert øjeblik, men jeg trængte til en hurtig douche. Hvis jeg lod badeværelsesdøren stå åben, kunne jeg sagtens høre dørtelefonen.

Den ringede, netop som jeg var færdig med at tørre mig og var ved at tage min housecoat på. Mit hjerte hamrede, da jeg styrtede ud og tog røret.

»Ja!« råbte jeg stakåndet.

»Hej, det er ridderen på den hvide hest!«

I nogle øjeblikke glemte jeg alt om aftenens uhyggelige opdagelse og sansede kun mit hjerte, der bankede helt ned i tæerne.

»Fint,« lo jeg. »Kom bare op, men lad hesten blive dernede.«

Jeg havde troet, at vi begge ville være for psykisk og fysisk udmattede til at være meget bevendt i sengen, men jeg tog heldigvis helt fejl. Det blev mindst lige så fantastisk og overvældende som natten før. Vi søgte lidenskabeligt hinandens kroppe og kunne slet ikke få nok. Jeg klyngede mig næsten desperat til ham og ønskede kun at blive ved og ved og ved. Det var, som om vi begge følte, at vi med *la petite morte* kunne holde den store uigenkaldelige død på afstand, men til sidst sank vi begge to udmattede tilbage i puderne.

Jeg lod mig trille ud af sengen og dappede splitternøgen og på bare tæer ind i stuen efter rødvinen og mit glas. På vej tilbage smuttede jeg ud i køkkenet efter et glas til Mogens. Han sad lænet op ad hovedgærdet og sendte mig et stort smil, da jeg kom tilbage.

»Eja, sådan kan jeg godt lide serveringen. Husk det, når vi bliver gift.«

»Glem det,« sagde jeg. »Du ved godt, at det er, før man bliver gift, man hugger en hæl og klipper en tå.«

Han grinede. »Ja, hvor længe var Adam i Paradis?«

Jeg rakte ham begge glassene og skænkede op, før jeg satte mig til rette i hans arm og tog det ene glas.

Vi drak hver en slurk.

»Skal vi snakke om det?« spurgte han.

»Helst ikke,« sagde jeg. »Vi har det lige så rart. Fandt I ud af noget?«

»Lidt,« sagde han. »De vidste ikke så meget, som vi havde håbet.«

»Så vil jeg slet ikke høre om det,« sagde jeg og tog endnu en slurk vin.

»Det er et ældre ægtepar, frisører begge to, som har lejet en kælderlejlighed i deres ejendom ud,« fortsatte han uanfægtet. »Den måtte ikke længere bruges til beboelse, så de slog til, da de fik budet. De anede ikke, det var ulovligt. Siger de. Det undrede dem heller ikke, at de fik 12.000 kr. om måneden i leje. Sort selvfølgelig. Vi fik til sidst et par navne ud af dem. På to danskere, som vi kender lidt til i forvejen. Vi anholdt den ene for en time siden, den anden er gået under jorden. Men jeg tvivler på, det er de egentlige bagmænd. Jeg tror stadig, det styres fra udlandet. Sandsynligvis Letland. Ægteparret førte heldigvis bog over indtægterne, og vi har også kigget på deres kontoudtog. De fik pengene overført til en bank i Bahamas, hvor de holder ferie hvert år. Så de får i hvert fald et skattesmæk. Men nu må vi se, hvad vores ven kan fortælle i morgen, når han har haft en nat i cellen til at tænke over det.«

»Tror I stadig bagmændene er ude efter mig? De må da kunne indse, at hvis jeg vidste noget, så har I for længst fået det at vide.«

Han tømte sit glas og skænkede op igen. Han holdt spørgende flasken over mit halvfyldte glas, men jeg rystede på hovedet.

»Det har jeg også spekuleret over. Måske tror de, at du har set dem på færgen og kan udpege dem.«

»Absurd. Der var flere hundrede mennesker.«

»Ja, det ved jeg, men jeg kan ikke finde anden forklaring.«

Egentlig havde det været det rette tidspunkt at fortælle ham, hvad jeg havde fundet ud af i aftenens løb, og jeg kan ikke rigtig forklare, hvorfor jeg ikke gjorde det. Nagede der endnu en lille tvivl? Nej, på det tidspunkt var jeg fuldstændig overbevist om, at jeg havde ret, men alligevel ville jeg gerne have nogle svar på mine mails, som underbyggede min teori, før jeg luftede den for andre. Eller også er sandheden den, at jeg simpelt hen ikke orkede at gå i gang med en længere udredning, og Mogens så ud, som om han kunne gå i koma, hvad øjeblik det skulle være. Det måtte vente til næste dag, når vi begge havde fået nogle timers søvn og kunne se på tingene med friske øjne. Og reelt ændrede det jo ikke situationen særlig meget.

Jeg skulle stadig overvåges, og Mogens og hans team skulle stadig opklare drabene på Moritz og de navnløse kvinder.

Og mens jeg endnu overvejede, om det nu også var den rigtige beslutning, faldt vi begge to i søvn.

Jeg vågnede ved femtiden med en følelse af, at jeg havde overset noget vigtigt. Jeg gennemgik i tankerne aftenens forløb. Mine mails til George og Dorian og min mail til Andrew Healy med fotoet af to unge grinende knægte foran en bar i Mexico.

Oh, shit! Nu vidste jeg, hvad det var jeg havde overset – eller fuldstændig glemt.

Jeg havde kun stillet Healy et enkelt spørgsmål. Hvem af de to personer på dette foto er Hans Christian? Og jeg var overbevist om, at svaret ville være: Ingen af dem. Jeg var fuldstændig sikker på, at den rigtige Hans Christian ganske simpelt var blevet klippet væk. Fjernet fra fotoet. Men nu huskede jeg pludselig Hans Christians studenterbillede, og mit hjerte ikke bare sank i livet, men gik til bunds som en sten. Hvor kunne jeg glemme det! Jeg havde stået og stirret som hypnotiseret på det billede og derfra på Hans Christian og tilbage igen, og jeg havde ikke et sekund været i tvivl om, at det var en og samme person. Samme hovedform, samme næse, samme mund og samme blågrå øjne. De var ikke så blå, som jeg huskede dem fra mit eneste møde med ham, men jeg måtte have husket forkert.

Studenterbilledet fik hele min teori til at falde sammen som et korthus. Henriks bror Hans Christian var Chris Guerner og omvendt. A great guy, en fin fyr, der aldrig havde været i konflikt med loven, og for nogle timer siden havde jeg sendt en mail til George, hvor jeg direkte beskyldte Hans Christian for at have myrdet både sin bror og sin kone!

Jeg stønnede sagte, og Mogens rørte på sig og mumlede noget utydeligt. Det var da et held, at jeg ikke havde fortalt ham om min nye og fantastiske teori. Lidt for fantastisk åbenbart.

Eller var den?

Jeg kom pludselig i tanker om mit sidste besøg hos moster Herdis. Jeg havde kastet et overfladisk blik på de indrammede fotos på hendes reol og sagt, at hun havde næsten de samme billeder, som Henrik havde haft. Og hun havde korrigeret mig og sagt: »Ikke næsten. Det er nøjagtigt de samme.«

Jeg havde ikke hæftet mig ved det og ikke kigget nærmere på dem, men der måtte have været noget, der fik mig til at tro, at de ikke var helt ens. Kunne studenterbilledet være manipuleret? Ja, teoretisk kunne det, med fotos kan alt lade sig gøre, men i praksis var det umuligt. Politiet havde fjernet billederne, og det måtte også være dem, der havde bragt dem tilbage. Hvis de havde været i politiets varetægt, kunne ingen have lavet fiksfakserier med dem.

Jeg tænkte mig om. Jeg havde spurgt Beth Winther om familiebillederne, og hun havde benægtet, at politiet havde taget dem, havde hun ikke? Jeg kunne dårligt huske alt, hvad der var blevet sagt. Jo, hun havde benægtet det, men da de senere dukkede op igen, gik jeg simpelt hen ud fra, at hun havde taget fejl. Man kunne jo dårligt forlange, at hun på stående fod kunne huske alt, hvad de havde fjernet.

I morgen tidlig ville jeg ringe og tjekke det med hende.

Havde de fjernet billederne, eller havde de ikke?

I øjeblikket stod og faldt hele min teori med svaret på det spørgsmål.

Hvis politiet ikke havde haft dem, ville jeg bagefter tage hen til Moster Herdis og studere hendes udgave af billedet. Måske kunne jeg tilmed låne det og tage ud til Gerners villa og sammenligne de to billeder. Jeg kunne lige nå det, inden dødsbomanden kom og ryddede hele bulen.

Det må have virket beroligende på mig at få tingene tænkt igennem, for jeg faldt i søvn igen og vågnede af mig selv kvart i syv. Mogens sov stadig. Han havde skubbet dynen halvt af og lå udstrakt på ryggen med armene over kors og hovedet lidt på skrå. Jeg kom uvilkårligt til at smile. Hvis hans øjne havde været åbne, ville han have set ud, som når man står og betragter et maleri. Gad vide, hvad han drømte.

Jeg listede ud, lukkede lydløst døren efter mig og gik ud og startede kaffemaskinen. Ruth havde sørget for forsyninger til mig dagen før, så jeg havde både kaffedåsen, brødkassen og køleskabet fyldt op.

Mens kaffen blev brygget, tog jeg en hurtig douche og børstede tænder, og derefter gik jeg tilbage til køkkenet, hældte kaffe op i to krus, kom lidt mælk i det ene og bar dem begge to ind i soveværelset. Jeg satte dem på natbordet og lagde mig ned på Mogens' bare overkrop og gav ham et kys.

Han missede lidt med øjnene, så slog han dem op, lagde armene om mig og gengældte kysset.

Jeg løftede mig op på albuerne og så på ham. »Vågen?«

»Ja, mon ikke! Så pas på, kvinde, du leger med ilden!« sagde han med et stort grin.

Jeg lo og rejste mig.

»Det er jo sådan, du vil have serveringen. Kaffe? Jeg har kommet mælk i.«

Jeg rakte ham kruset.

»Skønt!«

Han så forbløffende frisk og udhvilet ud.

»Jeg har franskbrød. Vil du have et stykke?«

»Har du pålægschokolade?«

»Pålægschokolade!« Jeg stirrede forfærdet på ham. »Mogens, det kan du ikke mene.«

»Jo. Du kan lige så godt få det at vide først som sidst. Franskbrød med pålægschokolade er en af mine laster. Men kun om morgenen.«

»Hver morgen?«

»Hver eneste morgen. Næsten. Som barn måtte jeg kun få det i weekenden, og jeg bestemte, at når jeg blev voksen og selv kunne bestemme, ville jeg have det hver dag. Det er lidt ligesom dine marsbar. Jeg tør vædde på, at du også kun måtte få slik i weekenden.«

»Heller ikke i weekenden. Jeg var totalt slikfri.«

»Det er da løgn! Så burde du kunne forstå mig.« Han så påtaget sønderknust ud. »Vi er ikke engang gift, og min kone forstår mig ikke.«

»Jeg har slet ikke pålægschokolade. Er der ikke andet, jeg kan friste med?«

Det var der, så pludselig var klokken over halv otte.

»Hold kæft, er den så mange!« udbrød han og svingede sine lange ben ud af sengen.

»Ja, tiden går, når man arbejder,« sagde jeg drillende.

Mens han var i badeværelset, trak jeg i tøjet og gik ind i stuen og tændte min bærbare. Jeg var spændt på at se, om der var kommet svar fra Healy og Dorian.

Der var intet fra Healy, men der lå en mail fra Dorian. Jeg var ved at sprænges af nysgerrighed, men jeg ville ikke læse den, før Mogens var taget af sted. Jeg havde besluttet at vente med at fortælle ham om min nye teori, indtil jeg vidste, om den overhovedet var bæredygtig.

»Skal jeg sætte dig af på vejen?« spurgte han, da han var klar til at gå.

»Nej, jeg skal først møde kvart i ni, så jeg ringer efter min taxa.«

Det var et held, at han var lidt sent på den, så han ikke bemærkede, at jeg ikke kunne få ham hurtigt nok ud ad døren, fordi jeg var så spændt på at se, hvad Dorian skrev. Jeg prøvede at slå koldt vand i blodet og mindede mig selv om, at Henrik sikkert havde været mindst lige så spændt, da han åbnede Georges første mail, og han var blevet dybt skuffet. Det ville jeg måske også blive. Alligevel var det med bankende hjerte, jeg åbnede Dorians mail.

Kære Bea.
Du må være synsk eller sådan noget. Hvordan kunne du ellers vide det? Det er faktisk ret uhyggeligt. Jeg siger dig, jeg fik gåsehud over det hele i aftes, da jeg hørte, at der virkelig var blevet fundet et lig i den forbandede cenote. Eller et skelet faktisk. Iført dykkerudstyr og det hele. Det blev fundet langt, langt inde i cenoten af et par professionelle dykkere for 13-14 år siden. Det er ikke usædvanligt at finde skeletter i cenoterne, for mayaerne brugte dem til menneskeofringer, men det er usædvanligt at finde dem iført dykkerudstyr! Der var stadig rester af en livline, men den var revet over, måske var det årsagen til, at han fór vild, medmindre det er sket senere. En anden forklaring på at det gik galt kan være, at han blev dernede for længe, så han ikke havde ilt nok til at nå tilbage. Det er simpelt hen livsfarligt at dykke alene.

Hans jordiske rester er for længst kremeret, men højde og alder passer, og politiet har stadig aftryk af hans tænder, så hvis du har mulighed for at sende hans tandkort herover, kan der foretages en endelig identifikation. De har hidtil troet, at han var amerikaner.

Jeg skal selvfølgelig ikke blande mig i dine dispositioner, men hvis hans forældre endnu ikke har hørt om de nye oplysninger, vil jeg råde dig til ikke at fortælle dem noget, før vi er sikre på, at det er din ven. Men jeg tør godt tage et væddemål på, at det er ham. Der må være en mening med, at du havde den fornemmelse af, hvor han var. Har du nogen sinde tidligere oplevet den slags? Jeg venter spændt på at høre fra dig.

Din hengivne Dorian

Den norske kvinde havde »set« rigtigt. Jeg håbede, at jeg en gang ved lejlighed kunne fortælle Dorian hele historien. Nu var jeg overhovedet ikke i tvivl. Det var Hans Christians skelet, de havde fundet i cenoten. Dorian havde sikkert ret i, at det er livsfarligt at dykke alene, men det er lige så farligt at dykke sammen med de forkerte. Hvordan havde morderen båret sig ad? Lukket noget af ilten ud, før de dykkede, og så på et tidspunkt cuttet livlinen? Noget i den retning formodentlig. Enkelt og ligetil. Og flere uger senere henvender han sig så til politiet i den anden ende af landet med sin røverhistorie.

Jeg så på mit ur. Dorian lå garanteret og sov nu, så jeg kunne godt vente nogle timer med at maile til hende. Det ville tage for meget tid at gå ind i Henriks notebook og finde de oplysninger, hun – og politiet – havde brug for, men jeg vidste, at der lå en kopi af Hans Christians tandkort, og politiet oppe nordpå havde ganske givet originalen endnu, selv om de havde opgivet håbet om at finde ham.

Egentlig havde jeg ikke længere brug for at tjekke, om Hans Christians studenterbillede var manipuleret eller ej. Det måtte det være, men denne gang ville jeg være helt sikker, så jeg ringede til politigården.

»Det er Bea Jantz. Vil du bede Beth Winther ringe mig op, når hun kommer.«

»Hun sidder allerede på sin pind. Skal jeg stille dig om?«

Der var åbenbart ikke noget med at møde til direktørtid.

»Hej, det er Bea,« sagde jeg, da jeg fik hende i røret. »Jeg har bare et enkelt spørgsmål til dig.«

»Ja?«

»Var det jer, der fjernede de familiebilleder, der stod på Henriks skrivebord?«

»Det har du spurgt om før, Bea. Og svaret er stadig væk nej.«

»Det er du helt sikker på?«

»Ja, hvorfor spørger du?«

»Fordi de er dukket op igen.«

»Hvad sagde jeg! Du fandt dem vel i et skab eller sådan noget?«

»Nej, de stod på deres plads på skrivebordet.«

Hun var tavs et øjeblik. »Er du sikker på, de var væk? Du var jo nok lidt ude af dig selv.«

»De var væk, da jeg var derude med Ruth, og de stod på deres plads, da jeg viste Hans Christian rundt derude.«

»Den dag kælderdøren var ulåst?« Hendes stemme var blevet lidt skarpere.

»Ja.«

»Så du mener, at nogen først har fjernet dem og senere sat dem på plads igen?«

»Ja.«

»Det lyder fuldkommen meningsløst, men det er i hvert fald ikke os.«

»Okay, det var bare det, jeg ville vide.«

»Hvorfor skulle nogen gøre det?«

»Det ved jeg ikke.«

»Der er noget ved det her, jeg ikke bryder mig om,« sagde hun og tilføjede. »Pas på dig selv, Bea.«

»Jeg bestiller ikke andet.«

Jeg lagde røret på, men løftede det med det samme igen. Det var på tide at ringe efter min taxa.

Jeg så ud af vinduet. Det var koldt i dag, og enten var der faldet et tyndt lag sne, eller også var der rimfrost. Under normale omstændigheder ville jeg have trukket i vintertøjet, men intet var normalt for tiden, så jeg nøjedes med min lange læderjakke. Jeg tog min taske og skulle lige til at slynge remmen over skulderen, men skiftede mening. Jeg åbnede tasken, tog pistolen op og stak den i lommen. Jeg ville ikke have meget glæde af den, hvis den lå nede på bunden af min taske.

Dørtelefonen ringede. Taxaen var der. Jeg gik ud og lukkede og låste efter mig efter først at have sat et nyt hår i klemme i døren. Livet var virkelig blevet temmelig besværligt på det sidste.

Ruth var ved at lave kaffe, da jeg kom. Hun så undersøgende på mig.

»Du ser meget bedre ud nu,« sagde hun. »Forbløffende godt, alt taget i betragtning. Du har ellers gået rundt og lignet en hængt kat. Har politiet fundet ud af noget?«

Jeg rystede på hovedet. »Nej, men det har jeg. Tror jeg i hvert fald. Jeg er næsten sikker; der er bare et par ting, jeg skal have tjekket. Jeg fortæller dig det hele i frokostpausen.«

Morgenkaffen blev en hurtig affære. Alle mand var indkaldt til at tage deres tørn i K&L, kun Ruth og jeg blev tilbage på skansen.

Jeg fangede Inge, netop som hun var på vej ud ad døren.

Jeg tog den lille plasticpose med fotoet og hotellets kort op af min taske og rakte hende den.

»Inge, når du får tid, gider du så se, om du kan finde nogle fingeraftryk på dem her?«

»Haster det?«

»Nej, når bare det bliver i dag.«

Hun grinede. »Ja, du er god. Men det bliver først sidst på dagen. Jeg skal være i K&L til klokken 17.«

»Det er fint nok.«

Mens Ruth satte sig ind til sin computer, ryddede jeg op i frokoststuen. Så snart det var gjort, fandt jeg min mobil og ringede til Moster Herdis.

»Må jeg kigge hen til dig om et kvarters tid? Det varer kun fem minutter.«

»Ja, selvfølgelig må du det. Du ved, du altid er velkommen, Bea. Vil du så ikke have en kop formiddagskaffe?«

»Nej tak, jeg har lige drukket morgenkaffe.«

Jeg gik ind til Ruth.

»Er det i orden, at jeg stikker af en times tid?«

»Vel ikke på egen hånd?«

»Nej, selvfølgelig ikke. Jeg ringer efter taxaen.«

»Har det noget at gøre med det, du har fundet ud af?«

»Ja.«

»Okay, men lov mig, at du ikke løber nogen risiko.«

Jeg smilede. »Du kan være rolig. Det her er fuldstændig risikofrit. Jeg er jo ikke dum, vel?«

»Det undlader jeg at kommentere.«

Moster Herdis havde døren på klem, da jeg kom. Hun måtte have stået ved vinduet og holdt udkig.

»Du kommer i taxa igen. Er din bil stadig på værksted?«

»Ja, der var et eller andet fjols, der lavede en bule i den, så den skal både rettes op og males. Det tager lidt tid,« sagde jeg og havde dårlig samvittighed over at lyve for hende.

»Hvad var det så, du ville?« spurgte hun, da vi var kommet ind i stuen.

»Jeg vil bare lige se dit billede af Hans Christian. Studenterbilledet.«

»Henrik havde da det samme billede.«

»Ja, men jeg kan ikke finde det,« sagde jeg. »Politiet har jo gået og rodet derude, så de har måske lagt det ind i et skab eller sådan noget.«

Hun gik langsomt hen og tog billedet og rakte mig det.

Og der var Hans Christian, som jeg huskede ham. Gudesmuk med et tindrende smil og blå-blå øjne!

»Må jeg låne det, moster Herdis? Bare et par dage. Så jeg kan få lavet en kopi.«

Moster Herdis så længe og undersøgende på mig, så nikkede hun. »Ja, Bea, det må du, hvis du fortæller mig, hvad det drejer sig om. Har de fundet ham?«

Moster Herdis' forstand fejler ikke noget.

»Måske,« indrømmede jeg. »Det er ikke helt sikkert endnu.«

»Død?«

Jeg nikkede.

»Så forstår jeg ikke helt, hvad nytte de kan have af et fotografi. Så mange år efter.«

»Der er måske nogen, der kan huske, at de så ham.«

»Hvor fandt de ham?«

»Der hvor den norske dame havde sagt. Men det var ikke oppe nordpå.«

»Jeg vidste, hun havde ret. Var han druknet?«

»Ja, det mener de.«

»Jeg håber, det virkelig er ham,« sagde hun. »Jeg har altid håbet, at vi kunne få en ende på den historie, før jeg døde. Så jeg fik vished.«

Så selv moster Herdis havde alligevel næret et lille bitte håb.

Poul holdt som sædvanlig døren åben for mig. »Hvorhen nu?«

Jeg gav ham adressen.

»Var det ikke der, Henrik boede?«

»Jo, jeg skal lige hente noget derude, før huset bliver ryddet.«

Jeg lagde mærke til, at Poul virkede mere agtpågivende end ellers og kiggede oftere i bakspejlet.

»Er der noget galt?« spurgte jeg nervøst. Jeg har nok set for mange gangsterfilm, hvor en bil pludselig kører op på siden af en og affyrer en maskinpistolsalve.

Han smilede beroligende. »Nej, jeg syntes bare, vi havde den samme varevogn hængende i baghjulet lige lovlig længe, men den er væk nu.«

Vi gennemførte det sædvanlige ritual, da vi nåede ud til villaen. Jeg betalte, Poul stod ud og så sig ligesom tilfældigt om, før han åbnede min dør.

»Det varer kun fem minutter,« sagde jeg, idet jeg steg ud.

Han grinede. »Jeg kender kvinder. Jeg giver dig syv minutter, så kommer jeg ind. Jeg kører lige ned og vender kareten.«

Jeg fandt nøglen frem og låste mig ind. Jeg famlede efter kontakten i entreen og tændte lyset. Henriks overtøj hang der stadig. Dødsbomanden havde ikke været der endnu.

Det forekom mig, at huset virkede endnu mere afvisende end sidst, jeg var her. Jeg gøs uvilkårligt ved tanken om sidste gang. Havde »Hans Christian« planlagt at dræbe mig herude? I Henriks hus? Nu var jeg ikke i tvivl om, at han havde slukket lyset med vilje. Skulle jeg have været skubbet ned ad kældertrappen? Det forekom mig at være en meget usikker metode. Jeg tøvede, før jeg åbnede døren ind til den store stue, og mit hjerte hamrede. Kryster, sagde jeg til mig selv. Hvad er der at være bange for? Ingen aner, du er her. Alligevel havde jeg et fast greb om pistolen i min lomme, da jeg åbnede døren. Jeg tændte lyset. Ikke et øje, selvfølgelig ikke. Jeg slappede lidt af, tog hånden op af lommen og tørrede den af i bukserne, før jeg stak den i lommen igen. Den var våd af sved, og jeg syntes, jeg kunne lugte mig selv og min egen angst.

Jeg gik hurtigt hen mod døren til *hr. Gerners kontor,* åbnede den, fandt kontakten og tændte lyset.

Og så stivnede jeg af rædsel. Ude af stand til at gøre noget som helst. Jeg kunne ikke engang skrige. Lyden var frosset fast i min hals.

»Velkommen, Bea,« sagde den mørke skikkelse bag skrivebordet. »Jeg har ventet dig. Værsgo, sæt dig.«

XVIII

Det var som at være landet midt i et af mine natlige mareridt.

»Hans Christian« slog ud med venstre hånd mod stolen på den anden side af skrivebordet. I hans højre hånd hvilede en pistol.

Jeg blev stående, hvor jeg stod, og stirrede på ham. Ikke fordi jeg var stædig eller modig, tværtimod, men fordi mine ben rystede sådan, at de få skridt hen til skrivebordet syntes uoverkommelige.

»Jeg sagde sæt dig!« snerrede han og løftede pistolen en anelse.

Man diskuterer ikke med en pistol, så jeg gik på stive ben hen og satte mig over for ham.

Han smilede vennesælt. Det skræmte mig endnu mere. »Ja, det var bedre, Bea.«

»Jeg troede, du var rejst,« sagde jeg.

Til min egen overraskelse lød min stemme næsten normal. Høfligt konverserende. Jeg havde frygtet, at ordene ville komme ud som en halvkvalt kvækken,

»Det er jeg også, Bea,« sagde han. »Hans Christian Gerner tog flyet til London som planlagt. Jeg er sikker på, at der er flere, der kan huske mig. Stewardessen for eksempel. Jeg fortalte hende, at jeg havde været hjemme til min brors bisættelse. Hun var meget sympatisk.«

»Hvorfor?« spurgte jeg.

»Hvorfor jeg kom tilbage?« Han trak på skulderen. »Man rejser ikke fra halvfærdigt arbejde.«

Halvfærdigt arbejde. Det var mig, han talte om.

»Nej, jeg mente, hvorfor du har ventet mig? Hvordan kunne du vide, jeg ville komme herud?«

»Fordi du er så forudsigelig, Bea. Det er de fleste. Jeg vidste, du havde set et eller andet nede i *Hans Christians Værelse,* sandsynligvis noget der havde med mig at gøre. Jeg troede ellers, jeg havde fjernet alt. Hvad var det? Fotos måske? Jeg har ikke set efter, det ville være spild af tid. Det lykkedes mig at skræmme dig forleden dag, men jeg var ret sikker på, at du ville komme herud igen efter det, så det var bare at vente.«

»Jeg kunne have hentet det i går.«

Han smilede overbærende. »Ja, men det gjorde du ikke, vel? Tror du, jeg overlod det hele til tilfældet? Jeg havde et par mand til at holde øje med dig, så jeg vidste, du ikke havde været her. Men i dag var jeg sikker på, at du var på vej herud, så snart jeg hørte, hvad vej taxaen var kørt.«

Varevognen selvfølgelig.

»Men hvorfor, Hans Christian? Hvorfor myrdede du Henrik, og hvorfor den der?«

Jeg nikkede mod pistolen. Hvis bare jeg kunne få ham til at blive ved med at tale. Hvor lang tid var der gået? To minutter, tre? Jeg turde ikke slippe pistolen nede i min højre lomme, så jeg kunne ikke skubbe mit ærme op og se på uret. Jeg havde ikke hørt taxaen komme tilbage; blodets susen i mine ører havde sikkert overdøvet lyden.

»Ja, hvorfor tror du? Hold nu op med det komediespil, Bea. Du ved det jo godt. I vár kommet for tæt på, du og Henrik. Alt for tæt på. Et par dage mere og I ville have ødelagt hele min tilværelse. Og jeg sætter pris på min tilværelse som Chris Guerner. Det kalder jeg mig, selv om der stadig står Hans Christian Gerner i mit pas. Efter at vi var blevet overfaldet af de mexicanske banditter, lykkedes det mig at stjæle hans pas og stikke af, og lige siden har jeg været Hans Christian Gerner.«

Jeg stirrede målløs på ham. Bildte han sig virkelig ind, at jeg stadig troede på den røverhistorie?

Han sendte mig et irriteret blik. »Lad være at glo sådan. Han var død for fanden, så hvorfor skulle jeg ikke tage hans identitet? De havde jo skudt ham.«

»Alt det kunne du bare have fortalt Henrik. Du havde ikke behøvet at myrde ham.«

»Tror du virkelig, at han ville have ladet mig blive ved med at være Hans Christian Gerner? Han ville være gået til politiet med det samme. Efter at have hørt historien om Andrew Healy. Det må være gennem den lille fucking bøsserøv, han fandt frem til mig. Først som Andrew Healy og så ved en allerhelvedes forbandet tilfældighed som Chris Guerner. Som jeg siger, Henrik ville have ødelagt min tilværelse. Og det ville du også, hvis jeg lod dig gøre det.«

»Jeg anede ingenting.«

»Åh, hold da kæft! Tror du, jeg er helt idiot? Hvorfor tror du, jeg inviterede dig på middag? For dine blå øjnes skyld? Nope, det var for at finde ud af, hvor meget du vidste. Og du vidste for meget. Du afslørede dig selv, da du fortalte om Henriks hellige gral og sagde, at han var lige ved at finde frem til mig. Du vidste garanteret lige så meget som Henrik.«

»Hvorfor var brevbomben adresseret til mig?«

»Nå, det fandt de altså ud af?« Han smilede tilfreds. »Det tvivlede jeg ellers på, men hvis de gjorde, ville det bortlede opmærksomheden fra Henrik – og fra mig. Og jeg var flintrende ligeglad med rækkefølgen. Hvis du havde åbnet den, havde det været fint nok, men jeg tænkte nok, det blev ham.«

»Hvor vidste du fra, at det var ham, der åbnede posten?«

»Jeres vikar. Jeg traf hende på en bar for et par måneder siden, og hun fortalte om sin mærkelige arbejdsplads, hvor chefen mødte som den første, lavede kaffe til hele personalet og åbnede posten. Jeg husker alt, hvad jeg hører. Man ved aldrig, om det kan blive nyttigt. Det blev det her.«

Bare et par uskyldige bemærkninger. Misteltenen der ikke var taget i ed.

»Du var altså ude efter os begge to lige fra begyndelsen?«

»Det kommer an på, hvad du mener med begyndelsen. Det begyndte faktisk med dig.«

»Med mig?« Jeg så forbløffet på ham. »Hvorfor?«

»Fordi du var Elenas veninde og fes rundt på Norgesbåden sammen med Moritz og spurgte efter hende. Du kom mig på tværs, og det er ikke klogt. Det fandt de ud af. Alle tre.«

De navnløse kvinder og Moritz! Det rystede mig, selv om jeg forsøgte at se upåvirket ud. Jeg ved ikke, om det lykkedes.

»Du dræbte dem,« konstaterede jeg. Nu var min stemme blevet ru.

»Ikke Moritz. Da sad jeg i Florida. Jeg gav bare ordren. Det var et par af mine lettiske folk.«

»Men du skød Anna Marie og tævede Elena halvt ihjel, før du skød hende.«

»Det var ikke mig, der tævede hende. Det var også letterne. De er ret afstumpede. Jeg er ikke voldelig.«

»Ikke? Hvad med babyen?«

Et kort øjeblik gled et udtryk af ubehag over hans ansigt, så trak han på skuldrene. »Hvad skulle jeg ellers have gjort? Adopteret den?«

Jeg kommenterede det ikke, men så for mig en lille krop gennemhullet af skud.

»Skulle de også have myrdet mig?«

»Ja, men du smuttede fra dem i København, og de tabte sporet. Vi holdt vejret et par uger, men da der ikke skete noget, og pigerne ikke blev identificeret, gik vi ud fra, at du ikke vidste noget afslørende, så jeg annullerede kontrakten.« Han rystede på hovedet. »Det var sgu også et mærkeligt tilfælde, ikke? For hvem dukker op, da jeg begynder at holde øje med Henrik? Elenas veninde! Pigen fra færgen.« Han grinede lidt. »Det var sgu ret skægt. Indtil jeg fandt ud af, hvem du i virkeligheden var.«

»Du handler altså med kvinder?«

»Yes, and so what? Noget skal man jo leve af. Og helst leve godt.«

»Jeg troede, du solgte timeshares.«

Han grinede igen. »Det kan du jo godt kalde det. Hotellejligheder i Florida og piger her. Timeshares begge dele. Og jeg kan godt betro dig, at der er betydeligt flere penge i pigerne. Jeg hjælper dem, og de hjælper mig. De fleste af dem er taknemlige. De tjener mere, end de nogen sinde kunne drømme om, så dine moralske opstød kan du stoppe skråt op.«

»Hvad vil du gøre med mig?«

»Vi skal en tur i kælderen igen, Bea. Men du skal ikke regne med at finde det, du kom for.«

Jeg havde ikke spor lyst til at komme en tur i kælderen. Jeg besluttede at spille den ene af mine trumfer.

»Du får ikke noget ud af at myrde mig. Jeg har sendt dine fingeraftryk, altså Hans Christian Gerners alias Chris Guerners til Jorge Martinez Laines og foreslået ham at sammenligne dem med den falske Healys.«

Blodet skød op i hans ansigt og næseføjene blev hvide af raseri. »Hvad fanden, din fucking lede mær!«

Et kort sekund troede jeg, at han ville skyde mig her og nu, så trak han vejret dybt, og hans øjne blev iskolde.

»Du bluffer,« sagde han. »Du har aldrig haft mine fingeraftryk.«

»Hvad med det foto, du gav mig?«

»Bluff siger jeg. Der var ingen fingeraftryk.«

»Nej,« indrømmede jeg. »Det var der ikke. Men der var fingeraftryk på kortet.«

Han smilede overbærende. »Det er blomsterhandlerens, Bea. Jeg lod blomsterhandleren skrive kortet.«

Jeg smilede tilbage. Jeg forsøgte i hvert fald, selv om mit ansigt føltes stift af rædsel. »Jeg mener ikke det kort. Hotellets kort. Det du skrev dit mobilnummer på.«

Et øjeblik så han uforstående på mig, så kunne jeg se, at han huskede den lille episode og forstod, hvad den indebar.

Denne gang blev han ikke rød af vrede, men ligbleg. Han knugede pistolen så hårdt, at knoerne blev hvide.

»Det kommer du til at betale for, Bea,« hvæsede han. »Det kommer du til at betale for. Rejs dig op.«

Jeg måtte vinde tid.

Jeg spillede min anden trumf.

»De har fundet Hans Christians lig.«

Jeg følte mig som Sheherezade, der er nødt til at blive ved at fortælle for at redde livet.

»Hvor?«

»Der hvor du myrdede ham. I cenoten ved El Pito del Diablo.«

»Hvor længe har du vidst det? Vidste du det forleden aften?«

»Ja,« løj jeg.

»Lede sæk!«

»Hvorfor gjorde du det? Var det pengebæltet? Myrdede du ham for nogle få hundrede dollars?«

Han så ondt på mig. »Han kom mig på tværs og fik, hvad han fortjente. Han var en pissearrogant, højrøvet skid. Førte sig frem, som om han ejede det hele. Som om han hørte til i toppen af the jetset. Jeg mødte ham allerede i Acapulco, og jeg hadede ham lige fra starten. Jeg knoklede som bartender i en strandbar, og han daskede bare rundt på stranden med sin lille bøsseven, masser af penge og en hel fanklub af halvnøgne piger i røven, bare fordi han kunne klimpre på en guitar. Det, der virkelig tændte mig af, var, at min fucking boss spurgte ham, om ikke han ville spille i baren en time hver aften. Han tilbød ham fandeme samme hyre for én time, som jeg fik i dagløn.«

»Det kunne Hans Christian jo ikke gøre for. Din boss regnede vel med, at det kunne betale sig.«

»HC sagde nej tak, han var på ferie og manglede ikke penge. Han var vel for fin til at spille i en bar. Og jeg ragede uklar med bossen. Jeg spurgte, hvad fanden meningen var med at tilbyde ham ti gange så meget, som jeg fik, og den skide mexicaner sagde, at med det jeg huggede, og det jeg pushede i baren, fik jeg nok omtrent det samme, og hvis ikke jeg var tilfreds, kunne jeg bare skride. Og det gjorde jeg så.«

»Og så huggede du Andrew Healys pas og nogle rejsechecks?«

»Yes, et par dage efter. Jeg havde ingen job og manglede penge. Jeg vidste, de ville tage til Chichén Itzá dagen efter. Jeg fløj til Mérida og tog det sidste stykke til Chichén Itzá på stop. Jeg stod ved indgangen, da de kom, og de syntes, det var skægt, at vi mødtes igen. Og da ham den lille bøsse var ude af billedet, fik jeg HC til at tage med ud at dykke. Vi gjorde det et par gange, før vi prøvede cenoten ved El Pito del Diablo.«

Jeg så på ham. Jeg troede ikke, det var hele sandheden, men jeg fik ikke lov at stille flere spørgsmål. Hans tålmodighed var åbenbart opbrugt, og Poul var stadig ikke kommet.

»Time out, Bea. Rejs dig op. Så er det nu!«

Ja, så er det nu, gentog jeg for mig selv. Det var min sidste chance, og jeg var nødt til at gribe den. Jeg havde alt at vinde.

»Okay,« mumlede jeg og rejste mig meget langsomt op, mens jeg samtidig trak min hånd med pistolen op af lommen, og i samme øjeblik den var fri af skrivebordet, skød jeg.

Jeg sigtede overhovedet ikke, det var der ikke tid til. Jeg skød bare og var ligeglad, hvor jeg ramte, hvis blot jeg kunne gøre ham ukampdygtig længe nok, til at jeg kunne stikke af.

Jeg nåede kun at affyre ét skud, så lød der et øresønderrivende brag, der fik mig til at falde ned bag ved skrivebordet, mens det ringede for mine ører. Jeg vidste, jeg havde ramt ham, for han brølede som en såret tyr, men jeg troede, at han havde skudt mig samtidig, for min lille damepistol kunne umuligt lave så meget larm.

Han brølede og brølede, men jeg blev liggende dødstille bag skrivebordet med pistolen knuget i hånden parat til at skyde igen, mens jeg prøvede at finde ud af, hvor jeg var ramt. Det gjorde ikke ondt nogen steder, blodet fossede ikke ud, og i næste øjeblik hørte jeg Pouls stemme meget tæt ved.

»Bea!«

»Pas på!« skreg jeg. »Han har en pistol.«

»Ikke mere, for helvede da! Er du såret, Bea? Ramte han dig?«

»Det ved jeg ikke, men jeg tror det ikke. Jeg kan ikke mærke noget,« sagde jeg til gulvtæppet, for jeg vovede ikke at løfte hovedet.

»Hans Christian« brølede stadig, men hans brøl blev næsten overdøvet af hylende sirener, der standsede uden for huset.

»For helvede da!« gentog Poul og fortsatte så i et officielt tonefald. »Hans Christian Gerner, klokken er 10.27, og du er anholdt.«

Jeg kom langsomt og forsigtigt op på knæ og kiggede over skrivebordet.

Der stod »Hans Christian« og holdt om sin blodige armstump, hvorfra blodet pumpede ud over blodige hudstumper, kødtrevler og knoglerester, mens Poul, helt unødvendigt, gav ham håndjern på den raske arm.

»Det er fandeme ulækkert,« sagde Poul og forsøgte at holde sig fri af blodet. Så fik han øje på pistolen i min hånd.

»Hvad fanden skete der, Bea?« spurgte han.

»Jeg ville bare skyde pistolen ud af hans hånd eller sådan noget,« sagde jeg spagt.

»For helvede da!« udbrød Poul for tredje gang den dag. »Du er eddermame noget af en skarpskytte. Du må have ramt lige ind i løbet på den, så lortet eksploderede i hånden på ham.«

Jeg så på den blodige armstump. Jeg er bestemt ikke skarpskytte, det måtte være forsynet, der havde styret min hånd. Jeg fandt en slags poetisk retfærdighed i, at han havde fået hånden sprængt af, men jeg var trods alt glad for, at jeg ikke havde dræbt ham.

I næste øjeblik vrimlede det med politi overalt. Der var også en læge, som standsede blødningen og begyndte at lægge en nødtørftig forbinding om armstumpen. Jeg sad stadig på knæ på gulvet ude af stand til at rejse mig, indtil Poul hjalp mig op at stå og førte mig ind i opholdstuen, hvor han anbragte mig på en stol.

»Det er det værste, jeg har oplevet,« sagde han og rystede på hovedet. »Jeg var kommet ind i huset og helt herind i stuen, men døren ind til arbejdsværelset stod jo på vid gab, så jeg kunne ikke overraske ham. Jeg stod lige bag den åbne dør i en evighed og kunne både se og høre ham gennem dørsprækken, men jeg kunne ikke komme på skudhold, så jeg besluttede at skyde ham, når han fulgte efter dig ud derfra. Jeg havde selvfølgelig kaldt forstærkning, da jeg blev klar over, at der var noget rivegalt, men jeg turde sgu ikke vente på dem. Og så klarede du det selv. Du var godt nok cool. Sikke et held du havde den pistol.«

Held! tænkte jeg. Pistolen var sgu ikke held, men det var skuddet til gengæld.

»Winther giver mig nok en bøde for ulovlig våbenbesiddelse,« sagde jeg og forsøgte at smile, men det blev kun til en ynkelig grimasse, og i det samme trådte Mogens ind i stuen. Så snart jeg så ham, begyndte jeg at ryste over det hele, selv mine læber dirrede ukontrollabelt, og han havde næppe slået armene om mig, før jeg brast i en voldsom hivende gråd.

Jeg opførte mig som et barn, der har slået sig, men først begynder at græde, når det ser sin mor.

I det øjeblik var jeg bestemt ikke særlig cool.

Hvad der derefter skete står lidt tåget for mig. Lægen gav mig en beroligende indsprøjtning, og senere kørte Mogens med mig hjem for at hente Henriks notebook, før jeg – efter ordre fra Beth Winther – mødte op på hendes kontor. Undervejs fortalte jeg ham i store træk, hvad jeg havde fundet ud af aftenen før, og om »Hans Christians« forbindelse til de navnløse kvinder, som han selv havde røbet for mig.

»Det var satans!« udbrød Mogens. »Hvorfor pokker fortalte han dig det? Jeg tror oprigtigt talt aldrig, vi havde fundet ud af det.«

»Han regnede ikke med, at jeg ville leve længe nok til at fortælle det. Jeg skulle have været skudt nede i den kælder, og derefter ville han være smuttet ud af kælderdøren og videre gennem baghaven over til parallelvejen. Han ville have været over alle bjerge, før Poul kom ind og fandt mig, og ingen ville have anet, hvem han var.«

Jeg tjekkede min bærbare, før vi gik. Der var endnu ikke kommet svar fra Jorge Martinez Laines, men der lå en mail fra Andrew Healy. Indholdet var stort set, hvad jeg forventede.

Kære Bea. Jeg har på fornemmelsen, at du har fundet ud af noget vigtigt, og jeg håber snarest at få hele historien. De to personer på dit foto er mig selv og en fyr, vi mødte i Acapulco. Jeg tror, han var dansker eller i hvert fald skandinav, for han og HC kunne tale et uforståeligt sprog indbyrdes. Jeg brød mig ikke om ham, og han kunne bestemt ikke fordrage mig. Derimod var han vild med HC og klinede sig nærmest til os, så jeg går ud fra, at han var jaloux på mig, fordi vi var venner. Han lagde vist andet og mere i det. Eftersom jeg ikke kunne forstå deres sprog, ved jeg ikke noget med bestemthed, men jeg tror, han gjorde tilnærmelser til HC og blev afvist. HC har vel bare sagt til ham på en pæn måde, at han tog fejl. I hvert fald var der åbenbart ingen hard feelings, for fyren dukkede op igen i Chichén Itzá. Indtil da havde jeg faktisk troet, at det var ham, der havde stjålet mit pas, men så ville han formodentlig have undgået os. Jeg kan desværre ikke huske hans navn. Måske var det Brian. Efternavnet har jeg vist aldrig hørt.

Det er vist alt, hvad jeg kan fortælle.

Mange hilsener – Andrew

Ingen hard feelings? Åh jo, der havde været rent og uforfalsket had.

Winther var mig nådig og lod sig nøje med en kort gennemgang af sagen. Hun kunne formodentlig både høre og se, at jeg ikke kunne klare ret meget mere. Selv pistolen gik hun let henover, men jeg ved, at for Winther er gemt ikke nødvendigvis glemt, så jeg ville nok få at høre for den på et senere tidspunkt. Hun lod Poul køre mig hjem i taxaen, selv om det forhåbentlig ikke længere var nødvendigt med disse forholdsregler. Mogens var nødt til at blive på stationen; der var stadig meget, der skulle gøres.

Så snart jeg kom hjem, gik jeg på hovedet i seng og faldt næsten øjeblikkeligt i en dyb drømmeløs søvn.

Jeg vågnede først lidt over seks ved lyden af dørtelefonen. Det var Mogens. Jeg havde endnu ikke givet ham en nøgle til min lejlighed.

Hans ankomst udløste endnu et grådanfald, så jeg tog taknemligt mod både kys og kærtegn og det store glas cognac, han skænkede mig, da han havde fået mig anbragt i sofaen.

»Har I fundet ud af, hvem han er?« spurgte jeg, da jeg var kommet lidt til hægterne.

Mogens nikkede. »Ja, vi tog hans fingeraftryk på den raske hånd, før vi overlod ham til lægerne. De opererede på ham i flere timer, så vi har endnu ikke kunnet afhøre ham, men vi havde ham i kartoteket. Brian Lund Henriksen. Yngste barn i en søskendeflok på tre. En helt almindelig familie, faderen er portør og moderen hjemmehjælper, men det går skævt med Brian næsten fra starten. Butikstyverier da han er 12-13 år, og senere roder han sig ind i noget bandekriminalitet, og så går det ellers bare derudaf. Han ryger i spjældet første gang, da han er 17 år, for væbnet røveri mod en benzintank. Så er der et par mindre sager, besiddelse og salg af stoffer og den slags, men som 21-årig er han igen med til et væbnet røveri, denne gang mod en bank. Da politiet et par måneder senere finder frem til banden, prøver han at stikke af og sårer en politimand under flugten. Det gav ham fire år. Han kommer ud efter knap tre år, og allerede et par måneder efter får politiet et tip om, at han er indblandet i noget narkosmugling, men det kommer der ikke noget ud af. Han bliver aldrig anholdt eller sigtet. Han forsvinder simpelt hen ud i den blå luft. Han har meldt flytning til udlandet til folkeregistret, og hans familie hævder, at de ikke har set ham siden.«

»Han var i Mexico,« sagde jeg. »Hvor gammel er han nu?«

»43,« sagde Mogens. »Vi sendte foto af hans fingeraftryk til Santa Ana, og vi fik svar fra Jorge Martinez Laines næsten øjeblikkeligt. Fingeraftrykkene matcher den falske Healys, og de vil kræve ham udleveret.«

»De har dødsstraf i Californien,« sagde jeg.

Jeg er ellers modstander af dødsstraf, men netop den dag syntes jeg, det var en passende straf.

»Hvordan kunne han rejse ud og ind af landet?«

»Nemt,« sagde Mogens. »Han havde stadig sit danske pas. Det blev sidst fornyet for to år siden. Han rejste sikkert til England eller Tyskland som Hans Christian Gerner på sit amerikanske pas og derefter til Danmark på sit danske pas. Han skulle bare sørge for at rejse fra en anden lufthavn og aldrig gøre noget som helst, der kunne vække mistanke. Ingen narko, ingen våben, ikke så meget som en pakke cigaretter for meget. Ham spanieren fortalte i øvrigt i sin mail, at Chris Guerner havde boet og arbejdet i Florida i 14 år.«

»I 14 år?« gentog jeg spørgende. »Men da var han jo stadig Andrew Healy.«

Mogens nikkede. »Ja, men han havde åbenbart fundet ud af, at det kunne være smart at have en ekstra og særdeles respektabel identitet. Måske havde han allerede på det tidspunkt planlagt at myrde sin kone.«

»Det skulle ikke undre mig,« sagde jeg.

Telefonen ringede, og Mogens rejste sig og tog den.

Jeg sad og betragtede ham. Jeg elskede alt ved ham. Jeg var 34 år, og for første gang i mit liv oplevede jeg, hvad kærlighed var. Når man endelig møder den, er man ikke i tvivl. Det her var den ægte vare.

»Du kan være helt rolig,« sagde Mogens til personen i røret. »For fremtiden skal jeg nok tage mig af hende.«

For fremtiden.

Tænk igen at have en fremtid. Det var mere, end jeg havde turdet tro for nogle timer siden.

»Var det Ruth?« spurgte jeg, da han havde lagt på.

»Ja, jeg skulle hilse.«

»Hvad ville hun?«

»Bare høre, hvordan du havde det, og så minde os om, at vi skal til julefrokost i morgen.«

»Julefrokost!«

Tanken virkede helt forrykt.

Mogens og jeg så på hinanden, og så brast vi begge to i latter.

Han trak mig ind til sig og kyssede mig længe, længe.

Livet er vidunderligt.

Amo, ergo sum.

Jeg elsker, altså er jeg.